U0104348

著作者遺照

謹以此書

獻給

先父在天之靈

兒　鯤　鯨

女　鰜　鰈　鱈　敬獻

鱺　鮟

涂公遂著

文史哲學集成

艾廬文史論述

文史哲出版社印行

艾廬文史論述／涂公遂著.--初版.--臺北市：文史哲，民80
5,362面；21公分.--（文史哲學集成；241）
ISBN 957-547-058-3（平裝）

1.漢學—論文，講詞等　2.中國文學—論文，講詞等

030.7　80002878

㉔① 文史哲學集成

艾廬文史論述

著者：涂公遂
出版者：文史哲出版社
登記證字號：行政院新聞局局版臺業字〇七五五號
發行所：文史哲出版社
印刷者：文史哲出版社
台北市羅斯福路一段七十二巷四號
郵撥〇五一二八八一二彭正雄帳戶
電話：三五一一〇二八

實價新台幣四六〇元

中華民國八十年八月初版

版權所有・翻印必究
ISBN 957-547-058-3

艾廬文史論述　目次

詩與政教

——中國古代重詩觀念及其史實

中國人，曾經被譽爲「天賦的詩人」（註一）。以現代的中國人言之，也許會覺得「當之有愧」；然而，根據古籍的記載，中國過去確是一個異常重詩的國家。僅以歷代詩人所遺留給後世的作品之豐富而論，中國先民的對於詩的愛好之普遍及其創作的盛況，便可想像而知了。

中國的重詩，最顯著的事實，在戰國以前，詩與國家的政教禮樂，可以說是息息相關的。其間、孔子的訂正詩樂與推重詩教，當然發生着繼往開來的重大作用；而孔門諸子在闡揚師說之餘，往往特別強調詩訓，這也給儒家樹立了一種詩教的學風。其後，漢代的崇儒尊經，詩列爲經學之一，到隋唐以詩賦取士，詩更爲士子必修的一科。自此，詩的影響日大，詩的用途也日廣。一千多年來，舉國上下，唱詠諷誦，蔚爲風氣。詩，幾乎成爲中華民族在生活上與品性上所不可或缺的一種要素；而中國文化上所表現的一種眞純優美與溫柔敦厚的高尚精神，這也多半是由於詩的潛力所陶鎔涵養而成的。

歷來論詩的人，對於這些富有民族特殊意義的重詩的史實，往往是不甚加以注意的。因此，我特別將這些史實，簡略的分述於後。這樣，也許一方面可以增加我們研究詩的興趣，一方面並可以使我們對於中國的詩，更加多一層認識。

一、獻詩——誦詩

獻詩，這在中國古代政治上，是一件重大的政事。中國古代的政治，雖然很早就建立了君主政治，可是「民爲邦本」的觀念，却一直支配着政治上的理論與法則。所謂「天視自我民視，天聽自我民聽」（泰誓），任何君主，假如他不重視民意，便會受到臣民的嚴重反抗；而歷史上的亡國之君，也就以此爲他的最大罪狀。

所謂民意的反映，是可以從多方面以傳達於君主的耳目的。其中重要的一項，便是獻詩與誦詩。所謂獻詩，乃是最接近君主的公卿士大夫，一面將聽自民間的詩歌，選擇與政治有關的，以誦告於君主；同時，尤應根據民間的情況，視察政治的利弊得失，作詩以代諷諫。這種獻詩的用意，主要是使君主們能夠深切地瞭解民情民意，作爲施政出令的參考；對於有違民情民意的政事，並可據此以爲改革。不僅如此，這些公卿士大夫本人所作的與聽自民間的獻詩，並且規定由樂師隨時向君主奏誦，既可使君主隨時加以儆惕，不致遺忘；又可垂訓後世，以爲典範。

對君主的諷諫，爲什麼要借重於獻詩誦詩呢？這一點，也許是由於詩歌的語句，委宛含蓄，怨而不怒，哀而不傷；一方面可以不致冒犯君主的尊嚴，一方面也易於使君主們受到感動。孔子曰：「忠臣之諫君，有五義焉。一曰譎諫，二曰戇諫，三曰降諫，四曰直諫，五曰風諫。唯度主而行之，吾從其風諫乎？」（見孔子家語，辯明。按家語一書，乃王肅所綴輯而託名於孔猛。唯因其中多遺文軼事，自唐以來，知其僞而不能廢。明以後王本又遭竄削，故尤多失實之文。本書所引，僅取其與大義無乖者，謹註於此。）獻詩誦詩以諫，正是風諫的意思。詩大序曰：「上以風化下，下以風刺上，主文而譎諫，言之者無罪，聞之者足以戒，故曰風。」這也是「以詩爲諷諫」的最好說明。鄭玄六藝論曰：「詩者，弦歌諷諭之聲也。自書契之興，樸略尙質，面稱不爲諂，目諫不爲謗，君臣之接如朋友然，在于懇誠而已。斯道稍衰，姦僞以生，上下相犯。及其制禮，尊君卑臣，君道剛嚴，臣道柔順，於是箴諫者稀，情志不通。故作詩者，以誦其美而譏其惡。」這一說明，尤近情理。

何況，君主們在平時宴饗等等場合中，往往要用音樂歌舞以成禮助興。試想，在那種優美的樂歌聲中，君主們既可以娛樂心情，又可以聽取輿論而藉悉民間的隱曲，或聆取大臣們的言論以省悟爲政的要理；這種制度，眞可以說得上是政治而藝術化的制度了。

可惜，關於獻詩一事，古籍的記載很少。只從國語與左傳等書中，可以查考到一些梗概。

國語，周語上，第一：

厲王虐，國人謗王。

召公告王曰：「民不堪命矣！」

王怒。得衞巫使監謗者；以告，則殺之。國人莫敢言，道路以目。

王喜，告召公曰：「吾能弭謗矣，乃不敢言。」

召公曰：「是鄣之也。防民之口，甚於防川，川壅而潰，傷人必多；民亦如之。是故爲川決之使導，爲民者宣之使言。故天子聽政，使公卿至於列士獻詩，瞽獻典，史獻書，師箴，瞍賦，矇誦，百工諫，庶人傳語，近臣盡規，親戚補察，瞽史教誨，耆艾修之；而後王斟酌焉，是以事行而不悖。……」（註二）

國語，晋語六，第十二：

趙文子冠。……見范文子。文子曰：「而今可以戒矣。夫賢者寵至而益戒，不足者爲寵驕，故興王賞諫；臣逸、王罰之。吾聞古之王者，政聽旣成，又聽於民。於是乎使工誦諫於朝；在列者獻詩，使勿兜；風聽臚言於市；辨妖祥於謠；考百事於朝；問謗譽於路。有邪而正之，盡戒之術也，先王疾是驕也。」（註三）

國語，楚語上，第十七：

左史倚相廷見申公子亹，子亹不出，左史謗之。舉伯以告。子亹怒而出曰：「女無亦謂我老耄而舍而又謗我？」左史倚相曰：「唯子老耄，故欲見以交儆子。若子方壯，能經營百事，倚相將奔走承序，於是不給而何暇得見。昔衞武公年數九十有五矣，猶箴儆於國，曰：『自卿以下，至于師長士，苟在朝者整無謂我老耄而舍我。必恭恪於朝，朝夕以交戒我。聞一二之言，必誦志而納之，以訓道我。』在輿有旅賁之規；位宁有官師之典；倚几有誦訓之諫；居寢有暬御之箴；臨事有瞽史之道；宴居有師工之誦；史不失書，矇不失誦，以訓御之。於是乎作懿戒以自儆也。……」（註四）

春秋左氏傳、襄公十四年：

師曠侍於晉侯。晉侯曰：「衞人出其君，不亦甚乎？」對曰：「……天生民而立之君，使司牧之，勿使失性。有君而爲之貳，使師保之，勿使過度。是故天子有公，諸侯有卿，卿置側室，大夫有貳宗，士有朋友，庶人工商皁隸牧圉皆有親暱，以相輔助也。善則賞之，過則匡之，患則救之，失則革之。自王以下，各有父兄子弟以補察其政。史爲書，瞽爲詩，工誦箴諫，大夫規誨，士傳言，庶人謗，商旅于市，百工獻藝。故夏書曰：『遒人以木鐸徇於路，官師相規，工執藝事以諫。正月孟春，於是乎有之，諫失常也。』」

從以上幾節記載中，關於公卿士大夫的獻詩以爲諷諫的意義，說得非常明白。同時，所謂「瞽獻典」「師箴」「瞍賦」「矇誦」「工誦諫」以及「誦訓之諫」「瞽史之道」「師工之誦」「瞽爲詩」「工誦箴諫」等等，這都是和獻詩一事發生連帶關係的所謂誦詩；而「箴」「誦」「諫」「賦」「規」「臚言」「誨」「謠」「傳言」「謗」等等，也多半就是民間的韻語；普通稱爲謠諺，總稱便是詩歌。所以，從這一點我們可以瞭解到，這時的民間詩歌，也就等於是一種輿論；朝廷的重詩和重視輿論，是有一致性的。至於公卿士大夫的作詩，在性質上與采誦民間的詩歌，屬於同一的意義；主要的作用，都是在於諷諫。因此，我們尚可以從古籍中去追索春秋以前的同類記載來作爲佐證。

尚書，舜典：

帝曰：龍！朕堲讒說殄行，震驚朕師。命汝作納言。夙夜出納朕命，惟允。

尚書，益稷：

帝曰：「臣作朕股肱耳目。予欲左右有民，汝翼。予欲宣力四方，汝爲。予欲觀古人之象，……汝明。予欲聞六律，五聲，八音，在治忽。以出納五言，汝聽。予違汝弼，汝無面從，退有後言。欽四鄰，庶頑讒說，若不在時，侯以明之，撻以記之。書用識哉，欲並生哉。工以納言，時而颺之。格則承之庸之，否則威之。」禹曰：「俞哉！帝光天之下，至于海隅蒼生，萬邦黎獻，共惟帝臣，惟帝時擧，敷納以言……」

以上兩段話，歷來的經解，關於「納言」一事，大都沒有超出「管王喉舌」與「納諫」的這一範圍。清代幾位樸學大師，除了在訓詁上對於文字有所訂正詮釋外（註五），也都只是依循舊說，不得要領。其實，從這兩段話中，我們可以發現和「獻詩」一事，是發生連帶關係的。我們先將這兩段話的主要意義簡釋如下：

第一是帝舜畏懼民間的邪說謗言足以動搖士氣民心，所以命龍作「喉舌之官」，使一面將民間的輿論，加以訪察，忠實地反映上來；一面也要將帝王的意旨，忠實地傳達下去。

第二是帝舜又命禹作他的股肱耳目。因爲他「欲左右有民」「宣力四方」，所以要禹發生「股肱的作用來幫助他。因爲他「欲觀古人之象……」所以要禹發生「目」的作用，代他觀察。因爲他「欲聞六律……」並且要知道「民間的輿論」，所以要禹發生「耳」的作用，代他納聽。同時，他表示對禹絕對信任，所以說：「汝翼」「汝爲」「汝明」「汝聽」。

第三是帝舜恐怕禹不敢直言，所以說：「予違汝弼，汝無面從，退而後言」。又恐怕禹執行不周到，不嚴格，所以要禹「欽四鄰……」。

第四是帝舜表示對於反映上來的輿論，對於可以採納的，應該命「樂工」時時對他「歌誦」（註六）；並且見之實施。（承之庸之）至於不合理的，則加以禁止（威之）。

第五是禹聽了這些話後，認爲帝舜重視輿論，非常贊佩；並且希望以後要長久的這樣做。

照以上這種解釋，我們若和前文所引的國語左傳等文所談到的獻詩與誦詩的意義，比照觀討，我們便知虞舜時的所謂「納言」，當然也包括着「獻詩」「誦詩」一事在內了。一則是民間的輿論，往往是用歌謠的形式表現出來的（見前引晋語），所以要訪察輿論，當然包括採錄風謠一事在內；再則，從民間所書識的輿論，既然要命「樂工」時時加以「歌誦」，而且和「予欲聞六律，五聲，八音」一事連帶地說，可見這些輿論中，實以歌謠爲主。何況，這時的樂歌，已經非常地被重視。舜命「夔典樂」（見舜典）及舜與臯陶的君臣賡歌（見益稷），「謳歌者，不謳歌堯之子而謳歌舜」（孟子萬章篇），可爲明證。所以，我們將「獻詩」「誦詩」一事，推溯到舜時便已開始，這並不是牽強附會的。

此後，夏殷兩代，雖然並沒有這種類似的記載，這也和其他史實一樣，只能歸咎於史文的闕失；

關於獻詩一事，決不會長期中斷。因爲，獻詩一事，既與「納言」「納諫」一事爲不可分，那麼，在這兩代的政治中，對於民間的歌謠的被重視，應該也是無可懷疑的。即就今日所能看到的當時史料言之，當時民意的反映：如在夏禹崩後，「謳歌者，不謳歌益而謳歌啓」（見孟子萬章篇）。如夏桀時的民謠：「時日曷喪，予及汝皆亡。」（見湯誓，孟子曾引述）。如商湯時征討無道，所謂「東征西夷怨，南征北狄怨」，民衆的表示：「曰：奚獨后予。」其後，「攸徂之民，室家相慶，曰：徯予后？後來其蘇！」（見仲虺之誥）（註七）。又如西伯戡黎載紂的將亡，祖伊奔告，有云：「今我民罔弗欲喪。曰：『天曷不降威？大命不摯？』」（史記作「大命胡不至」）。這些，都可視同「辨妖祥於謠」「問謗譽於路」的實例，也就是獻詩者的最好材料。此外尚有一段比較具體的記載：

尚書大傳、殷傳，湯誓：

夏人，飲酒醉者持不醉者，不醉者持醉者，相和而歌曰：

「盍歸于亳！盍歸于亳！亳亦大矣！」

故伊尹退而閒居，深聽歌聲。

更曰：

「覺兮較兮，吾大命格兮！

去不善而就善，何不樂兮！」

伊尹入告于桀曰：「大命之亡，有日矣。」

桀憪然歎，啞然笑，曰：「天之有日，猶吾之有民也。日有亡哉？日亡，吾乃亡矣。」

是以伊尹遂去夏，適湯。

又新序的刺奢篇，有類似的記載，附錄於下：（韓詩外傳卷二，記載同。似爲新序所據。）

桀作瑤臺，罷民力，殫民財。爲酒池糟隄，縱靡靡之樂，一鼓而牛飲者三千人。羣臣相持作歌曰：

「江水沛沛兮，舟楫敗兮！

我王廢兮，趣歸薄兮，薄亦大兮！」

又曰：

「樂兮，樂兮！

四壯蹻兮，六轡沃兮；

去不善而從善，何不樂兮！」

伊尹知天命之至，舉觴而告桀曰：「君王不聽臣之言，亡無日矣。」

桀拍然而作，啞然而笑，曰：「子何妖言？吾有天下，如天之有日也。日有亡乎？日亡，吾亦亡矣。」

……夏亡。

又從下面一段記載中，也可知道殷商時的獻詩制度，和周代是一致的。換句話說，周代的獻詩等等措施，是承襲着殷商制度的。

大戴禮記、保傅第四十八：

於是有進善之旍（堯置），有誹謗之木（堯置），有敢諫之鼓（舜置），瞽（瞽）史誦詩，工誦正諫，士傳民語……是殷周所以長有道也。

到了周代，這是有了正式史文的一代。兼以諸子百家的著作很多，關於當時政治社會以及學術文化的記載，也比較夏殷兩代爲豐富了。不過，所謂記載比較豐富，只是就一般情形而言；若就特定的某一個問題來說，則大多數還是闕略不全，很難有賅備的記述。獻詩一事，也是如此。因此，我們只能舉出一些零斷的或類似的記載以爲例。從這些例中，至少可以知道對於獻詩一事的一些輪廓。

先從作自民間的詩而言。民間的詩，有的是經觀風采俗的官吏而錄存於朝廷的，這類的詩，將於下節再加以述論。至於經公卿士大夫所納獻而當作諷諫的，這大多是些譏刺政治的詩歌，包括謠、謳、諺、箴、誦等等。其中也有贊美某一些人事的詩，也有預言隱語而詛咒某一些人事的詩。這類的詩，代表輿論，在政治上，直接間接都發生不少影響的。

晏子春秋，內篇諫下，第五：

晏子使于魯。比其返也，景公使國人起大臺之役。歲寒不已，凍餒者鄉有焉。國人望晏子。晏子至，已復事。公延坐，飲酒，樂。

晏子曰：「君若賜臣，臣請歌之。」

歌曰：「庶民之言曰：凍水洗我若之何！太上靡散我若之何！」

歌終，喟然嘆而流涕。

公就止之曰：「夫子曷爲至此？殆爲大臺之役夫？寡人將速罷之。」

這是晏子歌詩以爲諷諫，而詩却是聞之於民間的。其他，引詩以爲諫的，也可以說是獻詩的遺風。引例如下：

國語，周語中，第二：

襄王十三年，鄭人伐滑。王使游孫伯請滑，鄭人執之。王怒，將以翟伐鄭。

富辰諫曰：「不可！人有言曰：『兄弟讒鬩，侮人百里。』周文公之詩曰：『兄弟鬩于牆，外禦其侮。』若是，則鬩乃內侮，而雖鬩不敗親也。……」

左傳，宣公十五年：

公孫歸父會楚子于宋，宋人使樂嬰齊告急於晉。晉侯欲救之，伯宗曰：「不可，古人有言曰：『雖鞭之長，不及馬腹。』天方授楚，未可與爭。雖晉之強，能違天乎？諺曰：『高下在心，山藪藏疾，瑾瑜匿瑕，國君含垢。』天之道也，君其待之。」

乃止。……

至於民間謠諺而上聞於朝廷者：

國語、鄭語、第十六：

桓公爲司徒，甚得周衆與東士之人。問於史伯曰……史伯對曰：「……宣王之時，有童謠曰：『檿弧箕服，實亡周國。』於是，宣王聞之。……」

國語、晉語、第九：

惠公入而背內外之賂，輿人誦之，曰：「佞之見佞，果喪其田。詐之見詐，果喪其賂。得國而狃，終逢其咎。喪田不懲，禍亂其興。」……

同前：

惠公即位，出共世子而改葬之，臭達於外。國人誦之曰：「貞之無報也，孰是人斯，而有是臭也。貞爲不聽，信爲不誠，國斯無刑，媮居幸生。不更厥貞，大命其傾。威兮懷兮，各聚爾有以待所歸兮。猗兮違兮，心之哀兮。歲之二七，其靡有徵兮。若翟公子，吾是之依兮。鎭撫國家，爲王妃兮。」……

左傳，隱公三年：

衞莊公娶於齊東宮得臣之妹曰莊姜，美而無子，衞人所爲賦碩人也。（註八）

左傳，閔公二年：

鄭人惡高克，使帥師次于河上，久而弗召。師潰而歸，高克奔陳。鄭人為之賦清人。（註九）

左傳，文公六年：

秦伯任好卒，以子車氏之三子奄息，仲行，鍼虎而殉，皆秦之良也。國人哀之，為之賦黃鳥。（註一〇）

× × × × × ×

獻詩一事，除了轉獻民間的詩以外，主要的是公卿士大夫也隨時可以作詩以為諷諫。這一類的詩，舉例如左：

尚書，金縢：

周公居東二年，則罪人斯得。于後，公乃為詩以貽王，名之曰鴟鴞。……（註一一）

毛詩，大雅，公列序：

公劉，召康公戒成王也。成王將涖政，戒以民事，美公劉之厚於民，而獻是詩也。（註一二）

毛詩、大雅、民勞序：

民勞，召穆公刺厲王也。

毛詩，大雅，桑柔序：

桑柔，芮伯刺厲王也。

毛詩、小雅，節南山序：

節南山，家父刺幽王也。

毛詩，小雅，賓之初筵序：

初筵之賓，衞武公刺時也。幽王荒廢，媟近小人飲酒無度，天下化之，君臣上下，沈湎淫液；武公既入，而作是詩也。

毛詩，小雅，巷伯序：

巷伯，刺幽王也。寺人傷於讒，故作是詩也。（註一三）

左傳，襄公四年：

昔周辛甲之爲大史也，命百官官箴王闕，於虞人之箴曰：芒芒禹跡，畫爲九州，經啓九道，民有寢廟，獸有茂草，各有攸處，德用不擾，在帝夷羿，冒于原獸，立其國恤，而思其麀牡，武不可重，用不恢于夏家，獸臣可原，敢告僕夫。」

左傳，閔公二年：

冬十二月，狄人伐衞。……遂滅衞。……衞之遺民男女七百有三十人，益之以共滕之民爲五千人，立戴公以廬于曹。許穆夫人賦載馳。……（註一四）

左傳，昭公十二年：

（子革對楚子曰）……昔穆王欲肆其心，周行天下，將皆必有車轍馬跡焉。祭公謀父作祈招之詩，以止王心。……其詩曰：『祈招之愔愔，式昭德音，思我王度，式如玉，式如金。形民之力，而無醉飽之心。』（按此詩在祭公謀父則爲作詩以諫，而在子革，則是稱詩以諫。孔子家語曰：「子革之非左史，所以風也。稱詩以諫，順哉。」）

晏子春秋，內篇諫下，第六：

景公爲長庲，將欲美之。有風雨作，公與晏子入坐，飮酒，致堂上之樂。酒酣，晏子作歌曰：「穗乎不得獲，秋風至兮殫零落。風雨之弗殺也！太上之靡弊也？」歌終，顧而流涕，張躬而舞。公就晏子而止之曰：「今日夫子爲賜，而誡於寡人，是寡人之罪。」遂廢酒，罷役，不果成長庲。

× × × × × ×

獻詩，除諷諫刺戒的意義以外，也有美頌的一類。如：

毛詩，召南，甘棠序：

甘棠，美召伯也。召伯之教，明於南國。

這首詩，當然是作自民間的詩。這一類的詩，詩經中尙多，如衞風的淇奧（美武公之德），木瓜（美齊桓公），唐風的無衣（美晋武公），秦風的車鄰（美秦仲），駟鐵，小戎（美襄公），小雅的鴻雁，庭燎（美宣王），……等等。是否屬於獻詩，或者是采詩得來的，便不易決定了。

毛詩，大雅，靈漢：

靈漢，仍叔美宣王也。……

這首詩，是周大夫所作的。這一類的詩，詩經中尙有崧高，烝民，韓奕，江漢（都是尹吉甫美宣王的詩）常武（召穆公美宣王）等。作於公卿大夫，當然可列於獻詩的一類了。

× × × × ×

以上，關於獻詩一事，由於史料的短缺，當然不容易作完善的敍述。惟就所舉的種種史例言之，至少可以證明，詩在春秋以前的古代政事中，確起着重要的作用。可惜，到戰國以後，這一淳美的政風，便不見記錄。即使也有獻詩這一名詞，可是意義却和春秋以前的獻詩不同。如昭明文選中，有獻詩一目，選有曹子建上責躬詩一首，應詔詩一首、又潘安仁關中詩一首。這些詩，都是以美頌王業爲主。而且前一首是自責，後兩首是應詔，與以前的獻詩一事，完全異趣了。此後，歷代都有這一名目的作品，不過頌美的多而諷諫的少。試舉一二例如下：

大唐新語，卷一，規諫二：（亦見唐語林，卷五，補遺）。

魏知古，性方直，景靈末，爲侍中。玄宗初即位，獵于渭川，時知古從駕，因獻詩以諷曰：「（略）」手詔褒美，賜物五十段。……

通鑑，唐紀，二十八：

開元六年……夏四月戊子，河南參軍鄭銑，朱陽丞郭仙丹，投匭獻詩。敕曰：「觀其文理，乃崇道法，至於時用，不切事情。宜各從所好。」並罷官，度爲道士。

以上這兩件事，可以說是屬於諷諫的獻詩。至於頌美的獻詩與唐宋以下的所謂應制詩，除了一些諂諛的華美詞句外，詩的內容，實在毫無價值的可言。

試舉一事爲例：

唐詩紀事卷十一：

景龍中，中宗引近臣宴集，令各獻伎爲樂。張錫爲談客（全唐詩話作容，是）娘舞，宗晋卿舞渾脫，張洽舞黃麞，杜元琰誦婆羅門咒，（李）行言唱駕車西河，盧藏用效道士上章，國子司業郭山煇（全唐詩話作惲，是）請誦古詩兩篇，誦鹿鳴、蟋蟀，未畢，李嶠以詩有「好樂無荒」之語，止也。

按唐中宗性好文學，喜遊宴，每集學士賦詩，當時如李嶠、上官氏等，嘗有獻詩，大多以美頌爲能事。觀以上這段記錄，羣臣起舞獻伎，用意都在求媚，獨有郭山惲一人，意存諷諫，故誦蟋蟀詩，但讀詩未畢，便爲李嶠所止，可見這時的大臣，不但沒有了獻詩的風度，即使有一二有心之士，也無從獨行其道。（蟋蟀詩見詩經唐風）

可是，古代獻詩一事，雖然給後來的應制之類的詩，將它的價值抹煞了，但古代獻詩所包含的精神，却依然活躍在後代詩人的詩中。不過，名詞不叫作獻詩，而叫作諷諫詩；或者，名目上不叫諷諫詩，而實質上和諷諫詩却是一樣。如荀卿、屈、宋以至漢人的辭賦，及唐人的新樂府之類，內容上頗多以諷諫爲主；這種詩，可以說是上承獻詩的遺風；從詩的意義上來說，也並不有遜於風雅。惟一不同的是，古代的獻詩，可以上達朝廷，並時時誦於君主，後世的諷諫詩，只是詩人們發抒他的忠君愛國的懷抱，能否眞正發生諷諫的作用，則絕非詩人的所能料；即使他偶爾的能影響到帝王的左右，至多不過是置之「庶人傳話」之列罷了。

荀子有成相篇（相即一種樂曲，漢志亦載有成相雜辭二十一篇）朱熹釋之曰：「雜陳古今治亂興亡之效，託聲詩以諷時君，若將以為工師之誦，旅賁之規者，其尊主愛民之意亦深切矣。」這是明指荀子的作成相，意在諷諫。

屈原的離騷，司馬遷以來，都稱為義兼風雅。王逸章句所謂「以風諫君也」，正足以說明屈原作離騷的寓意。其他，如「九章」等等，都有「託之以風諫」的意義。下而至於宋玉、景差的「九辯」「大招」等等，可以說完全是繼承屈原的懷抱與作風。由此，我們對於這些辭賦在寫作的意義上，應該和古代的獻詩，視作一脈相承。

屈宋以後，這種風氣，並沒有減替。文選中有勸勵詩一類，其中選有韋孟的諷諫詩一首。詩序曰：

孟為元王傅，傅子夷王，及孫王戊。戊荒淫不遵道，作詩諷諫曰：「略。」

韋孟是漢初人，曾為楚元王傅。這首詩，便是為傅時寫的。雖然不能算是獻詩，但詩的名實，都是諷諫，和獻詩的意義，可以說是一致的。文心雕龍明詩篇：「漢初四言，韋孟首倡，匡諫之義，繼軌周人。」可證。

在兩漢，以諷諫為題的詩，當以這首詩為最早。此外，古樂府中，有些諷刺朝政的詩，多數是產生於民間，和古代的風謠相類。又漢賦中也有意含諷諫之作，如司馬相如的子虛，上林；楊子雲的羽獵，長揚等等，都有獻詩的遺風。班孟堅的兩都賦序說：「故言語侍從之臣，若司馬相如……之屬，朝夕論思，日月獻納；而公卿大臣……等，時時間作。或以抒下情而諷諭，或以宣上德而盡忠孝，雍容揄揚，著於後嗣，抑亦雅頌之亞也。」可見此詩也還保有古詩美刺的兩種意義。到了唐代，李白，杜甫，白居易等的新樂府，雖無諷諫之名，却有諷諫之實。如李白的古風，杜甫的三吏、三別等等，都是風騷以後的傑作，如白居易的新樂府五十篇，可以說全部是諷戒詩。他的詩序說：

……繫於意，不繫於文……詩三百之意也。其辭質而徑，欲見之者易諭也。其言直而切，欲聞之者深誡也。其事覈而實，使采之者傳信也。其體順而律，可以播於樂章歌曲也。總而言之：爲君、爲臣、爲民、爲物，爲事而作，不爲文而作也。

又：與元九書：

僕數月來，檢討囊篋中，得新舊詩……用爲立題爲新樂府者，共一百五十首，謂之諷諭詩……

從這序文及與元九書中，他的詩旨，已經說得很明白，完全是效法風雅。所以在這五十篇詩中，雖有美有刺，但以刺爲主，而用意則在諷諫；這和古代的獻詩，可以說是精神一致的。

舊唐書，白居易列傳：

居易文辭富艷，尤精於詩筆，自讎校至結綬畿甸，所著歌詩，數十百篇，皆意存諷賦，箴時之病，補政之缺，而士君子多之，而往往流聞禁中。章武皇帝納諫思理，渴聞謹言。二年十一月，召入翰林爲學士，三月五日拜左拾遺……觀這段記載，可知白樂天的諷戒詩，尙能上達宮廷爲皇帝所重，這雖然和堂堂正正的獻詩諷諫不同，究竟還能發生一些影響的作用。白與元九書……「僕當此日，擢在翰林，身是諫官，手請諫紙，啓奏之外，有可以救濟人病，俾補時闕而難於指言者，輒詠歌之，欲稍之遞進聞於上，以廣宸聰，副憂勤，次以酬恩獎，塞言責，下以復吾平生之志……」

唐代以後，這一詩風，若斷若續的維持了約一千年，在詩人的詩中，凡是涉及於諷戒的作品，都是最令人傳誦而最動人感人的。由此，可見古代獻詩一事雖早已中斷，但它的精神却仍舊存在未滅的。

二、采詩——陳詩

采詩，又稱爲陳詩，和獻詩一事有連帶關係，也是古代政治中一項要政。獻詩，是由公卿士大夫將民間的詩或自己所作的詩，獻聞於君主；主要的目的在於諷諫，其次也有美頌政治以鼓勵王政的作用。采詩一事的施行與目的，則不相同。采詩，是由君主派定官吏，分赴各地去采錄民間的詩歌兼及樂曲；而各地官吏，也有采錄民間詩歌樂曲以上聞於君主的責任。（所以也叫做陳詩）采詩的目的，主要的是要藉此考察各地方的民情風俗，一方面可以作施政的參考，一方面也可以聽取民間的輿論以檢討政治的得失。這一政事的用意，可以說是非常美善的。

關於采詩一事的記載，在古籍中並不多見。前所引尙書益稷：「予欲聞六律、五聲、八音，在治忽，以出納五言，汝聽。」這裏提到音樂一事，似乎和采詩一事也有連帶關係，所謂「天子省風以作樂」（見左傳昭公二十一年），可為明證。因為古代的詩與樂是不可分的。而在更早的時代，采詩與獻詩，似乎也並不是兩件事。公卿士大夫不但負有獻詩的責任，當他們供職各地或出巡的時候，未嘗不兼負有采詩的責任。所以，在虞舜的時代，既可推知已有獻詩的事，也可推知並有采詩的事。又，獻詩、誦詩的事，是與諷諫一事有關係的；采詩、陳詩的事，則是與觀風一事有關係的。因此，在上古政治中，凡是對於諷諫一事加以重視的，我們便可以推想到獻詩與誦詩；同樣，凡是對於觀風一事加以重視的，我們便可以推想到采詩與陳詩。這種的推想，也許是不會離事實太遠的。

試以下面兩段記載，來比觀一下：

尚書、舜典：

歲二月，東巡守，至於岱宗，柴。……五歲一巡守，羣后四朝，敷奏以言。……（益稷：奏作納。）

禮記、王制：

歲二月，東巡守，至於岱宗，柴而望祀山川；觀諸侯；問百年就見之；命大師陳詩以觀民風。

（鄭注：陳詩，謂采其詩而視之。孔穎達正義：此謂王巡守見諸侯畢，乃命其方諸侯，大師，是掌樂之官，各陳其國風之詩以觀其政令之善惡。）

以上兩段，前一段是紀舜巡守的情形，以及巡守的制度；後一段是紀周制天子巡守的故事。假如這兩段記載都無可懷疑的話（註一五），則從這相去很遠的兩個朝代的制度來加以比照，舜時的「敷奏以言」中，便可能包括「陳詩以觀民風」在內；而周時的制度，決不是周時所獨創，應該是承襲舜時的制度而來的。因而「陳詩以觀民風」一事，可能也就是舜時的制度。又尚書大傳，也有同樣的記載，可爲佐證。

尚書大傳，唐傳：

見諸矦，問百年，命大師，陳詩以觀民風俗。

按尚書大傳雖作於漢伏勝，但勝博識先秦舊籍，且多得之師傳，所說陳詩一事，必有所本。於此，足見以上的推斷，並不牽強。

另一有力的證明，便是夏代已有采詩的事。夏代離舜不遠，夏代既有采詩的事，則舜時已有采詩一事便不足爲奇了。

根據前節所引左傳襄公十四年師曠的談話，引證「夏書曰：遒人以木鐸徇於路。」又夏書胤征：「每歲孟春，遒人以木鐸徇于路。」（註一六）這可說是夏代已有采詩一事的證明。關於采詩一事，這也可說是最早的記載。

按漢書藝文志，曾提到采詩一事。

漢書、藝文志：

故古有采詩之官，王者所以觀風俗，知得失，自考正也。

又漢書食貨志，有一節更提到殷周采詩的事。

漢書、二十四上、食貨志：

殷周之盛，詩書所述……冬，民既入，婦人同巷，相從夜績……男女有不得其所者，因相與歌詠，各言其傷……春秋之日，羣居者將散，行人振木鐸，徇於路以采詩。獻之太師，比其音律，以聞於天子。故曰：王者不窺牖戶，而知天下。……

漢書的這段話，當然是根據詩書及先秦古籍中的記載，而加以綜合敘述的。他將「遒人」改作「行人」，指出「遒人以木鐸徇於路」，乃是爲了「采詩」，並指出行人所采的詩，乃是獻給掌管音律的太師，然後由太師彙集，調整它的音律，再陳獻給天子（註一七）。這種敘述，可以說對於采詩一事，說得相當明白。由於「王者不窺牖戶而知天下」一語，更將采詩的意義，所謂「觀風俗，知得失，自考正」，便和盤托出了。

而且，由此可以證明，采詩一事，自虞舜，而夏，而殷，到周，曾一貫的施行，都被視爲國家的一項要政。故方言載劉歆與楊雄書有云：「三代周秦軒車使者遒人使者（玉海引古文苑遒人二字在軒車使者上，無下使者二字）以歲八月巡路宋代語童謠歌戲。」（又應劭風俗通義序，同劉歆說。）

又，公羊傳，宣公十五年，何休解詁，曾有一段也說到采詩一事：

……民皆居宅，里正趨緝績，男女同巷，相從夜績，至於夜中。……男女有所怨恨，相從而歌。飢者歌其食，勞者歌其事。男年六十女年五十無子者，官衣食之，使之民間求詩。鄉移於邑，邑移於國，國以聞於天子。故王者不出牖戶，盡知天下所苦；不下堂，而知四方。

這一段話，明明是從班固書中抄來。但不說行人，而以老年無子者負采詩之責；又不言獻於大太，而言由鄉邑遞陳；這不知道何所根據。也許，這是漢武帝時所行的采詩辦法，何休乃稱之爲古制；或者周時確有此一辦法，何休另有所據。

據我們現在所能讀到的先秦古籍，采詩一事，曾盛行於西周；在春秋之世，似乎就漸漸廢弛（朱熹所謂「至於東遷，則遂廢不講矣。」見詩集傳序），到戰國，便不被重視了。

詩三百有五篇，除一部分獻詩與頌詩外，大半都是得之於采詩。史記孔子世家說：「古者詩三千餘篇，及至孔子去其重，取可施於禮義，上采契后稷，中述殷周之盛，至幽厲之缺……三百五篇，孔子皆絃歌之，以求合韶武雅頌之音……」關於孔子是否刪詩一事，以及三百五篇詩中是否有契后稷時代的詩，這些問題，將於下文另論，至於說到「古者詩有三千餘篇」，並有重複的篇章，就采詩一事而言，這應該是無可懷疑的。

春秋末葉以及戰國之世，這正是孟子所說的「王者之迹熄而詩亡」的時代，文心雕龍明詩所謂：「自王澤殄竭，風人綴采……」這時，戰亂頻仍，自天子以至各國執政的諸矦公卿，已無暇顧到采詩觀風的事；民間的詩歌，只散見於各家的著述中。二百幾十年，並沒有一部詩集留給後世，如果不是南方產生一種新興文學——辭賦，則在詩歌歷史中，這算是一個最荒歉的階段。

到了漢代，情形便不同了。因爲國家政治漸趨安定，重詩的觀念，在統治者心目中又復活躍起來。

漢武帝時，除了提倡士大夫階級所相習成風的辭賦文學外，對於民間樂歌，也特別注意。於是，采詩的事，便又恢復舉行。

漢書、藝文志：

自孝武立樂府而采詩謠，於是有代趙之謳，秦楚之風，皆感於哀樂，緣事而發，亦可以觀風俗，知薄厚云。

漢書、禮樂志：

至武帝定郊祀之禮……乃立樂府，采詩夜誦。有趙、代、秦、楚之謳……。

這一次的采詩，辦法如何，不得而知。所采集的詩歌，總數多少，也不得其詳。據漢書藝文志詩賦略記載，歌詩部分，共有二十八家，三百一十四篇 其中如高祖歌詩與宗廟歌詩等十家，顯非采詩外，其餘似乎都是經由采詩而得。計有：

吳、楚、汝南歌詩十五篇

燕、代謳、雁門、雲中、隴西歌詩九篇

邯鄲、河間歌詩四篇

齊、鄭歌詩四篇

淮南歌詩四篇

左馮翊、秦歌詩三篇

京兆尹、秦歌詩五篇
河東、蒲反歌詩一篇（蒲反即蒲阪）
雒陽歌詩四篇
河南、周歌詩七篇
周謠歌詩七十五篇
周歌詩二篇
南郡歌詩五篇

以上十三類計一百三十八篇。又：

雜歌詩九篇
諸神歌詩三篇
送迎靈、頌歌詩三篇

以上三類，十五篇，可能也是屬於采詩。又：

河南、周歌詩聲曲折七篇
周謠歌詩聲曲折七十五篇

以上兩類，「聲曲折」，乃是「歌譜」（註一八），這可能也是采自於民間的。因爲，采詩與采樂向來都是並行並重的。

就以上采詩的這些項目而言，足證采詩的地區，相當廣濶。（包括今蘇、浙、皖、鄂、湘、豫、晋、陝、冀、魯、甘等省）據漢書禮樂志所述，這些詩，采集送歸樂府以後，樂府便一一譜樂，並訓練人員，爲之奏唱（也許即按照各地的原有樂調加以整理，並徵調各該地熟練的人員，爲之演奏唱）。當時樂府工作人員，有八百二十九人之多。由這些人員所擔任的工作項目而言，更可考見當時所采的詩歌，主要是那些地區。計有：

邯鄲鼓員　江南鼓員　淮南鼓員　巴俞鼓員　楚嚴鼓員　梁皇鼓員　臨淮鼓員　茲邡鼓員（註一九）　鄭四會員（註二〇）　沛吹鼓員　陳吹鼓員　東海鼓員　楚鼓員　秦倡員　銚（趙）四會員　楚四會員　巴四會員　齊四會員　楚謳員　齊謳員

按從以上鼓員，四會員，吹鼓員，謳員等所擔任的歌詩項目，尚有巴、俞兩地的詩歌，不見於藝文志的註錄（也許包括在雜歌詩或諸神歌詩中）。可見四川的詩歌，也會采錄到。至於樂府人員中，尚列有騎吹鼓員等等，則當時西域的樂曲也在采集之列，這一點，當於後文另論。

總之，漢武時這次的采詩，規模相當的大。此後，繼續了一百多年，成績也一定可觀。可惜，宣，元以後，「鄭聲施於朝廷」，不再講求「雅樂」。到成帝時，所謂「自公卿大夫觀聽者，但聞鏗鏘，不曉其意；而欲以風諭衆庶，其道無由。」（漢書禮樂志，宋曄等上書）。當時，「鄭聲尤甚，黃門名倡丙彊、景武之屬，富顯於世，貴戚、五侯、定陵、富平外戚之家，淫侈過度，至與人主爭女樂。」（漢書、禮樂志）。這樣，不但失去了采詩的意義，而且得到了相反的結果，無怪乎，到了哀帝時，便下詔罷去樂府官，采詩一事，也就無形停止了。

采詩一事雖然停止，可是采詩的影響，却鼓勵了民間詩歌的興起。兼以朝廷的樂章，仍然維持，樂府的人員，也留下約一半的人數。所以，東漢以後的朝野詩歌，還是很盛。即兩晉南北朝的樂府詩風，也並不十分減色。這一段期間，有沒有任何朝廷曾經恢復過采詩的事，已無紀錄可尋，但從有些帝王與貴族大臣們，盛行樂府詩體，並曾仿照民間樂曲以作詩，可見對於樂府與民間詩，依然相當重視，也可旁證民間的詩歌，曾被宮廷采入樂章。不過，這和周代的采詩用意，完全不同了。至隋文帝時，曾置清商府，博采舊章，但不成制度，唐白樂天曾建議采詩觀風（見白氏長慶集策林「采詩以補察時政」與「議文章」及進士策問三，新樂府五十）未獲朝廷採納。此後，便無人提到此事了。

三、賦詩——歌詩

賦詩，也稱爲歌詩：這是詩與禮樂相結合而曾風行於春秋朝野的一件極富藝術意味的事。

在古代政治上，禮樂刑政，本是相輔而行的。而所謂「揖讓以治天下」，尤特別重詩禮與樂。凡是國家的大典、常典，以及士大夫階級與民間的種種慶弔之事，無不遵循一定的禮制；同時並有音樂以爲節飾。到了春秋時代，在舉行某些重大禮節的當中，有的又規定有一種賦詩的節目，即由掌理詩樂的工師們，歌奏詩樂。這種節目，往往便是這一禮節中的最重要部分。孔子說：「興於詩，立於禮，成於樂。」（泰伯）可以說明這三者的關係。

賦詩一事，除了將詩、禮、樂三種形式同時表現以外，還包含着許多重要的意義：第一，表明這一禮節的性質；第二，尚可寓有訓戒勸勉的意義；第三，有時等於代表主賓間的酬答應對；第四，有時，並可藉以表示對於對方的頌美或諷刺。總之，凡是言詞所不易表達的，乃借賦詩一事以表達出來，其中往往含蘊着政治的、道德的，以及情感上的許多微妙作用。所以，我們讀歷史時遇到這種場面，總不禁爲之悠然神往。

賦詩一事的記載，因爲只見於春秋的史事中，所以我們只能承認是春秋的一種禮制。其實三禮中有不少地方，提到賦詩。三禮雖可能爲晚出的詩，但大部分的記述，仍可相信爲春秋及其以前的制度。根據這一點，我們若認爲賦詩一事發生在周初，也未嘗不可的。

如果我們再推溯上去，以古代的祭典一事而論，任何祭典中，必然有音樂，也必然有祭辭。這種祭辭，當它宣誦時，也就等於是賦詩的形式了。如伊耆氏的蜡辭，這分明也就是蜡祭中的賦詩。所以，春秋賦詩這一事，它的來源，可以說是很早很早的。也就是說，在春秋以前，許多的禮樂場面中，都可說是有賦詩一事的。

不過，春秋的賦詩，却和一般典禮中的賦詩不同。一般典禮中的賦詩，是有它特定的內容的；而春秋的賦詩，却是以前人旣成的詩（或僅採用樂章）來適應各種不同的境事，並表示各種不同的情感。有的賦全詩，有的賦斷章；所取的意義，只借用所賦的詩句所能表達的部分，不一定與原詩的意義完全吻合。所以，這種賦詩，只能說是從以前的賦詩的形式中蛻化出來的另一種式，但和以前的賦詩是不完全一樣的。所謂「凡賦詩者，或造篇，或誦古。」（見小雅常棣正義引鄭志答趙商詞。）正可以說明這兩種形式的分別。如春秋的賦詩，所賦的詩，大多都保存在詩經之中。有的詩，原來有它的特定意義，如小雅的鹿鳴，詩序曰：「鹿鳴、燕羣臣嘉賓也。既飲食中，又實幣帛筐篚，以將其厚意；然後忠臣嘉賓，得盡其心矣。」這很明顯是君主宴羣臣嘉賓時所奏的詩。但在某些賦詩的場合中，往往將它借用作爲一般宴會的歌詩，這與君主所特用的意義便不一樣了。又如小雅的四牡與皇皇者華。詩序曰：「四牡，勞使臣之來也。有功而見之，則說矣。」「皇皇者華，君遣使臣也。送之以禮樂，言遠而有光華也。」這兩首詩的原有作用，很明白也是君主所特用的。但在某些賦詩的場合中，一樣也可以借用作爲勞問宴會中的歌詩。只此一例，便可推見其他了。

所以，鹿鳴一詩，在最初用之於君主宴請羣臣賓客時，或以後歷代沿用於君臣宴饗時，這是一般的賦詩；至於借用鹿鳴詩樂而用之於各種禮樂中，這便是春秋時的賦詩。

賦詩一事的記載，多見於左傳，其次是國語。賦詩一事的儀文，則雜見於三禮中。玆先引在鄉飲酒典禮中歌奏詩章的儀文以爲例：

儀禮、鄉飲酒禮，第四：

……………

樂正先升，立於西階東。工入，升自西階，北面坐，相者，東面坐，遂授瑟，乃降。

工歌：鹿鳴、四牡、皇皇者華。

……

笙入堂下磬南，北面立，樂：南陔、白華、華黍。

……

乃間歌：魚麗。笙：由庚。歌：南有嘉魚。笙：崇丘。歌：南山有臺。笙：由儀。

……

乃合樂：周南——關雎、葛覃、卷耳；召南——鵲巢，采蘩，采蘋。

工告於樂正曰：「正歌備。」樂正告于賓，乃降。

……

說履揖讓如初，升坐。乃羞。無筭爵；無筭樂。

賓出，奏陔。

……

賓介不與，鄉樂唯欲。

……

主人之俎以東，樂正命奏陔，賓出至于階，陔作。（註二二）

按鄉飲酒禮，乃鄉大夫宴請鄉學畢業生員（賢者、能者，薦於天子）的三年一行的一種禮節，其中所歌的詩與笙樂，都見於詩經中。但借用到這個典禮中來，却不同於原詩的意義。摘錄鄭註數節以爲例：

鄭註：

鹿鳴，君與臣下及四方之賓燕，講道修政之樂歌也。此采其已有旨酒，以召嘉賓，嘉賓既來，示我以善道。又樂嘉賓有孔昭之明德，則可傚也。

四牡。君勞使臣之來，樂歌也。此采其勤苦王事，念將父母懷歸傷悲，忠孝之至，以勞賓也。

皇皇者華，君遣使臣之樂歌也。此采其更是勞苦，自以爲不及，欲諮謀于賢知而自光明也。

魚麗、言太平年豐物多也。此采其物多酒旨所以優賓也。

南有嘉魚，言太平君子有酒，樂與賢者共之也。此采其能以禮下賢者，賢者纍蔓而歸之與之燕樂也。

南山有臺、言太平之治，以賢者爲本。此采其愛友賢者，爲邦家之基，民之父母；既欲其身之壽考，又欲其名德之長也。

就以上各項解釋，姑無論這種解釋是不是完全正確，但可知在一禮節中所歌的各詩，只是采取原詩的某一部分詞句的意義，甚至言外之意。由此，推而至於其他各種場合的賦詩之事，都可以作如是觀了。

在儀禮中，除鄉飲酒外，於鄉射禮中，却略去歌詩，笙樂與間歌；只有合樂一項，用周南召南的六篇詩樂，這是與鄉飲酒同的。至於射禮中主要的詩樂，乃是騶虞一篇。騶虞爲召南中的詩篇。其詩曰：「彼茁者葭，一發五豝，于嗟乎騶虞。彼茁者蓬，一發五豵，于嗟乎騶虞。」所以凡是與射有關的禮節，都奏這首詩樂。可是，它與詩序所說的：「騶虞，鵲巢之應也。鵲巢之他行，人倫既正，朝廷既治，天下純被文王之行，則庶類蕃殖；蒐田以時，仁如騶虞，則王道以成也。」意義究有出入。

騶虞之外，尚有貍首（註二三），采蘋、采蘩等樂章，也是用於射禮的。不過，這些樂章，原規定有等級之分。

周禮、春官宗伯下：

大射，王出入，令奏王夏。及射，令奏騶虞。

凡射，王以騶虞爲節；諸侯以貍首爲節，大夫以采蘋爲節，士以采蘩爲節。（亦見禮記，射儀第四十六）

可見鄉射禮用騶虞，並不合乎規定。大約這只是成了射禮的習慣，所以並不嚴格遵行。至於其中所擧的各詩篇，雖然只是專用其樂章而並不歌其詩句，可是在用意上，還是與這些詩的原意有關係的。此外，如大射儀中有「乃管新宮三終」，並有「奏貍首」「奏陔」；燕禮中的工歌、笙奏、間歌、合樂（鄉樂）等等，都與鄉飲酒同，不過最後的禮節，不用奏陔，而另加「升歌鹿鳴，下管新宮，笙入三成，遂合鄉樂，若舞則勺」等項節目而已。

以上，這只是從賦詩的儀文上，說明賦詩的一些特殊形式。下一段，我們可以從許多賦詩的實例中，去瞭解詩與禮樂相結合，而又於政事所發生的許多微妙作用及其藝術意味。

× × × × × ×

左傳所記賦詩的事，凡三十二處；國語所記則只有四處（三處與左傳同）。這些賦詩的事，除兩處外，都是在諸侯卿大夫間的會盟與聘問的宴（同燕）饗（同享）中所舉行的，（因爲兩書所記，只涉及於諸侯卿大夫之間的禮節，並非賦詩一事，僅限於此。）漢書藝文志說：「古者諸侯卿大夫，交接鄰國，以微言相感，當揖讓之時，必稱詩以喩其志，蓋以別賢不肖，而觀盛衰焉。」正是說明此一賦詩的事的意義。諸侯卿大夫間的會盟與聘問的宴饗中，（包括諸侯與諸侯宴饗，諸侯宴饗他國的大夫，諸侯宴饗本國的大夫，大夫間的宴饗等）似乎賦詩乃是最通常的一種禮節。而在賦詩中，某方所賦的詩，便等於是某方向對方的一種獻詞。如果某方向對方有所請求時，也往往藉賦詩以爲表達，對方對某方的請求是否接納，同樣藉賦詩以爲答覆。此處尚有許多政治上的作用，都可以藉賦詩以爲進行。至於其中有美、有刺；有尊，有卑；有的因此增進邦交，有的因此造成仇恨；有的替國家爭取了榮譽，有的却被對方看出了弱點；……種種情形，不一而足。在我們今日看來，恍惚雙方只是在進行着一種猜啞謎的遊戲；可是，這種以詩來代表外交辭令的風雅政治，在中國歷史上確是一種最大的特色。

根據左傳所記的三十一事，大體上可以歸納爲十二類。分別引述如下：

例一：

文公三年：

公如晉，及晉侯盟。

晉侯饗公，賦菁菁者莪。

莊叔以公降拜；曰：「小國受命於大國，敢不愼儀？公貺之以大禮，何樂如之！抑小國之樂，大國之惠也。」

晉侯降，辭；登，成拜。

公賦嘉樂。

以上這一賦詩的事，雙方都是在互相尊敬的和睦空氣中進行的。按晉襄公所賦的菁菁者莪，乃小雅的詩篇。其中有「旣見君子，樂且有儀……旣見君子，我心則喜……旣見君子，錫我百朋……旣見君子，我心則休」等句，這等於將魯文公比作君子，無怪莊叔要文公降階拜謝。至於魯文公所賦的嘉樂，即假樂，乃大雅的詩篇。因其首章爲：「假樂君子，顯之令德，宜民宜人，受祿於天。」且全篇都是頌贊之詞。這等於答謝晉襄而特別表示尊敬的誠意。

和這種情形大體類似的賦詩，尚有襄公十九年季武子和晉范宣子的賦詩；襄公二十七年楚薳罷如晉涖盟的賦詩；昭公元年趙孟等的賦詩；昭公二年韓宣子聘魯聘齊聘衞的賦詩；昭公十七年季平子與小邾穆公的賦詩；這些都是非常和洽的；也是偏重於互相贊美的。

例二：

文公四年：

衞寧武子來聘。

公與之宴，爲賦湛露及彤弓。

不辭，又不答賦。

使行人私焉。

對曰：「臣以爲肄業及之也。昔諸侯朝正於王，王宴樂之，於是乎賦湛露，則天子當陽，諸侯用命也。諸侯敵王所愾，而獻其功，王於是乎賜之彤弓一，彤矢百，玈弓矢千，以覺報宴。今陪臣來繼舊好，君辱況之，其敢干大禮以自取戾？」

以上這一賦詩故事，乃寧武子以魯文公將天子宴諸侯的賦詩來款待諸侯的使節，禮節雖然隆重，但不合乎禮意；所以假裝不知而不答賦。等到文公派人問他，他首先是推說「以爲是練習樂歌」，以免被責爲不知禮；再則說明湛露與彤弓兩詩的意義，表示自己不敢接受。由此，可見賦詩一事，原有一定的分際，要按照主賓的身份來進行；否則，便爲非禮。同樣的情形，尚有下列一例：

襄公四年：

穆叔如晉，報知武子之聘也。

晉侯享之。金奏肆夏之三。不拜。

工歌文王之三。又不拜。

歌鹿鳴之三。三拜。

韓獻子使行人子員問之，曰：「子以君命，辱於敝邑，先君之禮，藉之以樂，以辱吾子。吾子舍其大而重拜其細，敢問何禮也。」

對曰：「三夏，天子所以享元侯也；使臣弗敢與問。文王，兩君相見之樂也；臣不敢及。鹿鳴，君所以嘉寡君也；敢不拜嘉？四牡，君所以勞使臣也；敢不重拜？皇皇者華。君教使臣曰必諮於周（註二四）；臣聞之：訪問於善爲咨，咨親爲詢，咨禮爲度，咨事爲諏，咨難爲謀；臣獲五善，敢不重拜？」

這一段故事，穆叔將對前兩項樂歌不拜而對後一項樂歌三拜的理由，說得很明白。由此也可見肆夏（註二五）只能用之於天子享牧伯，文王（註二六）只能用之於兩諸侯相見，賦詩一事，並不能隨意歌奏的。（此事亦見國語魯語下，語辭略不同）

例三：

昭公十二年：

夏，宋華定來聘，通嗣君也。

享之，爲賦蓼蕭。

弗知，又不答賦。

昭子曰：「必亡！宴語之不懷，寵光之不宣，會聽之不知，同福之不受，將何以在？」

按這一故事，乃是表示受賦詩的華定，既不能詩，也不知禮。昭子所說的「宴語」「寵光」「會德」「同福」，都是蓼蕭詩中的含義（見小雅），華定既不知，無怪昭子斷定他「必亡」。

這種不知禮的故事，在春秋諸侯卿士大夫的聘問間是不常見的。

例四：

僖公二十三年：

（晋公子重耳，由楚而被送於秦）秦伯納女五人，懷嬴與焉。……

他日，公享之。子犯曰：「吾不如衰之文也，請使衰從。」

公子賦河水。

公賦六月。

趙衰曰：「重耳拜賜。」公子降拜稽首。

公降一級而辭焉。

衰曰：「君稱所以佐天子者命重耳，重耳敢不拜？」

這一賦詩故事，國語也有記載，且比較詳細，特引錄於後：

國語，晋語，第十：

秦伯召公子（重耳）於楚……

他日，秦伯將饗公子。公子使子犯從。子犯曰：「吾不如衰之文也，請使衰從。」乃使子餘（即趙衰）從。

秦伯饗公子，如饗國君之禮，子餘相，如賓。

……

明日。燕。秦伯賦采菽。

子餘使公子降，拜。

秦伯降，辭。

子餘曰：「君以天子之服命命重耳，重耳敢有安志？敢不降拜？」

成拜，卒，登，子餘使公子賦黍苗。

子餘曰：……………

秦伯嘆曰：「是子將有焉，豈專在寡人乎？」

秦伯賦鳩飛。

公子賦河水。

秦伯賦六月。

子餘使公子降，拜。　秦伯降，辭。

子餘曰：「君稱所以佐天子匡王國者以命重耳，重耳敢有惰心？敢不從德？」

按小雅采菽，韋註所謂「王賜諸侯命服之樂」。因首章曰：「君子來朝，何錫予之？雖無予之，路車乘馬。又何予之？玄袞及黼。」其後尚有「樂只君子，天子命之；樂只君子，福祿申之。」「樂只君子，殿天子之邦；樂只君子，萬福攸同。」「樂只君子，天子察之；樂只君子，福祿膍之。」等句。這等於承認了公子重耳的諸侯地位，故趙衰立即使公子拜謝，並賦黍苗爲報。黍苗也是小雅詩篇，韋註謂爲「道召伯述職，勞來諸侯也。」因詩中有「悠悠南行，召伯勞之」「召伯有成，王心則寧」等句，是公子以諸侯自況，而以秦伯比美召伯。

又鳩飛，乃小雅小宛詩篇的首章。詩曰：「宛彼鳴鳩，翰飛戾天。我心憂傷，念昔先人。明發不寐，有懷二人。」這是秦伯表示對晉國先君與穆姬的懷念，自然也是表示對公子重耳的器重與關切。

河水，杜註謂爲逸詩，「義取河水朝宗於海，海喻秦。」韋註曰：「河當作沔，字相似誤也。其詩曰：『沔彼流水，朝宗於海』。言已反國，當朝事秦。」（沔水，今小雅詩篇）兩種解說，都是說明公子重耳表示將尊奉秦國。

六月，乃小雅詩篇。杜註：「道尹吉甫佐宣王征伐，喻公子還晉，必能匡王國。」所以趙衰又立即使公子拜謝，也就是將秦伯的賦詩，看成幫助晉公子復國的諾言，一面表示謝意，一面等於促秦伯實行他的諾言。

這一賦詩的場面，雙方的濃摯情意，都寓託在詩句之中，我們在二千六百多年以後讀之，仍然感覺到異常的親切，異常的優美。

這種賦詩寓意的故事，如成公九年季文子如宋的賦詩，襄公十四年戎子的賦詩，同年，穆子的賦詩等等，情形雖各不相同，可是都是藉詩以表達雙方的情意。

例五：

襄公十六年：

冬・穆叔如晉。聘，且言齊故。

晉人曰：「以寡人之未禘祀，與民之未息；不然，不敢忘。」

穆叔曰：「以齊人之朝夕釋憾於敝邑之地，是以大請。敝邑之急，朝不及夕，引領西望，曰：

庶幾乎？比執事之間，恐無及也。」

見中行獻子。賦祈父。

獻子曰：「偃知罪矣！敢不從執事以同恤社稷，而使魯及此？」

見范宣子，賦鴻雁之卒章。

宣子曰：「匄在此，敢使魯無鳩乎？」

這一賦詩故事，乃是魯穆叔赴晉，求晉伐齊以救魯。

晉人最初推辭，穆叔心中很焦急，乃見中行獻子，賦祈父一詩。祈父爲小雅詩篇。杜註：「周司馬，掌封畿之兵甲，故謂之祈父。詩人責祈父爲王爪牙，而不修其職，使百姓受困苦之憂而無所止居。」這等於是暗示獻子，不要像祈父一樣，爲王爪牙，而不恤鄰國人民的苦難。故獻子聞詩之後立即表示同情穆叔的處境而願盡力。穆叔又見范宣子，賦鴻雁一詩的卒章。這篇詩見於小雅。卒章曰：「鴻雁于飛，哀鳴嗷嗷；唯此哲人，謂我劬勞。維彼愚人，謂我宣驕。」這也等於請求宣子應顧念魯國的憂患，以哲人爲懷，不要和愚人一般見識。所以宣子在聞詩後，也馬上表示願意幫忙，不使魯國受困。這一次，穆叔的使命，只憑兩次的賦詩，便如願以償了。賦詩的效力，可想而知。

和這種情形相同，以賦詩請求援助而見效的，如文公十三年魯公與鄭伯會盟，季文子與子家的賦詩，襄公八年范宣子與季武子的賦詩，襄公十九年穆叔的賦詩等等。又宣公三年申包胥哭師秦庭，秦哀公賦詩表示願出兵救楚，也是這一類的性質。

例六：

襄公二十七年：

齊慶封來聘，其車美。孟孫謂叔孫曰：「慶季之車，不亦美乎？」叔孫曰：「豹聞之，服美不稱，必以惡終，美車何爲？」

叔孫與慶封食，不敬，爲賦相鼠，亦不知也。

這是叔孫藉賦詩以嘲笑慶封的失敬。相鼠，見詩鄘風。詩曰：「相鼠有皮，人而無儀；人而無儀，不死何爲？」「相鼠有齒，人而無止；人而無止，不死何俟？」「相鼠有體，人而無禮；人而無禮，胡不遄死。」可是，慶封竟不知這一賦詩是嘲笑他的。

到襄公二十八年，慶封奔魯，「叔孫穆子食慶封」，慶封又失禮，穆子乃「使工爲之誦茅鴟」，也等於駡他不知禮。誰知慶封依然不知。

這種在賦詩中被嘲笑而懵然不知的故事，在春秋一代只見之於慶封一人之身。

例七：

襄公十六年：

晉侯與諸侯宴于溫。使諸大夫舞。曰：「歌詩必類。」

齊高厚之詩，不類。

荀偃怒，且曰：「諸侯有異志矣。」使諸大夫盟高厚。高厚逃歸。

於是叔孫豹、晉荀偃、宋向戌、衞寧殖、鄭公孫蠆、小邾之大夫盟曰：「同討不庭」。

這一故事，是齊高厚因賦詩「不類」，以致召致各國的共討。所謂「歌詩必類」，據杜註說是「歌古詩，當使各從義類」。所謂「義類」，也就是按着詩的本義來表達歌詩者的意志。齊高厚的「不類」，可能是因懷有「二心」；有意或無意的從詩中表現出來，也可能是歌詩不當而被認爲有「二心」。總之，由此可見各國諸侯卿大夫對賦詩一事的如何重視；也可見賦詩一事確代表着重大的意義。不然，決不至因賦詩一事而引起戰爭的。

尙有一事，也是因賦詩而召致禍亂。

襄公十四年：

衞獻公戒孫文子，甯惠子食。皆服而朝。日旰不召，而射鴻於囿。二子從之，不釋皮冠而與之言。

二子怒。孫文子如戚。孫蒯入使。

公飮之酒，使太師歌巧言之卒章。太師辭。師曹請爲之。

初，公有嬖妾，使師曹誨之琴，師曹鞭之。公怒鞭師曹三百。故師曹欲歌之，以怒孫子，以報公。公使歌之，遂誦之。

蒯懼，告文子。文子曰：「君忌我矣。弗先，必死。」井帑於戚，而入見蘧伯玉曰：「君之暴虐，子所知也。大懼社稷之傾覆，將若之何？」對曰：「君制其國，臣敢奸之？雖奸之，庸知愈乎？」遂行，從近關出。公使子蟜，子伯，子皮與孫子盟于丘宮，孫子皆殺之。四月己未，子展奔齊、公如鄄。使子行於孫子，孫子又殺之。公出奔齊，孫氏追之。……

按衞國這一次的大禍亂，都是因賦詩一事而起。巧言，是大雅詩篇。卒章曰：「彼何人斯，居河之麋，無拳無勇，職爲亂階。」獻公賦此詩，乃指孫文子居戚（衞國河上的一邑）而將作亂。本來，孫子並無意作亂，其所以非作亂不可，實在是因此詩而激起的。可見賦詩一事對於國事的影響是如何的重大。

例八：

襄公二十六年：

……衞侯如晉，晉人執而囚之於士弱氏。

秋七月，齊侯，鄭伯爲衞侯故如晉。

晉侯兼享之。晉侯賦嘉樂。

國景子相齊侯，賦蓼蕭。

子展相鄭伯，賦緇衣。

叔向命晉侯拜二君，曰：「寡君敢拜齊君之安我先君之宗祧也，敢拜鄭君之不貳也。」

國子使晏平仲私於叔向曰：「晉君宣其明德於諸侯，恤其患而補其闕，正其違而治其煩，所以爲盟主也。今爲臣執君，若之何。」

叔向告趙文子；文子以告晉侯；晉侯言衞侯之罪，使叔向告二君。

國子賦轡之柔矣。

子展賦將仲子兮。

晉侯乃許歸衞侯。

這一故事，乃是藉賦詩一事，解決了政治上一個重大問題。最大的關鍵，在於國景子與子展所賦的兩首詩。國子所賦的轡之柔矣，乃是一首逸詩，見周書。杜註謂「義取寬政以安諸侯，若柔轡之御剛馬。」子展所賦的將仲子兮，見鄭風。詩中有「豈敢愛之？畏人之多言。仲可懷也；人之多言，亦可畏也。」故杜註謂「義取衆言可畏。衞侯雖別有罪，而衆人猶謂晉爲臣執君。」這兩位大夫，一位勸晉侯要寬大爲懷；一位勸晉侯要顧全輿論；一唱一和，頓使晉侯大爲感動，立即宣布釋放衞侯。這種外交詞令與折衝辦法，眞是後世所不可仰望的。

例九：

昭公十六年：

夏四月。鄭六卿餞宣子於郊。

宣子曰：「二三君子，請皆賦，起亦以知鄭志。」

子齹賦野有蔓草。（詩：鄭風。取詩中「邂逅相遇，適我願兮」「邂逅相遇，與子皆感」之意。）

宣子曰：「孺子善哉！吾有望矣！」

子產賦鄭之羔裘。（取詩中「彼其之子，舍命不渝，……邦之司直……邦之彥兮」等句之意以贊美宣子。）

宣子曰：「起不堪也。」

子大叔賦褰裳（取詩中「子惠思我，褰裳涉溱；子不我思，豈無他人。」之意。）

宣子曰：「起在此，敢勤子至於他人乎？」

子大叔拜。

宣子曰：「善哉！子之言是。不有是事，其能終乎？」

子游賦風雨。（取「風雨淒淒，雞鳴喈喈，既見君子，云胡不夷」等全首詩句之意。）

子旗賦有女同車。（取詩中「洵美且都」「德音不忘」等句之意，以贊宣子。）

子柳賦蘀兮。（取詩中「倡令和女」「倡予要女」等句之意，表示願遵宣子之意以爲倡和。）

宣子喜曰：「鄭其庶乎！二三君子，以君命貺起，不出鄭志（所賦六詩皆鄭風，）皆昵燕好也。二三君子，數世之主也，可以無懼矣。」

宣子皆獻馬焉；而賦我將。（見周頌。取詩中「維天其右之」「日靖四方」與「我其夙夜，畏天之威，于時保之」等句詩意，以爲答謝。）

子產拜，使五卿皆拜，曰：「吾子靖亂，敢不拜德？」

這一賦詩的場面是非常有意義的。鄭國六卿所賦的詩，都是代表着國家而立言，但立言的內容各不相同；一面贊美宣子，一面也包含着邦交上的微妙的意義。因爲鄭在秦楚晉各大國之間，處境非常困難；雖國策一向親晉，而又常受晉國的威脅。子大叔賦褰裳，等於是對晉國的一種警告。子游子柳的賦詩，也都帶有雙關的意義。這些意義，如果不是藉賦詩一事，是很難表達出來的。

和這一賦詩場面相類似的，尚有襄公二十七年鄭伯享趙孟子垂隴時，鄭國子展，伯有、子西、子產、子大叔、印段、公孫段等七子的賦詩。這次的賦詩，也是意義非常深長的。不贅引。

例十：

昭公元年：

（楚）令尹享趙孟，賦大明之首章。

趙孟賦小宛之二章。

按大明一詩，見大雅。首章有「明明在下，赫赫在上」等句，意在自我誇張。小宛，見小雅，第二章有「各敬爾儀，天命不又」等句，意在警戒令尹。這一倡一答，表面上不見痕迹，而實際上則是脣鎗舌劍，針鋒相對；在外交場合中，可以說是極富藝術意味的。

例十一：

昭公三年：

十月，鄭伯如楚，子產相。

楚子享之，賦吉日。

既享。子產乃具田，備王以田江南之夢。

這一故事是很富有風趣的。子產聽了楚子的賦詩，知道楚子意在邀鄭伯田獵，所以立即爲鄭伯準備田獵的用具。這等於楚子出了一個詩謎而給子產猜中了。在賦詩一事中，這是別開生面的一種。（吉日，見小雅，乃宣王田獵的詩）

例十二：

襄公二十八年：

吳公子札來聘……請觀於周樂。

使工爲之歌周南召南。

曰：「美哉！始基之矣；猶未也。然勤而不怨矣。」

爲之歌邶、鄘、衞。

曰：「美哉！淵乎！憂而不困者也。吾聞衞康叔，武公之德如是，是其衞風乎？」

爲之歌王。

曰：「美哉！思而不懼，其周之東乎？」

爲之歌鄭。

曰：「美哉！其細已甚，民弗堪也。是其先亡乎？」

爲之歌齊。

曰：「美哉！泱泱乎大風也哉！表東海者，其大公乎？國未可量也。」

爲之歌豳。

曰：「美哉！蕩乎！樂而不淫，其周公之東乎？」

爲之歌秦

曰：「此之謂夏聲。夫能夏，則大；大之至也，其周之舊乎？」

爲之歌魏。

曰：「美哉！渢渢乎！大而婉，險而易，行以德輔，此則明主也。」

爲之歌唐。

曰：「思深哉！其有陶唐氏之遺民乎？不然，何憂之遠也？非令德之後，誰能若是？」

爲之歌陳。

曰：「國無主，其能久乎？」

自鄶以下無譏焉。

爲之歌小雅。

曰：「美哉！思而不貳，怨而不言，其周德之衰乎？猶有先王之遺民焉。」

爲之歌大雅。

曰：「廣哉！熙熙乎！曲而有直禮，其文王之德乎？」

爲之歌頌。

曰：「至矣哉！直而不倨，曲而不屈，邇而不偪，遠而不攜，遷而不淫，復而不厭，哀而不愁，樂而不荒，用而不匱，廣而不宣，施而不費，取而不貪，處而不底，行而不流，五聲和，八風平，節有度，守有序，盛德之所同也。」

見舞象箾、南籥者。

曰：「美哉！猶有憾。」

見舞大武者。

曰：「美哉！周之盛也。其若此乎？」

見舞韶濩者。

曰：「聖人之弘也，而猶有慙德。聖人之難也。」

見舞大夏者。

曰：「美哉！勤而不德，非禹，其誰能脩之？」

見舞韶箾者。

曰：「德至矣哉！大矣！如天之無不幬也；如地之無不載也；雖甚盛德，其蔑以加於此矣。觀止矣！若有他樂，吾不敢請已。」

以上，這是全部周樂的盛大表演。魯國將全部的周樂連帶歌詩與舞蹈，依次的表演出來；而吳公子季札則一一加以批評。由此，我們可以瞭解詩樂舞的全部目次；更可以瞭解古人對於詩樂舞通於政治的觀點；這一記載，乃是研究古代詩樂舞的重要資料，除將在另文分別加以論述外，特引錄於此。這雖不同於當時通行的賦詩禮節，如果認爲它是一種擴大賦詩的場面，也未嘗不可。

賦詩的情形，上面所列的十二例，並不足加以概括，如文公七年荀林父的賦詩；襄公二十年宋褚師叚、魯公與季武子的賦詩；昭公二十五年宋公與昭子的賦詩；也各有其情節，與其他的賦詩，不盡相同。不過，以上所引各項賦詩的情節，雖或同或異，但春秋諸侯卿大夫間，在會盟聘問的燕享中所通行的賦詩禮節，我們却可以大體得到瞭解。尤其是在賦詩的意義及其效果上，使我們感覺到，詩與政治的關係的密切，幾乎是後世的政治家與文學家所不可以想像的。

至於賦詩一事，除了通行於諸侯卿大夫間的燕享中以外，在當時的其他場合，似乎也同樣盛行的。

如左傳隱公元年，叙鄭莊公與母武姜，闕在及泉隧相見，有如下的記載：

公入而賦：大隧之中，其樂也融融。

姜出而賦：大隧之外，其樂也洩洩。

以上所謂賦，就是指賦詩而言，可見，母子間的見面，也以舉行賦詩爲樂的。

國語、魯語下，第五：

公父文伯之母，欲室文伯。

饗其宗老，而爲賦綠衣之三章。

由此一例，可見饗宴宗老，也通行賦詩的。

綜合以上所舉春秋賦詩的事，我們應該注意以下幾點：

一、所賦的詩，如果是取其全篇意義的，便賦全篇；如果是取其斷章意義的，便賦斷章。左傳襄公二十八年，盧蒲癸曰：「賦詩斷章，余取所求焉。」這可說是賦詩的通例。至於在斷章中，似乎也有專取某些詩句爲義的，是否只歌頌這些詩句，便不見明文記載了。

二、賦詩一事，當然是與音樂同時舉行的。不過，從儀禮所載有工歌與合樂的分別，似乎有些詩目，已成了樂章之名，如騶虞及周南的關雎等等。只須奏而不須歌。所以表面上看起來，也可說是賦詩，其實在賦詩的形式上是有分別的。

三、就全部賦詩的記載而言，多數稱爲賦，而少數稱爲工歌，或稱歌，或稱誦，或稱使工爲之誦。

這些文字，實際上似乎並無分別。詩經中，詩、歌、誦三字，都是一個意義；而用於動詞上，如賦、歌，也應該是一致的。有人以爲歌與誦不同，在後世言之則可，在古代記載中，很難有顯著分別的證據。

四、左傳所載賦詩的事，其中所賦的詩，見於今本詩經的共五十八篇。可見，今本詩經中的詩，大多都是在當時非常流行的詩。又賦詩當中尙有若干逸詩，可見，今本詩經中的詩，並不能概括當時全部流行的詩。

五、從賦詩一事，足見當時諸侯卿大夫的對於當時所流行的詩，是非常熟悉的。所以聽到對方賦詩，即能明瞭意義；而本身欲有所陳述，也能立即選擇到適應的詩章以爲表達。

六、由此，而推知到當時的社會，一定是一個詩風甚盛的社會。因爲，所賦的詩，多數是采自民間的。以今日尙有山歌問答的流風言之，可能賦詩一事，實起於民間。不過到了諸侯卿大夫的宴享上，因俗成禮，特別顯得堂皇而已。

總之，賦詩一事，在中國詩歌史上，乃爲最光彩的一頁。可惜在戰國之世，便不見記錄。所謂「周道寖壞，聘問歌詠，不行於列國」（漢書藝文志）。秦漢以下的禮樂，雖然也用詩經的樂章，但名存實亡，與春秋賦詩的意義，已不可同日而語了。

四、詩訓——引詩

詩訓，即是指以詩爲訓，並包括引詩爲證及引詩爲喩而言。在前文所述的獻詩、采詩、賦詩各節中，其中大部分也包含着以詩爲訓的意義。尤其是在春秋戰國之世，詩，幾乎成了一種經典；它和古先聖王的誥命遺言，如夏書，商書，周書等，同樣被重視。上自諸侯公卿士大夫的論政說理，下至儒家的施教及私人著述，無不引詩爲訓，或引詩爲證，或引詩爲喩（引詩爲證爲喩，仍有以詩爲訓的意義）。我們從左傳與國語等書所記的古人言詞中，與孔子以下的許多著作中，處處都可看到「詩曰」的字句。（並包括歌、謠、謳、諺等）這種現象，是由於以下幾種原因造成的。

一、重詩的觀念，是由來已久的。由重詩的觀念而造成社會的歌詩風氣，也是非常普遍的。因此，在先民的思想與生活中，都和詩發生着密切的關係。

二、詩，原是人生社會的寫照。不僅足以察知情志的哀樂窮通，而且可以反映政治的治亂得失。換句話說，詩便是人生與政治社會的一面鏡子。所以要正確的瞭解人生與政治社會，最好是從詩中去「借鏡」，也就是引詩以爲教訓。

三、詩，在作者爲詩，在讀者也可視之爲史。在史的著述尚未發展的時代，詩，簡直便是史。史的作用，其言其事，都是爲垂訓於後世而寫的。詩既等於史，詩的垂訓的作用，自然也相同。

四、在古代學術尚未發展以前，詩也視同爲「學」。當時並不如後世有書籍可授，除少數士大夫階級尚可以有機會窺見深藏於官府的古代典籍以外（如孔子的觀書於周，韓宣子的觀書於魯大史氏），一般士民所遵循學習的，只是先民的遺言遺詩，這也就是所謂古訓。詩，有韻有則，最易流傳；流傳愈久，更成爲古訓中的精粹。

五、詩，是當時最重要的教育工具。它可以取訓，也可以訓人。儒家興起之後，尤其重在詩教；既重詩教，於是詩訓與詩教，合之則爲一事，分之則爲兩用。當時朝野人士間的詞令著述的所以着重引詩者，這正是因爲久在詩教薰染之中的原因。

根據以上種種原因，我們可以知道，古代的以詩爲訓，常常引用「詩曰」「詩云」，就和後世以經傳爲訓，常常引用「子曰」「孟子曰」或「某某曰」，是同樣的情形的。由此，我們更可知道，任何一時代的學術文化思想的趨勢，也往往可以根據這一種情形去加以觀察；而且，根據這一情形去加以觀察的結果，必然是正確而合乎事實的。

詩在春秋時代的重要地位及其以後在儒家思想中發生着重大的作用，便可由這一觀察中得到證明。以下，我們試就先秦的幾部重要的著作中，簡略的摘錄一些實例，以說明當時重視詩訓的情形。

× × × × × ×

左傳一書中，所引的詩句，見於今本詩經中的凡八十四篇之多。（凡二百一十七則）國語中，引詩經亦近二十篇。（凡三十一則）可見左氏的重視詩訓，而且對於周詩也特別熟習。其中有的是左氏自己在叙事行文中引詩以爲評語的；有的是在記述古人言詞中涉及於引詩的。茲約舉數例如左：

例一：評述古人，引詩爲訓。

隱公元年：鄭伯克段于鄢

……君子曰：「潁考叔，純孝也。愛其母，施及莊公。詩曰：『孝子不匱，永錫爾類』，其是之謂乎？」

例二：進諫，引詩爲訓。

僖公十九年：

宋人圍曹，討不服也。

子魚言於宋公曰：「文王聞崇德亂而伐之，軍三旬而不降。退修教，而復伐之，因壘而降。詩曰：『刑于寡妻，至於兄弟，以御于家邦。』今君德無乃猶有所闕？而以伐人，若之何？盍姑內省德乎？無闕，而後動。」（註二七）

僖公二十二年：

邾人以須句故，出師。公卑邾，不設備而禦之。

臧文仲曰：「國無小，不可易也。無備，雖衆不可恃也。詩曰：『戰戰兢兢，如臨深淵，如履薄冰。』又曰：『敬之敬之，天惟顯思，命不易哉。』先王之明德，猶無不難也，無不懼也，況我小國乎？……」（註二八）

例三：外交辭令中引詩爲訓。

成公二年：魯會晉師伐齊，齊敗。

……（齊侯命）賓媚人致賂，晉人不可；曰：「必蕭同叔子爲質，而使齊之封內，盡東其畝。」

對曰：「蕭同叔子非他，寡君之母也。若以匹敵，亦晋之母也。吾子布大命於諸侯，而曰『必質其母以爲信』，其若王命何？且是以不孝令也。詩曰：『孝子不匱，永錫爾類』；若以不孝令於諸侯，其無乃非德類也乎？先王疆理天下，物土之宜，而布其利。故詩曰：『我疆我理，南東其畝』。今吾子疆理諸侯，而曰『盡東其畝』而已，唯吾子戎車是利，無顧土宜；其無乃非先王之命也乎？反先王則不義，何以爲盟主？其晋實有闕。四王之王也，樹德而濟同欲焉；五伯之霸也，勤而撫之以役王命。今君子求合諸侯，以逞無疆之欲；詩曰：『布政優優，百祿是遒』，子實不優，而棄百祿，諸侯何害焉？……」

……晋人許之。（註二九）

例四：臨戰決策，引詩爲訓。（視詩爲一種學識）

宣公十二年：晋楚戰于邲，晋敗。

……潘黨望其塵，使騁而告曰：「晋師至矣」。楚人亦懼王之入晋軍也，遂出陳（陣）。孫叔曰：「進之。寧我薄人，無人薄我。詩云：『元戎十乘，以先啓行』，先入也。軍志曰：『先入有奪人之心』，薄之也。遂疾進師。……（註三〇）

例五：論武功，引詩爲例。（視詩爲史鑑）

仝前

……潘黨曰：「……臣聞克敵必示子孫，以無忘武功。」

楚子曰：「非爾所知也。夫文，止戈爲武。武王克商，作頌曰：『載戢干戈，載櫜弓矢；我永懿德，肆于時夏，允王保之。』又作武。其卒章曰：『耆定爾功』。其三曰：『鋪時繹思，我徂惟求定』。其六曰：『綏萬邦，屢豐年』。夫武：禁暴、戢兵、保大、定功、安民、和衆、豐財者也；故使子孫，無忘其章。……武有七德，我無一焉，何以示子孫？……武非吾功也。……」（註三一）

例六：　論人引詩爲訓。

成公十四年：

衞侯饗苦成叔，寧惠子相。苦成叔傲。寧子曰：「苦成家其亡乎？古之爲享食也，以觀威儀，省禍福也。故詩曰：『兕觵其觩，旨酒思柔。彼交匪傲，萬福來求』。今夫子傲，取禍之道也。」（註三二）

例七：　言辭之要，引詩爲訓。（詩學）

襄公三十一年：

子產相鄭伯如晋，……叔向曰：辭之不可以已也如是夫！子產有辭，諸侯賴之。若之何其釋辭也。詩曰：『辭之輯矣，民之協矣；辭之繹矣，民之莫矣。』其知之矣。」（註三三）

例八：　論親親，引詩爲訓（詩史）

僖公二十四年：

……王怒，將以狄伐鄭。富辰諫曰：「不可……召穆公思周德之不類，故糾合宗族于成周，而作詩曰：『常棣之華，鄂不韡韡；凡今之人，莫如兄弟。』其四章曰：『兄弟鬩于牆，外禦其侮。』如是，則兄弟雖有小忿，不廢懿親。……」（註三四）

例九：勸戒，引詩爲訓

國語、晉語，第十：（公子重耳居齊）

……姜氏殺之，而告於公子曰：「從者將以子行，其聞之者，吾已除之矣。子必從之，不可以貳，貳無成命。詩云：『上帝臨女，無貳爾心』。先王其知之矣，貳將可乎？子去晉難而極於此。自子之行，晉無寧歲，民無成君。天未喪晉，無異公子，有晉國者，非子而誰？子其勉之！上帝臨子，貳必有咎。」

公子曰：「吾不動矣，必死於此。」

姜曰：「不然。周詩曰：『莘莘征夫，每懷靡及。』夙夜征行，不遑啓處，猶懼無及；況其順身縱欲懷安，將何及矣。人不求及，其能及乎？……鄭詩云：『仲可懷也；人之多言，亦可畏也。』……」（註三五）

例十：引童謠以決定作戰時間（引謠諺之例甚多，姑引其一）

國語、晉語，第八：（亦見左傳僖公五年）

獻公問於十偃（左傳作卜偃，按即晉掌十大夫郭偃）曰：「攻虢何月也？」

對曰：「童謠有之，曰：『丙之晨，龍尾伏辰，均服振振，取虢之旂。鶉之賁賁，天策焞焞，火中成軍，虢公其奔。』火中而且，其九月十月之交乎？」

以上，只就左氏的書，略舉數例，以見一斑。從各例中，可知古人引詩，大多是只取詩中的一二詩句或一二斷章以爲訓；而所引的詩句，也不一定和原詩的意義，完全相符的。又同一詩句，數人引用，取義也可能各不一致；多數是因事爲訓，或因事取譬。可見古人對於詩義，是可以靈活運用，或舍其正義而但取其旁義的。孟子說：「故說詩者，不以文害辭，不以辭害志。以意逆志，是爲得之。」（趙注：人情不遠，以己之意，逆詩人之志，是爲其實矣。）孟子這段話，正是指引詩一事而言。所以，只要能「以意逆志」，則縱使是斷章取義或因事爲訓，都不算是違背詩義的。

×　×　×　×　×　×

詩訓一事，前文已經說過，根據古籍的證明，這似乎是儒家所特別重視的。左丘明，舊說曾受經於孔子，他的爲春秋作傳及著述國語，其中引詩之多，正足表明他是本着儒家的這一觀點而以闡揚儒家的義理爲宗旨的。至於孔子所述與孔門諸子所記述的著作，如論語、孝經、孟子、荀子、禮記（大學，中庸）、大戴記等等，其中論事說理，大多引詩爲訓。即以墨子而論，他的書中也很多地方引用詩句。也許，因爲墨子曾「學儒者之業，受孔子之術」（見淮南子要略），所以他的學說雖和儒家有距離，而他重視詩訓一事，却仍受了儒家的薰染。此外，晏子春秋一書，漢志列於儒家。此書不類晏子原作，疑爲戰國時人所輯錄或僞託。但就其書中多引詩說一事而言，也可證明爲儒家後學的手筆。又呂氏春秋，乃雜家的書，但其中也有不少儒家言論，故間亦引用詩句。（尚有爾雅一書，原爲解經的書，其中有十六則，乃是解釋詩經的）。至孔子家語，其書乃王肅雜湊諸書編錄而成。其中引詩很多，大多與各書同。

茲就以上各書，各舉一二則以爲例：

論語、八佾：（論語中說詩與引詩共十五則）

三家者，以雍徹。子曰：「『相維辟公，天子穆穆，』奚取於三家之堂？」（註三六）

論語：秦伯：

曾子有疾，召門弟子曰：「啓予足，啓予手。詩云：『戰戰兢兢，如臨深淵，如履薄冰。』而今而後，吾知免夫！小子！」禮記、坊記：（禮記中除大學中庸，說詩與引詩，約八十七則）

子云：「睦於父母之黨，可謂孝矣。故君子因睦以合族。詩云：『此令兄弟，綽綽有裕。不令兄弟，交相爲瘉。』」（註三七）

大學：（大學引詩十一）

詩云：「殷之未喪師，克配上帝。儀監於殷，峻命不易。」道：得衆，則得國；失衆，則失國。

中庸：（中庸引詩十五）

子曰：「大哉聖人之道……國有道，其言足以興；國無道，其默足以容。詩曰：『既明且哲，以保其身。』其此之謂與？（註三八）

孝經　事君章：（孝經引詩十二）

子曰：「君子之事上也，進思盡忠，退思補過，將順其美，匡救其惡，故上下能相親也。詩云：『心乎愛矣，遐不謂中矣。心藏之，何日志之。』」（註三九）

孟子　滕文公第三：（孟子論詩及引詩三十九則）

公都子曰：「外人皆稱夫子好辯，敢問何也？」孟子曰：「予豈好辯哉，予不得已也……詩云：『戎狄是膺，荊舒是懲，則莫我敢承。』」（註四〇）

荀子、勸學篇第一：（荀子談詩及引詩，約七十六則）

君子曰：學不可以已。……詩曰：「嗟爾君子，無恆安息。靖共爾位，好是正直。神之聽之，介爾景福。」（註四一）

墨子、尚同中：（墨子引詩八）

故古者聖人之所以濟事成功，垂名於後世者，無他故異物焉。曰：唯能以尚同爲政者也。是以先王之書，周頌之道之曰：「載來見彼王，聿求厥章。」則此語古者國君諸侯之以春秋，來朝聘天子之廷，受天子之嚴教，退而治國，政之所加，莫敢不賓。當此之時，本無有敢紛天下之教者。詩曰：「我馬維駱，六轡沃若。載馳載驅，周爰咨度。」又曰：「我馬維騏，六轡若絲。載馳載驅，周爰咨謀。」即此語也。古者國君諸侯之聞見善與不善也，皆馳驅以告天子。（註四二）

晏子春秋，襍上：（晏子引詩十五）

晏子飲景公酒。日暮，公呼具火。晏子辭曰：「詩云：『側弁之俄』，言失德也；『屢舞傞傞』，言失容也；『既醉以酒，既飽以德』，『既醉而出，竝受其福。』賓主之禮也。『醉而不出，

是謂伐德。』賓之罪也。嬰已卜其日，未卜其夜。』（註四三）

大戴禮記，曾子立孝：（大戴記引詩十一）

子曰：可入也，吾任其過，不可入也，吾辭其罪。詩云：『有子七人，莫慰母心。』子之辭也。『夙興夜寐，無忝爾所生。』言不自舍也。（註四四）

呂氏春秋，重言：（呂氏春秋引詩十）

明日，朝，所進者五人，所退者十人。羣臣大說，荊國之衆相賀也。故詩曰：「仍其久也，必有以也；何其處也，必有與也。」其莊王之謂耶？（註四五）

戰國策，卷六，秦四：（國策引詩僅見）

王若負人徒之衆，材（恃）兵甲之強。壹毀魏氏之威，而欲以力臣天下之主，臣恐有後患。詩云：『靡不有初，鮮克有終。』易曰：『狐濡其尾，』此言始之易，終之難也。

× × × × ×

漢興以後，經傳與諸子百家的學說，流傳日多。由於可引爲訓的言論既多，則引詩爲訓一事，應該會日漸減少。可是，自漢武崇儒尊經，罷黜百家，詩的地位，反爲抬高，成了正式的訓典。最初是，齊、魯、韓詩，立於官學，成爲士大夫必習之科。其後毛詩復出，詩說更爲完備。於是，引詩爲訓一事，又相習成風。上自朝廷的詔令文告，以至臣僚的封奏諫說，文人學者的辭章著述，都無不引述詩句，以實其義。以漢書爲例，其中引用詩訓，凡一百三十四則。此外史記，漢紀，後漢書（註四六），都有引詩的言文的記載。當代著述，如淮南子、孔叢子、春秋繁露、列女傳、白虎通、鹽鐵論、說苑、新書、新語、新序、潛夫論、中論、獨斷等書，其中引詩之多，往往超過前代。

不過，有兩點事實値得注意的。第一點：是在兩漢仍只有站在儒家立場的人才尊詩，至於傾向於黃老及名法學說的人，則並不加以理會。第二是：漢人的尊詩，只是尊經，與重詩的意義，並不完全相同。尊經，乃是尊重古訓，或者說是尊重儒家之所尊。所以凡是引述詩句的，用意大多在於符合經義而已。因此，詩經的詩，和漢代大風歌以下的詩，如辭賦，如樂府，如五言詩，似乎截然分爲兩事：前者是經典，後者是文學；前者可引以爲訓，施之於教；而後者則漸漸偏重於吟詠性情與雅尚辭采了。

因而，我們對漢以後的情形，可以得到這麼一個結論：即是，當儒家之學衰微，而詩又日趨於辭采聲韻的時候，詩訓一事，便也就無人過問了。否則，有一分儒學，便可能保有一分詩訓的意味——下一節談到詩教，也有同樣的情形。

以下，就漢代各書中，略舉數例。至於專門說詩的書如韓詩外傳，可能僞託的書如孔叢子（引詩三十），每篇引詩爲殿的如列女傳（引詩一百四十六），以及新序（引詩十二），漢紀（引詩七），潛夫論（引詩凡三十一），中論（引詩二十六），獨斷（引詩二）等書，從略。漢以後的書史，也不贅舉。

淮南子、詮言訓：（淮南子引詩凡二十二）

賈多端則貧，工多技則窮，心不一也。故木之大者害其條；水之大者害其身。有智而無術，雖

鑽之不通，有百技而無一道，雖得之弗能守。故詩曰：「淑人君子，其儀一也；其儀一也，心如結也。」君子其結於一乎？（註四七）

春秋繁露，仁義法：（春秋繁露引詩凡二十六）

……詩云：「飲之食之，教之誨之」，先飲食而後教誨，謂治人也。又曰：「坎坎伐輻」，「彼君子兮，不素餐兮！」先其事，後其食，謂之治身也。（註四八）

史記、仲尼弟子列傳：（史記記事記言中，引詩凡二十四）

……他日，弟子進問（有若）曰：昔夫子當行，使弟子持雨具，已而果雨。弟子問曰：「夫子何以知之？」夫子曰：「詩不云乎？『月離於畢，俾滂沱矣』。昨暮，月不宿畢乎？」（註四九）

漢書、武帝紀：（漢書紀事記言中，引詩凡一百三十四）

詔曰：「蓋君者心也，民猶支體。支體傷則心情怛。日者，淮南、衡山，修文學，流貨賂，兩國接壤，怵於邪說，而造篡弑；此朕之不德。詩云：『憂心慘慘，念國之為虐』，已赦天下，條除與之更始。」（註五〇）

後漢書、光武帝紀：（後漢書記事記言中，引詩凡五十九）

詔曰：「吾德薄不明，寇賊為害，彊弱相陵，元元失所。詩云：『日月告凶，不用其行。』永念厥咎，內疚於心。」（註五一）

新書、第六卷、禮：（新書引詩凡十二）

故禮者，所以恤下也。……詩曰：「投我以木瓜，報之以瓊琚。匪報也，永以爲好也。」上少投之，則下以軀償矣。弗敢謂報，願長以爲好。古之畜其下者，其施報如此。（註五二）

新語、輔政：（新語引詩僅二則）

夫據千乘之國，而信讒佞之計，未有不亡者也，故詩云：「讒人罔極，交亂四國。」衆邪會黨，以惑人君，邦危民亡，不亦宜乎！（註五三）

說苑，修文：（說苑引詩凡四十六）

故君子衣服中而容貌得，接其服而象其德。故望玉貌而行，能有所定矣。詩曰：「芄蘭之枝，童子佩觿。」說行能者也。（五十四）

鹽鐵論，地廣：（鹽鐵論引詩凡三十八）

今中國弊落不憂，務在路邊。意者，地廣而不耕，多種而不耨，費力而無功。詩云：「無田甫田，維秀驕驕。」其斯之謂歟？（註五五）

白虎通、嫁聚：（白虎通引詩凡四十八）

嫁聚必以春者：春，天地交通，萬物始生，陰陽交接之時也。詩云：「士如歸妻，迨冰未泮。」（註五六）

五、詩教

詩教，是指古代的教育，重視以詩爲教；而古代的政治，更以詩爲教化的工具而言。所謂「王道政治」，詩的教育與教化作用，也可說是其中的一個主要條件。孟子說：「王者之迹熄而詩亡。」這句話的意思，即是指王道亡而詩亦亡。可見詩與王道是相依而並存亡的（王道亡，采詩獻詩的美政便停止。以此一事爲證，便見其相依的關係。過去諸家的註解，往往言不得其要，且有譏孟子此言爲欠解者）。其後，周室東遷，王官失守。過去的「王教」「官學」，於是轉而爲「私教」與「諸子之學」。孔子是肇造私教的先師，他的儒學也是諸子之學的源泉。從他以後，雖然由詩訓書訓而增益爲六藝之教，可是詩教仍然是六藝之教的首要。此後，由於孔門弟子的闡揚師道，加以三百五篇被尊爲經學，詩教之風，更瀰漫於歷代朝野。這一點，對於中國民族德性的涵養與文化的發育，是有着極重要的關係的。

詩訓與詩教，本是不可分的。而獻詩、采詩、賦詩等事，與詩訓詩教，也是互爲表裏的。即以賦詩一事而言，列國公卿士大夫在朝會聘享中問答酬應，既能隨時賦詩取義，則平日所秉受詩的教育的嚴格，便不待想像而知了。至於獻詩的重在諷諫，采詩的重在觀風，這都含有教化的重大意義。詩大序說：「風，風也，教也。風以動之，教以化之。……上以風化下，下以風刺上。」可見詩的通於政，固然很早，而通於教，也是一樣很早的。

尚書、舜典：

帝曰：「夔！命汝典樂，教胄子。直而溫，寬而栗，剛而無虐，簡而無傲。詩言志，歌永言，聲依永，律和聲。八音克諧，無相奪倫，神人以和。」

從這段文詞中，證明在虞舜的時候，便對於元子以及公卿士大夫的子弟，開始詩教（古代詩樂舞合一，作者另有論述）。

尚書，大禹謨：

禹曰：「於！帝念哉！德惟善政，政在養民。水火金木土穀，惟修；正德利用厚生，惟和。九功惟叙，九叙惟歌。戒之用休，董之用威，勸之以九歌，俾勿壞。」

按大禹謨出於僞傳，似不可據。惟左傳文公七年，引夏書曰：戒之用休，董之用威，勸之以九歌，勿使壞九功之德。皆可歌也，謂之九歌。……」則夏書的這一段話，既有左傳的記載，當不致因列於孔傳而遂加以抹煞。就這段記載而言，所謂九歌，似爲歌功之歌。但所謂「勸之以九歌」，自然也以獎勵與勸戒爲止。而所謂獎勸與勸戒，便也寓有詩訓與詩教的意義了。

周禮、春官宗伯下、大司樂：

以樂德教國子：中、和、祇、庸、孝、友。

以樂語教國子：興、道、諷、誦、言、語。

按「樂德」，是就音樂所代表的德性作用而言；「樂語」，則是指合樂的詩歌而言，這和舜典所說的「命夔典樂」以「教冑子」的意義是相同的。所以孔安國曰：「謂元子以下至卿大夫子弟，以歌詩蹈之舞之，教長國子中、和、祇、庸、孝、友。」這種解釋與周禮的說法正合。

禮記、王制：

樂正崇四術，立四教。順先王詩、書、禮、樂，以造士。春秋教以禮、樂，冬夏教以詩、書。

又、文王世子：

春誦夏弦，大師詔之瞽宗。

又：內則：

十有三年，學樂，誦詩，舞勺。成童，舞象，學射御。……

又：學記：

宵雅肄三、官其始也。

按禮記所述的，和舜典與周禮的記載，略有異同。同的是，都以詩樂爲教；不同的是，舜典與周禮所說的是指國子的教育，與周禮地官司徒下所說的師氏保氏的三德六藝之教是相類的。禮記所說的，乃是指「造士」而言。禮記王制說：「命鄉論秀士升之司徒，曰選士；司徒論選士之秀者而升之學，曰俊士。升於司徒者不征於鄉；升於學者不征於司徒，曰造士。」於此，可見當時的教育，不限於國子；而國子和鄉所學的俊士，是同等入學的。所謂「王大子，王子，羣后之大子，卿大夫元士之適子，國之俊選皆造焉。凡入學以齒。」至以造士的進身，王制也會加以說明：「大樂正論造士之秀者，以告於王，而升諸司馬，曰進士。司馬辯論官材，論進士之賢者，以告於王而定其論。論定然後官之。任官然後爵之，位定然後祿之。」可見，鄉學之士，在既受教育之後，也是可以任官而受爵祿的。（按尚書大傳云：「新穀已入，耰鉏已藏，祈樂既入，歲事既畢，餘子皆入學。」可見庶人的子弟，都可以受學。所謂春秋與冬夏之教，庶人子弟便可以參加，而所謂造士，也就是從他們中選拔出來的。後世論古代教育者，謂只有貴族可以受教育，實誤。）

國子與鄉學之士，既同樣受教；所可注意的，是國子與鄉士的教育，以及造士的選升，何以都由掌樂官來擔任呢？周禮春官宗伯下：「大司樂，掌成均之法，以治建國之學校，而合國之子弟焉。」又：「樂師，掌國子之政，……大胥掌學士之版，以待致諸子（諸子，官名，屬司馬，掌國子之倅，掌其戒令，與其教治，辨其等，正其位）……小胥，掌學士之徵令而比之……大師，掌六律，六同……教六詩。」於此，足見詩樂，實爲教育的基礎，而國子與鄉士的材選，也是以詩樂之教爲標準的。

以上，這是就詩的教育而言。古代的國子與士，在這種詩樂的教導薰陶之下，他們的成就，當然也就以「文質彬彬」的「君子」爲其造型了。我們試舉一例，以見君子的風度及其與詩樂教育的關係。

禮記，玉藻：

古之君子必佩玉，右徵角，左宮羽。趨以采齊（歌采齊之詩以爲節），行以肆夏（歌肆夏之詩以爲節）。周還中規，折還中矩，進則揖之，退則揚之，然後玉鏘鳴也。故君子在車，則聞鸞和（鈴）之聲，行則鳴佩玉，是以非辟之心，無自入也。（按大戴禮，保傅：「行中鸞和，步中采茨，趨中肆夏，所以明有度也。」也是講君子詩教之道）

從以上這段話中，似乎不免將「君子」描寫成了舞台上的人物；可是我們從這一行儀的意義上去看，所謂詩書禮樂之教的精神，正是如此。因此，我們從個人的「文質彬彬」的詩樂的教育，再推而去觀察「郁郁乎文哉」的周代的教化，即使我們所觀察到的也許只是先民的一種理想（註五七），但是，在先民的頭腦中，居然能存在這種優美的理想，我們也應該認爲是極可寶貴的。何況，如果對於詩樂在古代社會中的地位及其影響，加以深切的瞭解，則理想的成分，究不如事實的成分來的多。（觀論語中所稱的君子各章，可以得到旁證）。

談到詩與教化的關係，這在古籍記載中，是很容易找到事實根據的。以詩經中的列國風詩而言，可知當時民間歌詞的風氣，是如何的活潑與盛。此外，從尚書、論語、國語、左傳、孟子、禮記……等等古書記錄中，上自君臣賡歌，大夫誦詠，下至輿人之歌，野人之歌，孺子之歌，優孟之歌，鄉人歌，城者謳，童謠，諺語，以至占詞，筮詞，繇詞……等等，充分證明那時朝野間，如何的盛行着文言韻語。這些現象，都可說是詩教的眞實反映。

這種歌詩的風氣，到孔子時代還是很盛。

論語・微子：

楚狂接輿，歌而過孔子曰：「鳳兮！鳳兮！何德之衰！往者不可諫，來者猶可追。已而！已而！

今之從政者殆而！」孔子下，欲與之言，趨而辟之，不得與之言。（註五八）

孔子本人，他是最愛好詩樂的。他能歌詩，善鼓琴瑟，又深悉樂理。

論語、述而：

子在齊聞韶，三月不知肉味。曰：「不圖爲樂之至於斯也。」

子於是日哭，則不歌。

子與人歌而善，必使反之，而後和之。

又、八佾：

子謂韶，「盡美矣，又盡善也」。謂武，「盡美矣，未盡善也」。

子語魯大師樂曰：「樂其可知也，始作，翕如也。從之，純如也，皦如也，繹如也，以成。」

又、子罕：

子曰：「吾自衞反魯，然後樂正，雅頌各得其所。」

又、憲問：

子擊磬於衞，有荷蕢而過孔氏之門者，曰：「有心哉！擊磬乎！」既而曰：「鄙哉硜硜乎，莫己知也，斯已而已矣。深則厲，淺則揭。」子曰：「果哉，末之難矣。」

又、陽貨：

孺悲欲見孔子，孔子辭以疾，將命者出戶，取瑟而歌，使之聞之。

又、泰伯

子曰：「師摯之始，關雎之亂，洋洋乎！盈耳哉！」

韓詩外傳，卷五：（孔子家語與史記引，辭略異）

孔子學鼓琴於師襄子而不進。師襄子曰：「夫子可以進矣。」孔子曰：「丘已得其曲矣，未得其數也。」有間，曰：「夫子可以進矣。」曰：「丘已得其數矣，未得其意也。」有間，復曰：「夫子可以進矣。」曰：「丘已得其人矣，未得其類也。」有間，曰：「邈然遠望，洋洋乎，翼翼乎，必作此樂也，默然思，戚戚而悵，以王天下，以朝諸侯者，其惟文王乎？」師襄子避席再拜曰：「善！……」師襄子曰：「敢問何以知其文王之操也。」孔子曰：「然！夫仁者好偉，和者好粉，智者好彈，有懃懃之意好麗，丘是以知文王之操也。」

又，卷六：（孔子家語，卷五，困誓第二十二，詞略異。亦見莊子秋水）

孔子行，簡子將殺陽虎，孔子似之，帶甲以圍孔子舍。子路慍怒，奮將戰下。孔子止之曰：「由！何仁義之寡裕也！夫詩書之不習，禮樂之不講，是丘之罪也。若吾非陽虎，而以我爲陽虎，則非丘之罪也。命也！我歌（子）和若。」子路歌，孔子和之，三終而圍罷。

史記、孔子世家：（又見孔子家語、卷五、子路初見第十九）

（孔子相魯，桓子受齊女樂）孔子遂行，宿乎屯，而師已送曰：「夫子則非罪」。孔子曰：「吾歌可夫？」歌曰：「彼婦之口，可以出走；彼婦之謁，可以死敗。盖優哉遊哉，維以卒歲。」

……

禮記、檀弓：

孔子蚤作，負手曳杖，消搖於門，歌曰：「泰山其頹乎！梁木其壞乎！哲人其萎乎！」……

從以上所舉各項記述，即可窺知孔子愛好而又精于詩樂的一般情形。此外，如「擊磬於齊」（見憲問），「之武城，聞弦歌之聲而莞爾而笑」（見陽貨），「與賓牟賈論樂」（見禮記樂記）等等不勝引錄。

孔子本人既愛好而又精於詩樂，所以，他的施教，雖然是詩書禮樂並重，但在程序上却以詩教爲先。

論語、泰伯：

子曰：「興於詩，立於禮，成於樂。」

大戴禮記、衞將軍文子，第十六：

衞將軍文子問於子贛（貢）曰：吾聞夫子之施教也，先以詩書……子貢對曰：夙興夜寐，諷誦崇禮，行不貳過，稱言不苟，是顏淵之行也。孔子說之以詩。詩云，媚茲一人，應侯順德，永言孝思，孝思維則。……在貧如客，使其臣如藉，不遷怒，不探怨，不錄舊罪，是冉雍之行也。

孔子曰：……詩云：靡不有初，鮮克有終，以告之……」

孔子以詩教爲先，一則是他在基本觀念上，是非常重視陶冶性情的精神生活的。

論語、先進：

子路，曾晳，冉有，公西華，侍坐。子曰：「以吾一日長乎爾，毋吾以也。居則曰：不吾知也，如或知乎，則何以哉？」

子路率爾而對曰：「千乘之國，攝乎大國之間，加之以師旅，因之以饑饉；由也爲之，比及三年，可使有勇，且知方也。」——夫子哂之，

（子曰）「求！爾如何？」對曰：「方六七十，如五六十，求也爲之，比及三年，可使足。民如其禮樂，以俟君子。」

（子曰）「赤！爾如何？」對曰：「非曰能也，願學焉。宗廟之事，如會同，端章甫，願爲小相焉。」

（子曰）「點！爾如何？」（點）鼓瑟，希，鏗爾。舍瑟而作，對曰：「異乎三子者之撰。」

子曰：「何傷者！亦各言其志也。」

（點）曰：「莫春者，春服既成；冠者五六人，童子六七人，浴乎沂；風乎舞雩；詠而歸。」

夫子喟然歎曰：「吾與點也！」……

從孔子的「吾與點也」的慨歎，很顯明的表示孔子的內心志願，正是希望能享受着一種詩人雅士的生活，在良辰美景的自然環境中，自由自在地撫琴而歌。所以他曾說：「飯疏食、飲水，曲肱而枕之，樂亦在其中。不義而富且貴，於我如浮雲。」（見述而）。這種襟懷，決不是長沮桀溺之輩所能

瞭解的。後世以孔子急於用世，所謂「三月無君，則皇皇如也」，這只見他的憫世傷亂的心情的一面。如果從他的讚美顏回，讚美寧武子，讚美蘧伯玉，贊美伯夷叔齊，以及他「欲居九夷」（見子罕），欲「乘桴浮於海」。並且這樣的說：「天下有道，丘不與易也」（見陽貨）。「篤信好學，守死善道。危邦不入，亂邦不居。天下有道則見，無道則隱。邦有道，貧且賤焉，恥也；邦無道，富且貴焉，恥也。」（泰伯）。「富貴可求也，雖執鞭之士，吾亦爲之。如不可求，從吾所好。」（述而）。可知孔子實在是以「安貧樂道」與「志潔身清」爲人格標準；而這一點，對於他重視詩教的意義，是有着密切的關係的。論語，先進：「南容三復白圭，孔子以其兄之子妻之。」南容既重詩，而又引「白圭之玷」（見詩經，大雅，抑）以爲訓；而且能做到「邦有道，不廢；邦無道，免於刑戮」（見公冶長）；孔子的所以器重他，正透露着孔子心目中對於人物選拔的重點所在，同時也足證明他是如何的重詩。

孔子的以詩教爲先，第二是他認爲學詩乃是明禮的基礎。本來，詩書禮樂四者，重心實在於禮。禮乃是政治上人倫上的綱紀；沒有禮，則詩、書、樂，都無所託，也不得其用。可是，禮如離開其餘三者，則禮也就不成其爲禮了。

禮記、仲尼燕居：

> 子曰：「禮也者，理也。樂也者，節也。君子無理不動，無節不作。不能詩，於禮繆；不能樂，於禮素；薄於德，於禮虛。」

孔子以詩教爲先，既如上述；以下，再就孔子詩教的內容，分別舉例加以說明：

論語、陽貨：

子曰：「小子！何莫學夫詩？詩：可以興，可以觀，可以羣，可以怨。邇之事父，遠之事君。多識於鳥獸草木之名。」

這一段話，可以說是孔子詩教的總綱。其中包括七點。後三點，意義比較明白；前四點，歷來的註釋，說法頗多，往往莫衷一是。現在僅取其最近似的說法，並分別加以說明：

（一）可以興。

興字，有三種解釋。第一是興起的意義。如孔子說的「興於詩」。何晏論語集解引包咸說：「興，起也。言修身當先學詩」。第二是比興的意義。孔安國註：「興，引譬連類」。朱熹詩傳綱領曰：「興者，託物興辭」。以上這二種意義，似乎都不是孔子在這句話中的興字的意義。這句話中的興字，應該是第三種意義，即是「感興」「感悟」的意義。朱熹在論語集註中解作「感發志氣」，尚切本意。因爲孔子在這句話中所說的七點，都是指學詩而言，也即指詩教而言。與「賦」「比」「興」的作詩意義，完全不同。雖然也可以有「興起」的意義在內，但和「興於詩」的興字，仍然有分別。因爲泰伯中那句話，是連帶禮與樂而言的。由「興」而「立」而「成」，只是表明三者的程序，所謂「起」，也就是「始」的意思。如果在這句話中，將興字改作「興起」，則只可說是「起來」或「啓發」的意義，決不是「始」字的意義了。孔子曰：「起予者商也」（八佾），這個「起」字，却可以說明這個興字。

所謂「感興」，是指學詩讀詩之際或以後，爲詩所感悟，可以使之奮發，或者爲之鼓舞，或者得到啓發，或者得到勗勉。孔子所說的「可以興」，可能包括這些意義。

論語、八佾：

子夏問曰：「『巧笑倩兮，美目盼兮，素以爲絢兮。』何謂也？」子曰：「繪事後素」。曰：「禮後乎？」子曰：「起予者，商也！始可與言詩也矣。」

論語、學而：

子貢曰：「貧而無諂，富而無驕。何如？」子曰：「可也！未若貧而樂，富而好禮者也。」子貢曰：「詩云：『如切如磋，如琢如磨』，其斯之謂與？」子曰：「賜也！始可與言詩已矣。告諸往而知來者。」

這兩段，可以說是學詩而能有所啓發的——即可以興的最恰當的一例。

韓詩外傳、卷八：

魏文侯有子曰擊，次曰訴。訴少而立以嗣，封擊中山，三年莫往來。其傅趙蒼唐曰：「父忘子，子不可忘父，何不遣使乎？」擊曰：「願之，而未有所使也。」蒼唐曰：「臣請使。」擊曰：「諾！」……蒼唐至……文侯曰：「中山之君，亦何好乎？」對曰：「好詩」。文侯曰：「於詩何好？」曰：「好黍離與晨風」。文侯曰：「黍離何哉」？對曰：「彼黍離離，彼稷之苗。行邁靡靡，中心遙遙。知我者，謂我心憂，不知我者，謂我何求。悠悠蒼天！此何人哉！」文侯曰：「怨乎？」曰：「非敢怨也；時思也。」文侯曰：「晨風謂何？」對曰：「鴥彼晨風，鬱彼北林。未見君子，憂心欽欽。如何如何！忘我實多！」於是文侯大悅。曰：「欲知其子，視其母；欲知其君，視其所使。中山君不賢，惡能得賢？」遂廢太子訴，召中山君以爲嗣。以上這一記載，魏文侯聞詩而受感動，這也正是「可以興」的實例。這一類的例尚多，（如後世王裒誦蓼莪而三復流涕，裴安祖講鹿鳴而兄弟同居之類）不贅。

（二）可以觀

觀，有觀察，觀鑒，或觀感的意義。論語何晏集解引鄭玄說：「觀，觀風俗之盛衰。」（見論語註）這就是指古代觀風的意義。所謂「風俗之盛衰」，也包括了「政治的得失」與「社會人情的良窳」而言，朱熹說：「使夫學者即是而有以考其得失，善者師之，而惡者改焉。」（見詩集傳序），正合乎觀的作用。

左傳襄公二十八年吳公子觀周樂一事（見第三篇引），他就所聞的詩樂中，一一加以政治得失的批評，這可以說是善於觀詩的了。國語晉語下，晉惠公即位，國人誦之（見第一節引），郭偃聞其誦，便斷言十四年惠公必死，公子重耳將入爲君，而且必伯諸侯。這也可以說是善於觀詩的了。這一類的例也很多，引孔子詩教一則如下：

孔子家語、卷三、辯政第十四：

子貢問於孔子曰：「昔者，齊君問政於夫子，夫子曰：『政在節財』；魯君問政於夫子，夫子曰：『政在諭臣』；葉公問政於夫子，夫子曰：『政在悅近而來遠』。三者之問，一也，而夫子應之不同；然政在異端乎？」

孔子曰：「各因其事也。齊君爲國，奢乎臺榭，淫乎苑囿，五官伎樂，不解于時，一旦而賜人以千乘之家者三；故曰：『政在節財』。魯君有臣三人，內比周以愚其君，外距諸侯之賓以蔽其明；故曰：『政在諭臣』。夫荊之地廣而都狹，民有離心，莫安其居；故曰：『政在悅近而來遠』。此三者，所以爲政殊矣。詩云：『喪亂蔑資，曾不惠我師』，此傷奢侈不節爲亂者也。又曰：『匪其止共，惟王之邛』，此傷姦臣蔽主以爲亂者也。又曰：『亂離瘼矣，奚其適歸』，此傷離散以爲亂者也。察此三者，政之所欲，豈同乎哉？」

以上這段話，孔子所謂「察此三者」，也就是「觀此三詩」，而得到爲政的三種不同之道，這正是孔子所謂「可以觀」。

由此，可知「可以觀」，不但是一種靜觀，而且應該應用在動觀之上。即在「觀風」「觀人」「觀事」「觀政」「觀世」等等的「觀察」之中，而尤注重在能夠發生「觀感」，並且起着「觀摩」「觀鑒」的作用。

孔叢子、卷二、記義第三：

孔子讀詩及小雅，喟然而歎曰：「吾於周南召南，見周道之所以盛也。於柏舟，見匹夫執志之不可易也。於淇奧，見學之可以爲君子也。於考槃，見遁世之士而不悶也。於木瓜，見苞苴之禮行也。於緇衣，見好賢之心至也。於雞鳴，見古之君子不忘其敬也。於伐檀，見賢者之先事後食也。於蟋蟀，見陶唐儉德之大也。於下泉，見亂世之思明君也。於七月，見豳公之所以造周也。於東山，見周公之先公而後私也。於狼跋，見周公之遠志所以爲聖也。於鹿鳴，見君臣之有禮也。於節南山，見忠臣之憂世也。於蓼莪，見孝子之思養也。於楚茨，見孝子之思祭也。於裳裳者華，見古之賢者世保其祿也。於采菽，見古之明王所以敬諸侯也。」

孔叢子此書，朱熹宋濂與姚際恆等，皆疑爲僞書，而胡應麟等却以爲其中輯古說，有僞有眞。就此段而言，當不類孔子語，但因在論詩的各點上，頗可說明「可以觀」的意義，因引爲例。

（三）可以羣

羣，包括羣體的意義，即指人羣，羣倫而言。「可以羣」的羣，應該解釋爲「樂羣」或「合羣」。孔安國：「羣，羣居相切磋也。」這種解釋，不足說明「可以羣」的含義。

所謂「樂羣」「合羣」，這當然是人生一大要義。詩歌所詠，大多都涉及於人與人的關係。大而言之，君臣、父子、兄弟、夫婦、朋友，都可說是羣的關係；若分別尊卑，則應將君臣、父子除外（見以下第五第六點），若再分別親疏，則也可將兄弟，夫婦除外。因此，即以朋友與社會人羣的關係而言，範圍還是很大；由於學詩而使之瞭解到如何與朋友與社會人羣相處之道，這自然也是詩教中的又一要義了。

又人與人的接觸，最重要的是言語；學詩對於言語的幫助，是孔子所最重視的。（說見下）所以，學詩之後，不但可以瞭解「樂羣」與「合羣」之道，而且可以憑語言的效用以增進人與人羣相處的關係；甚至可以說，使之能受羣衆的愛戴與信任。這和爲政之道與爲人之道，都是相通的。這一層意思，歸納在「可以羣」的意義中，當然也正合乎詩教的要旨。

由此而推及於國與國的關係，公卿士大夫在朝聘燕享之中的賦詩，也就是「可以羣」的一種證明。假如他們不接受詩教，則在這種場合中，便要像「慶封」那種人，被嘲笑而竟毫無感覺了。（見賦詩一節所引）

所以，詩教對於羣的意義是非常廣濶的。曹子建所謂「中詠棠棣匪他之誠，下思伐木友生之義」，在風雅中，不僅足以引致親親之思，而且處處可以啓發人羣之愛。孔子的仁道，便建立在這一羣道之上。論語、公冶長：「顏淵季路侍。子曰：『盍各言爾志？』子路曰：『願車馬，衣輕裘，與朋友共，敝之而無憾。』顏淵曰：『願無伐善，無施勞。』子路曰：『願聞子之志』。子曰：『老者安之，朋友信之，少者懷之。』」這正是孔子的仁道。子路與顏淵，也深得交友之義。論語子罕篇中有一段對子路的一段話，可以作爲孔子對這一意義的詩教。

子曰：「衣敝縕袍，與衣狐貉者立，而不恥者，其由也與？『不忮不求，何用不臧？』」子路終身誦之。子曰：「是道也，何足以臧？」」。

（四）可以怨

怨，論語何晏集解引孔安國曰：「怨、怨刺上政」邢昺疏：「詩有君政不善，則風刺之。言之者無罪，聞之者足以戒。」這兩種說法，應該都是指作詩而言，而不能解釋爲學詩與詩教。

怨字解作怨恨，是正解；就詩而言，解作怨刺，也是正解。可是，在這句話中，所謂「可以怨」，乃是指學詩者，在學詩之後，讀到那些有怨恨與怨刺之情的詩，能夠進一步「知所怨恨」，「知所怨刺」。換句話說。就是從詩中，可以瞭解到怨恨與怨刺之道。這句話，和前三句與後三句，都是一貫的。

何以「可以怨」？這也是由讀詩的啓發與感興而來，和第一句「可以興」的意義是有相同之點的。不過，「可以興」，是就意志方面而言，「可以怨」，是就感情方面而言。前者可以使人鼓舞起來，增強意志，或改變意志；後者則可以使人受到感動受到刺激，因而發生愛憫，同情炯戒種種感情。

所謂「種種感情」，這一點，似乎是須要特別說明的。因爲在「可以怨」的這句話，一般的解釋，當然只是指怨恨這一種情緒而言。但是，哀樂、喜怒、愛恨、歡怨……這些感情，都是相對而言的。能知所樂，知所善，知所愛，知所歡；同時也就會知所哀，知所怒，知所恨，知所怨。所以孔子說：「惟仁者，能好人，能惡人。」（見論語、八佾）就詩而言，必定是由於知所美，然後才會知所刺；換句話說，能夠知所刺，一定也能夠知所美了。

所以，在讀詩者能夠知所怨，自然也會知所美，知所愛，知所善。也就是說，既可以引發怨恨的感情，自然也就可以引發愛慕的感情，更可以同時發生又怨又慕的感情。孟子萬章篇：萬章問曰：「舜往于田，號泣于旻天，何爲其號泣也？」孟子曰：「怨慕也。」由此類推，所謂「可以怨」，雖然是只指出一個怨字，其實，是可以作引發種種感情而言的。「怨慕」，便是一種。不過，所不同的，怨字是詩所直接引發的感情；其他種種感情，則是由怨而間接引發的感情而已。

這一點，也許凡是讀過詩的人都會感覺到的。詩經風雅中的怨刺之詩，占五分之三，我們讀到這些怨刺之詩，感情如何呢？曾引發起何種感想呢？至少我們可以這樣說：無論發生什麼感情感想，這都是屬於「可以怨」的範圍。

孔子家語、卷三：賢君第十三：

孔子讀詩，于正月六章，惕焉如懼，曰：「彼不達之君子，豈不殆哉？從上依世則道廢，違上離俗則身危。時不興善，已獨由之，則曰：『非妖即妄也』。故賢也既不遇天，恐不終其命焉。桀殺龍逢，紂殺比干，皆類是也。」詩曰：「謂天蓋高，不敢不局；謂地蓋厚，不敢不蹐。」此言上下畏罪，無所自容也。

這一段記載是很有意義的。正月這首詩，見今本詩經小雅。共十三章。小序曰：「正月，大夫刺幽王也。」孔子讀的是第六章，除上四句外，尚有四句：「維號斯言，有倫有脊。哀今之人，胡爲虺蜴！」詩集傳解曰：「言遭世之亂，天雖高而不敢不局，地雖厚而不敢不蹐，其所號呼而爲此言者，又皆有倫理可考也。哀今之人，胡爲肆委以害人而使之至此乎？」和毛傳的解釋，大體相同。

孔子讀了這章詩後所發生的感情是「惕焉如懼」；而所發生的感想，雖爲不達的君子而危懼，實在也是爲本身的不得行其道而慨歎。這種感情與感想，用來解釋他的「可以怨」，可以說是非常恰當的。

又孟子論小弁與凱風兩詩，可以爲「可以怨」一語作註脚。

孟子、告子，第六：

公孫丑問曰：「高子曰：『小弁，小人之詩也。』」

孟子曰：「何以言之？」曰：「怨」。

（孟子）曰：「固哉！高叟之爲詩也！」有人於此，越人關弓而射之，則己談笑而道之；無他，疏之也。其兄關弓而射之，則己垂涕泣而道之；無他，戚之也。小弁之怨，親親也，親親，仁也。固矣夫！高叟之爲詩也！」

（公孫丑）曰：「凱風何以不怨？」

（孟子）曰：「凱風，親之過小者也；小弁、親之過大者也。親之過大而不怨，是愈疏也；親之過小而怨，是不可磯也。愈疏，不孝也；不可磯，亦不孝也。孔子曰：『舜其至孝也，五十而慕！』」

按小弁這首詩，見今本詩經小雅。據傳這是周幽王的太子宜臼所作。因幽王寵褒姒，黜申后，逐宜臼，宜臼因作詩以敍哀痛之情。又凱風，見邶風。據傳：衞有七子之母而不能安於室，七子乃作詩自責而慰母心。以這兩首詩的情形，來比照孟子論詩的話，便可以深切瞭解所謂「可以怨」的意義了。（也就是說，讀詩者應知所以怨之理，像高叟的見解，便不明此理了。孟子是最深於詩理而又最重視詩教的。可參着孟子萬章篇的論詩各點要旨）。

以上興、觀、羣、怨這四點，可以說是孔子詩教的基礎。能夠瞭解這四點，才算明詩，才可以得到詩的教訓。綜合起來說，這四點都是詩的作用。孔子爲了要使他的門弟子能感悟到這四點作用，所以才要他們學詩。這四種的作用。興是偏重在激勵意志方面的；觀是偏重在增進知識方面的；羣是偏重在陶冶德性方面的；怨是偏重在涵養感情方面的。然而，這四點雖然各有偏重，但是互相溝通的，而不是截然孤立的。也即是說，任何一首詩，可以興，也可以觀，可以羣，可以怨。決不是說，某一首詩，只可以興，而不可以觀、羣、怨。不過，由於詩的內容、性質，及其所作的時代環境的背景等等不同，加以讀詩的人，也有見解、處境、感覺等等的不同，因此也許就各有偏重吧了。

（五）邇之事父

事父，乃是指孝道而言。孝，爲「道德之本」，也是「教之所由生」（見孝經開宗明義章），所以孔子列之於詩教之中。學詩何以與事父有關？一則，這是承興、觀、羣、怨四者而來的；明乎這四者而沒有一個中心目的，則學詩依然沒有着落。於是，乃具體的指明出來，歸結到事父事君兩件事上。這是孔子的大義的所在，學書，學禮，學樂，都不能離乎這一大義的。再則，當時所傳習的詩中，多是以孝爲訓的。（書訓偏重於忠，爲政之本；詩訓偏重於孝，爲教之本）欲瞭解事父之爲義，所以必須要學詩。

（六）遠之事君

忠與孝，孔子多是相連而講的。詩通於政，自然也以事君爲要旨。子夏承孔子的詩教，所以着重「父母能竭其力，事君能致其身」（見論語爲政）。孟子闢楊墨，斥無父無君爲禽獸，也足證明這是儒家的一貫之道。

詩教之於事君，不但是使學詩者要瞭解事君之道，同時也是要使學詩者培養事君之能。孔子曰：「書云：孝乎惟孝，友于兄弟，施於有政，是亦爲政。」這裏雖然指盡孝道等於是從政，究竟還是間接的從政；至於事君與從政，乃是同一件事。事君不只要盡其道，而且要有其能。下面這段話，是孔子談到學詩與從政的關係的：

論語、子路：

子曰：「誦詩三百，授之以政，不達；使於四方，不能專對；雖多，亦奚以爲？」

可見學詩事君的目的，是要能做到「達於政事」與「專對於四方」。否則，便等於沒有學了。

又：

論語、衞靈公：

顏淵問爲邦。子曰：「行夏之時，乘殷之輅，服周之冕。樂則韶舞；放鄭聲，遠佞人。鄭聲淫，佞人殆。」

這一節話是講治國爲政的道理。前一段是講禮制，後一段談到樂。其中所謂「放鄭聲」，雖然是說樂，其實也是說詩。樂通於政和詩通於政，是同一道理的。由這一點申論，凡是談到詩教的地方，其中也就包括着樂教而言，相同，凡是談到樂教的地方，其中也就包括着詩教而言，詩教與樂教，是名異而實同的。因此，對於前所學的興、觀、羣、怨四者，是詩教，也是樂教。而這一節談到音樂與政治的關係，是樂教，也是詩教。這一點，對於孔子詩教的內容關係很大，特於此加以說明。

（七）多識於鳥獸草木之名

這一點，是純就知識方面而言的。禮記所謂「不學博依，不能安詩」（學記），正是大學詩教的要務之一。按今本詩經中，包括鳥獸草木之名，計鳥類有三十九，獸類有六十七，草類有一百零五，木類有七十五，尚有蟲類二十九，魚類二十。在當時而言，這等於一部博物志。所以，孔子也列為學詩的一項重要科目。

就博物知識而言，孔子確是不愧為人師的。據記載，當時列國發現一些怪異的事物，都往往遣使來問孔子。如季桓子的獲玉羊，吳伐越的獲巨骨，陳惠公的獲隼與楛矢等等，都是從孔子處才能得到解答。茲擧獲麟與商羊二事為例：

孔子家語，卷四、辯物第十六：

叔孫氏之車士曰子鉏商，採薪於大野，獲麟焉。折其前左足，載以歸。叔孫以為不祥，棄之於郭外。使人告孔子曰：「有麕而角者，何也？」孔子往觀之，曰：「麟也。胡為來哉？胡為來哉？」反袂拭面，涕泣沾衿。叔孫聞之，然後取之。子貢問曰：「夫子何泣爾？」孔子曰：「麟之至，為明王也。出非其時而害，吾是以傷焉。」

孔子家語、卷三、辯政第十四：

齊有一足之鳥，飛集於宮朝，下止於殿前，舒翅而跳。齊侯大怪之。使使聘魯，問孔子。孔子曰：「此鳥名曰商羊，水祥也。昔童兒有屈其一脚，振訊兩眉而跳，且謠曰：『天將大雨，商羊鼓舞。』今齊有之，其應至矣。急告民趨治溝渠，修隄防，將有大水爲災。」頃之，大霖雨，水溢泛諸國，傷害民人。惟齊有備，不敗。景公曰：「聖人之言，信而徵矣。」

孔子詩教的要旨，除了以上七點而外，從孔子的言論中，尚有下列三點：

（八）思無邪。

論語、爲政：

子曰：「詩三百，一言以蔽之，曰：『思無邪』。」

這是孔子對詩三百篇一句總評，也是孔子對於詩教的一句總則。前七點是對詩的「用」而言，這一點則是對詩的「體」而言。

孔子對於正邪，善惡，義利，君子小人之辨，是非常嚴格的。所以他的論詩，也特別重視這一點。他論「關雎」曰：「關雎樂而不淫，哀而不傷」（見論語八佾），就是「思無邪」而得「性情之正」的意義。他說：「惡紫之奪朱也；惡鄭聲之亂雅樂也；惡利口之覆邦家者。」（見論語陽貨），也是就邪正而立言。

後世闡揚孔子詩教，最注重這一原則。唐宋以下的儒家理學，在「文以載道」的信條下，論詩施教，以「思無邪」爲第一義。朱熹的作詩集傳，即本思無邪爲詩教之旨。他在序文中，特別闡釋這一點：

（或問）曰：「然則其所以教者，何也？」曰：「詩者，人心之感物而形於言之餘也。心之所感有邪正，故言之所形有是非。惟聖人在上，則其所感者無不正，而其言皆足以爲教。其或感之之雜，而所發不能無可擇者，則上之人，必思所以自反，而因有以勸懲之；是亦所以爲教也。昔周盛時，上自郊廟朝廷，而下達於鄉黨閭巷，其言粹然無不出於正者，聖人固已協之聲律，而用之鄉人；用之邦國；以化天下。至於列國之詩，則天子巡守，亦必陳而觀之，以行黜陟之典。降自昭穆而後，寖以陵夷，至於東遷，而遂廢不講矣。孔子生於其時，旣不得位，無以行勸懲黜陟之政；於是特舉其籍而討論之。去其重複，正其紛亂，而其善不足以爲法，惡之不足以爲戒者，則亦刊而去之，以從簡約，示久遠；使夫學者即是而有以考其得失，善者師之，而惡者改焉。是以其政雖不足以行於一時，而其教實被於萬世。是則詩之所以爲教者然也。」

這一節論詩教的文字，可以說完全是本着「思無邪」的宗旨以立說的。朱熹以下數百年，儒家的正統詩論，幾無不以朱說爲準。其實，就「思無邪」這一要義而言，朱熹的說法是持之有故的；就詩教的整個意義說，却仍未能見其全。

（九）不學詩，無以言。

論語、季氏：

陳亢問於伯魚曰：「子亦有異聞乎？」對曰：「未也。嘗獨立，鯉趨而過庭，曰：『學詩乎？』對曰：『未也』。『不學詩，無以言』。鯉退而學詩。他日，又獨立。鯉趨而過庭。曰：『學禮乎？』對曰：『未也。』『不學禮，無以立』鯉退而學禮。聞詩二者。」陳亢退而喜曰：「問一得三：聞詩；聞禮；又聞君子之遠其子也。」

孔子對於言語，是非常重視的。孔門的四科，言語與德行、政事、文學並重。由於他重視言語，於是他便建立了「情欲信，辭欲巧」（見禮記，表記）的原則，也就是「文以足言」的原則。左傳襄公二十五年引孔子的話：「志有之：言以足志，文以足言。不言，誰知其志？言之無文，行而不遠。」然而，如何才能做到「辭巧」而「言文」的原則？於是，便又歸納到他的詩教了。所以他教訓他的兒子要先學詩，而學詩的目的便是爲了「言語」。這段話，如果和前文所引「誦詩三百……使於四方，不能專對，雖多，亦以奚爲？」的話，綜合來看，便可以知道孔子的要旨所在了。

還有一點重要的理由，即是所謂「不學詩，無以言」，並不是專就「辭巧」「言文」而言；從充實語言的內容一點來說，尤其有學詩的必要。這一點，在前兩節所談到的賦詩與詩訓兩事中，即可充分加以證明，所以再無須舉例說明了。

（十）溫柔敦厚

禮記、經解第二十六：

孔子曰：「入其國，其教可知也。其爲人也，溫柔敦厚，詩教也。疏通知遠，書教也。廣博易良，樂教也。絜靜精微，易教也。恭儉莊敬，禮教也。屬辭比事，春秋教也。故詩之失愚；書之失誣；樂之失奢；易之失賊；禮之失煩；春秋之失亂。其爲人也：溫柔敦厚而不愚，則深於詩者也。疏通知遠而不誣，則深於書者也。廣博易良而不奢，則深於樂者也。絜靜精微而不賊，則深於易者也。恭儉莊敬而不煩，則深於禮者也。屬辭比事而不亂，則深於春秋者也。」

這一段，是論六藝之教。六藝之教之說，乃倡於戰國而盛於兩漢，實起於孔子之後。按孔子當時，只是以詩書禮樂爲教，所謂「子所雅言，詩書執禮，皆雅言也。」（見論語、述而）史記孔子世家說：「孔子以詩書禮樂教」，這種說法，比較正確。所以，禮記這一段文字，或爲後儒所託言，與孔子其他言論不類。（前引大戴禮衞將軍文子的話，只言詩、書、禮、樂而不言易與春秋）。子思：「夫子之教，必始於詩書，而終于禮樂，雜說不與焉。」加以王制造士之說，及荀子儒效之言，皆足證明孔子只以詩書禮樂爲教。

論六藝之文，見莊子天下篇者，有「詩以道志……」云云；但其前文：「其在於詩書禮樂者，鄒魯之士，縉紳先生，多能明之。」仍只提到「詩書禮樂」。又從國語與淮南子兩段文字中，可以比較：

國語、楚語上，第十七：（莊王使士亹傅太子歲，而問於申叔時。）

叔時曰：「教之春秋（韋解：以天時紀人事謂之春秋。）而爲之聳善而抑惡焉，以戒勸其心；教之世（韋解：世，先王之世繫也）而爲之昭明德而廢幽昏焉，以休懼其動；教之詩而爲之道廣顯德，以耀明其志；教之禮，使知上下之則；教之樂，以疏其穢而鎮其浮；教之令，使訪物官；教之語，使明其德而知先王之務，用明德於民也；教之故志，使知廢興者而戒懼焉；教之訓典，使知族類行比義焉。……

淮南子、泰族：

六藝異科而皆同道。溫惠柔良者，詩之風也。淳龐敦厚者，書之教也。清明條達者，易之義也。恭儉尊讓者，禮之爲也。寬裕簡易者，樂之化也。刺幾辯義者，春秋之靡也。故易之失鬼，樂之失淫，詩之失愚，書之失拘，禮之失忮，春秋之失訾。六者，聖人兼用而財制之；失本則亂，得本則治；其美在調，其失在權。

從以上兩段文字加以比照：一、前者仍只是限於詩書禮樂（春秋、世、令、語、故志、訓典，都屬於書。）而後者則論六藝。二、前者仍以「明志」爲主，後者則標舉「溫惠柔良」。三、前者明言教，而後者則分言風、教、義、爲、化、靡。（實則以一教字可以包括）。所以，從這兩段文字而言，是截然不同的。

但是，若以淮南子和經解篇加以比較，則相同之點甚多。一，都是言六藝；二，前者詩言「溫柔敦厚」，後者詩言「溫惠柔良」；三，前者言「詩之失愚」，後者也說「詩之失愚」。所以，從這兩段文字說，是詩代相近的。

因而對於詩教「溫柔敦厚」之說，雖在意義上有它的價值，而且又爲後世儒家的所宗，但若列在孔子的詩教之中，究竟是不很妥當的。所以，姑置於第十，以爲參考。

以上，是就孔子的詩教要義，分爲十點，加以說明。以下，再擇要的引錄一二例，並簡要的提出一些應該注意的意見。

韓詩外傳，卷三：

子夏讀詩已畢。夫子問曰：「爾亦何大於詩矣？」子夏對曰：「詩之於事也，昭昭乎若日月之光明，燎燎乎如星辰之錯行。上有堯舜之道，下有三王之義，弟子不敢忘，雖居蓬戶之中，彈琴以詠先王之風；有人亦樂之，無人亦樂之，亦可發憤忘食矣。詩曰：『衡門之下，可以棲遲；泌之洋洋，可以樂飢。』」夫子造然變容，曰：「嘻！吾子始可以言詩已矣！然子以見其表，未見其裏。」顏淵：「其表已見，其裏又何有哉？」孔子曰：「闚其門不入其中，安知其奧藏之所在乎？然藏，又非難也。近嘗悉心盡志，已入其中；前有高岸，後有深谷，泠泠然如此。既立而已矣。不能見其裏，未謂精微者也。」

又・卷八

孔子燕居，子夏攝齊而前；曰：「弟子事夫子有年矣，才竭而智罷，振於學問，不能復進，請一休焉。」

孔子曰：「賜也！欲焉休乎？」曰：「賜欲休於事君。」

孔子曰：「詩云：『夙夜匪懈，以事一人』，爲之若此其不易也，若之何其休也！」曰：「賜休於事父。」

孔子曰：「詩云：『孝子不匱，永錫爾類』，爲之若此其不易也，如之何其休也！」曰：「賜欲休於事兄弟。」

孔子曰：「詩云：『妻子好合，如鼓瑟琴。兄弟旣翕，和樂且耽。』爲之若此其不易也，如之何其休也！」曰：「賜欲休於畊田。」

孔子曰：「詩云：『晝爾于茅，宵爾索綯。亟其乘屋，其始播百穀。』爲之若此其不易也，若之何其休也！」子貢曰：「君子亦有休乎？」

孔子曰：「闔棺兮乃止。播耳不知其時之易遷兮，此之謂君子所休也。故學而不已，闔棺乃止。詩曰：『日就月將』，言學者也。」

這兩段話，是韓傳記孔子對於最「可與言詩」的弟子子夏、子貢、及最得意的弟子顏淵所說的話。前段說明詩有表裏，後段則一一以詩爲教。這種情形，在孔子的施教中是常見的。禮記孔子閒居一章全是詩教，其他如坊記、緇衣等等，幾乎大部都是詩教。

還有一點，可能是爲人所最易忽略的，即大學與中庸兩篇，雖對作者的說法不一，但爲儒門的名著却無疑。其中所引的詩云凡二十多則，實在都是上承孔子的詩教的遺訓；在詩教上，是十分值得重視的。如大學，「於大學之道」一段以後，除先學了幾段康誥、帝典、湯銘之後，一連擧了六節詩云，雖然是用以闡釋「大學之道」中的幾句話，但就其詩義而言，實在即是詩教。又中庸一篇，所學詩云，有的是闡釋孔子之言的，有的是解釋詩義的。如果完全將它看作引證，便失去了它的主要意義了。所以，談到詩教，對於這部書，不能加以忽略。以後孟子荀子以及漢儒的引詩，可以說，都是承襲着這一詩教之風。前節詩訓中，曾學例加以說明。不過，在前節中所說詩訓，主要是指孔子以前或當時的情形；到了孔子之後，詩訓與詩教，便合而爲一了。明乎此，對漢以下的詩教之風，只要沿襲着儒家的這一系統，往下探尋，便可得其大要，故無庸再加續述。

六、詩賦取士

詩賦取士，是中國歷史上的一件大事，也是中國歷史上的一個特點。自隋唐以下的一千多年來，中國歷史上的許多重要人物，大多是經過詩賦考試這一科學的制度中出身的；而中國詩賦的特別發展，也與這一制度有着密切的關係。這一點，在治史的人，往往加以忽視；可是在文學史上，特別是在詩史詩學上，是應該加以大書特書的。

在沒有敍述詩賦取士這一制度之前，關於詩賦之士的被君主所重視的這一事實，乃遠在西漢之世起便已開始，這是應該先行敍述的。（西漢以前，沒有專治詩賦文學的人）西漢在武帝時，尊經崇儒，罷黜百家，而對於詩訓，也特別重視，這一點，在前文業已敍述。當時，在文學上，承戰國末期的屈宋之風，賦體特別發展；而暢行於東漢兩晉之世的五言詩，也已萌生。加以立樂府，製新聲，上下從風，人文蔚起，遂使文學的聲光，和國勢的興隆一樣，造成了歷史上一個非常昌盛的時代。

武帝的愛好文學和獎勵文學，也可以說是為後世帝王樹立了一個最好的風範。他在武功煊赫之餘，頗想以禮樂為政治之本。也就是說，他很有治文治武功於一爐的宏願。漢書贊曰：「孝武初立，卓然罷黜百家，表章六經；遂疇咨海內，舉其俊茂，與之立功；興太學，修郊祀，改正朔，定曆數，協音律，作詩樂，建封禪，禮百神。紹周後，號令文章，煥然可述。後嗣得遵洪業，而有三代之風。」這種稱頌之詞，可以說是並非過諛的。

漢書武帝紀，敍武帝巡狩各地，如元狩元年，行幸雍祠五時，獲白麟，作白麟之歌。元封二年，至瓠子，臨決河，命從臣將軍以下，皆負薪塞河隄，作瓠子之歌。五年，南巡盛唐，復自尋陽浮江，薄樅陽而出，作盛唐樅陽之歌。太初四年，李廣利斬大宛王首，獲汗血馬，作西極天馬之歌。天漢三年，行幸東海，獲赤鴈，作朱鴈之歌。這等等，在後世歷代帝王行紀上，可以說是得未曾有的。試想：「上有所好，下必有甚焉。」武帝的表現如此，全國的文學之士，當然也就聞風而起了。

漢自文帝開始，即曾舉文學之士。如賈誼「以能誦詩書，屬文，稱於郡中」，「文帝召為博士」。鼂錯，「以文學為太常掌故」(均見漢書本傳)。可是，卻沒有武帝時的徵舉之盛。漢書東方朔傳：「武帝初即位，徵天下舉方正賢良，文學材力之士，待以不次之位。」又董仲舒傳：「武帝即位，舉賢良文學之士，前後百數。」這種徵辟，可以說是後世以文學取士的先聲。

又武帝愛好辭賦，對於善屬辭賦之士，特別優禮有加，以枚乘與司馬相如二人之事為例，便可見一斑。

漢書、枚乘傳：

景帝召拜乘爲弘農都尉……以病去官。復遊梁，梁客皆善屬辭賦，乘尤高。……武帝自爲太子，聞乘名。及即位，乘年老，乃以安車蒲輪徵乘，道死。詔問乘子，無能文者，後乃得其孽子皐。……召入見，待詔。皐因賦殿中，詔使賦平樂館，善之，拜爲郎。

史記、司馬相如列傳：

蜀人楊得意爲狗監，侍上。上讀子虛賦而善之，曰：「朕獨不得與此人同哉！」得意曰：「臣邑人司馬相如，自言爲此賦。」上驚，乃召問相如。相如曰：「有是。然乃諸侯之事，未足觀也。請爲天子游獵賦。」上許，令尙書給筆札……奏之天子，天子大說。……天子以爲郎。

從此以上兩件事而言，武帝，可說是以辭賦取士的第一人。更從「賦於殿中」與「令尙書給筆札」二點而言，也可說是後世殿試詩賦的濫觴。（當時只有試策，策試之殿試，如周官：「諸侯歲貢士於天子，天子試之於射宮。」漢書：「漢文帝十五年九月詔擧賢良能直言極諫者，上親策之。」等，實施很早。）

武帝以後，文學高第的薦擧，與文學之士的被引進，便史不絕書。不過，由於魏晉南北朝的改行九品中正制，而閥世第觀念又日漸興起，這四百年中，雖文學詩賦之士仍爲朝野一致所重視，但究竟只限於重視而並沒有得到特別的獎勵；以詩賦見稱之士，也至多只能做到文學侍從之臣。如果沒有獲得有力的援引與特別的機會，很難擢升到宰輔或方面的地位。這從六朝文人的際遇可以得到證明。可是到了隋唐科舉制度實行以後，情形便不同了。從此，文人有正式進身仕宦的途徑，而詩賦也正式列爲考試科目之一。國家的主要官吏，多數是由科舉出身，而詩賦文學更得到普遍而久遠的發展。

科舉制度，乃創始於隋煬帝大業二年。由於隋代爲時短促，所有史料未及整編而又多散佚（隋代當時，並無正史撰稿。雖有王邵之書，而止錄詔勅等文件，並無編年紀述；至於王胄大業起居註，則因江都之禍而多散失）。所以關於隋代科舉制度的實行情形，已不得其詳；即五代史記（指唐時所修的五代史），也獨缺選舉一目。好在，唐代武德四年辛巳開始的科舉制度，大多是因隋代之舊。即使有所修改，也只是很少的部分。因此，歷來談科舉制度，雖然只由唐代開始，但隋代的制度，即可於唐制中見之。

可是，唐代的科舉制度——史稱選舉制度，舊唐書並無專志記載；新唐書雖有選舉志上下篇兩卷，究竟也只列有大綱節目，就本文所述的「詩賦取士」這一大事而言，就缺乏詳明的紀敍。所以，只能在正史之外，更參證唐宋人的雜著，才能得到比較明確的事實。

新唐書選舉志：

唐制取士之科，多因隋舊。然其大要有三：由學館者曰生徒；由州縣者曰鄉貢；皆升於有司而進退之。……天子自詔者曰制擧，所以待非常之才焉。

所謂生徒，這是沿襲漢代的博士弟子制度；乃由國子館、大學館、四門學館、律館、書館、算館，以及州縣學生員出身，經學送並考試及格（考試分科與鄉貢同，見下），然後分別轉補學業（如四門補太學，太學補國子等）或送尚書省授職。

所謂制舉，這是沿襲漢代的賢良方正制度；在唐代列爲定科的有賢良方正，直言極諫；博通墳典，達於教化；軍謀宏達，堪任將率；詳明政術，可以理人等等（不列定制如下筆成章科，道侔伊呂科等等，不勝枚擧）：凡四方德行，才能、文學、或高蹈幽隱，與各種武藝奇伎之士，都隨帝王的愛好，無定期的詔擧，並由帝王親自策試。策試及格後，分發各官署授職。

以上兩種，與本文關係較少，故不詳述。本文所擬敍述的，乃是所謂鄉貢一科。鄉貢一科，乃宗周代的鄉學賓興制度（見前節詩教所引禮記王制等條）。和漢代的郡國察擧孝廉制度，是用意相同而辦法不同的。漢代是由郡國察選然後薦擧，唐代則可以由應擧的人，「懷牒自列於州縣」；經過州縣初試並遵古制擧行鄉飮酒禮以後，便能送都省（京師）應試。

鄉貢的科目，據新唐書選擧志所載，有以下十二科。即：秀才、明經（分五經、三經、二經，學究一經、三禮、三傳、史科等類）、俊士、進士、明法、明字、明算、一史、三史、開元禮、道擧、童子。以上十二科，俊士與秀才二科，到高宗永徽二年便停試。其餘各科，最重視的爲明經與進士兩科。特別是進士科，唐代的宰輔及各級官吏，大多都是由進士出身。所以唐代的取士，也可以說是以進士科爲主。（以後歷代相沿，也是以進士科爲主。）

進士科的考試，據新唐書選擧志所載：「凡進士，試時務策五道，帖一大經。經策全通爲甲第；

策通四、帖過四以上，爲乙第。」又說：「永隆二年……乃詔……進士雜文二篇，通文律者然後試策。」又云：「先是進士試詩賦及時務策五道……。」以上所說，是指唐代進士科所考試的大體科目而言，至於進士科在何時起才以詩賦爲考試項目，所言並不明確。

按所謂詩賦取士，雖詩賦並論，然試詩試賦，實非起於同時，就若干記載而言，試賦一事，似乎早於試詩。隋代的科舉制度，難於詳考，前已言之。但從以下幾段記載，尚可窺知隋代科舉前後，已有試賦一事。

清陶福履，常談，論試賦一事：

隋文帝時治書侍御史李諤疏稱：「州縣選舉，不遵典則；作輕薄之篇章，結朋黨而稱譽；競一韻之奇，爭一字之巧。連篇累牘，不出月露之形；積案盈箱，惟是風雲之狀。」盖隋制諸州歲貢三人，州郡舉士，惟務文詞，故諤言如此。就以上一則而言，可知在隋初尚未實行進士科舉時，州郡選士，已試文賦。從「一韻之奇」「一字之形」「月露之形」「風雲之狀」等語中，便可察見。又

容齋隨筆，三集，卷二：

秀才之名，自宋魏以後，實爲貢舉科目之最。而今人恬於習玩，每聞以此稱之，輒指爲輕己。因閱北史杜正元傳載一事云：「隋開皇十五年，舉秀才試策高第，曹司以策過左僕射楊素。素怒曰：『周孔更生，尚不得爲秀才，刺史何忽妄舉此人！』乃以策抵地不視。時海內唯正元一

人擧秀才，曹司重以啓素。素志在試退正元，乃使擬相如上林賦，王褒聖主得賢臣頌，班固燕然山銘，張載劍閣銘、白鸚鵡賦。曰：『我不能爲君住宿，可至未時令就。』正元及時並了。素讀數徧，大驚曰：『誠好秀才』。令曹司錄奏。盖其重如此。又正元弟正臧，次年擧秀才，時蘇威監選試，擬賈誼過秦論、尙書湯誓、匠人箴、連理樹賦、几銘、弓銘，亦應時並就，文無點竄。然則，可謂難矣。唐詩杜正倫傳云：「隋世重擧秀才，天下不十人，而正倫一門三秀才，皆高第。」乃此也。

由這段記載，則隋時考試已試文賦一事，可爲明證。不過，這只是指秀才試（漢以來的射策舊制而言，也許是仍照南朝梁武帝試詞賦的先例，與大業以後的進士試當然不同。但秀才試既已試文賦，則進士試的項目中，可能也有試文試賦的規定。

摭言、卷一、散序進士條：

獨孤及撰河南府法曹參軍張從師墓誌云：「從師祖損之，隋大業中進士甲科，位至侍御史，諸曹員外郎。損之生法，以碩學麗藻，名動京師，亦擧進士，自監察御史爲會稽令。」

觀以上這段記載，其中所謂「以碩學麗藻，名動京師」；「碩學」一詞，通常係指深究經學而言；而「麗藻」一詞，則通常是指擅長文賦而言。由此，隋進士科的可能也兼試文賦，可於此段文字的「言外之義」中推想得之。

新唐書、選擧志上：

凡秀才試方略策五道，以文理粗通爲上上，上中，上下，中上，凡四等，爲及第。

按唐時的秀才試，乃仍大業的舊制，與開皇時的秀才試已不同。雖於明經，開元禮等，都沒有提到文理字樣，獨秀才則重在文理。但以隋時科擧前後均有試文試賦一事證之，則唐初的秀才試，有文有賦，似可無疑。不過選擧志因無史文可據，故未明言。

隋時試賦一事，已如上引。惟試詩一事，則不見記錄。試詩一事的見於記錄，乃始於唐太宗。唐詩紀事，卷四（原載隋唐嘉話中，較略。亦見全唐詩話卷一）

（李）義府初遇，以李大亮，劉洎之薦。太宗召令詠烏。義府曰：「日裏颺朝彩，琴中聞夜啼。上林如許樹，不借一枝棲。」帝曰：「與卿全樹，何止一枝？」

這一故事，並非正式考試，不足爲取士必須試詩時的證據。惟明、羅頎物原政原第五第十條云：「漢文帝始以策試取士……唐太宗加律判及詩……。」這一條，却明言唐太宗時即已試詩。按羅氏所輯，未知根據何書，今檢唐史及有關書籍，都不見記載，或係據前引隋唐嘉話與唐詩紀事等言。因只此孤證，不便據爲實錄。不過，在太宗朝已經重視試詩一事，則無可疑。

至於，就諸書所錄，關於科擧試詩試賦一事，有明確記載的，又有以下一則：

盧氏雜說：（太平廣記一七八卷引）

開成中，高諧知擧，內出霓裳羽衣曲賦，太學創置石經詩。進士試詩賦，自此始也。

其實，這一條所謂「自此始也」，應該是指「由內出題」而言。因開成乃唐文宗年號，進士試到這時，已經實行了二百一十五年。關於詩賦考試一事，早有記錄，決非在這時才開始。如武后長壽元年補闕薛謙光上疏論選舉之弊，認「虛文豈足以佐時」，並引司馬相如「不堪公卿之任」以爲證（見通鑑）。又文獻通考記開元十七年國子監祭酒楊瑒上言，附引洋州刺史趙匡擧選議進士以聲韻（亦作律，見會要）爲學，多昧古今……」又天寶六年，「上欲廣求天下之士……至者皆試以詩賦論」（均見通鑑）。「唐天寶十二載，始詔擧人策問外，試詩試賦各一首。」（見宋王銍，四六話）。又建中二年，「中書舍人趙贊權知貢擧，乃以箴論表讚代詩賦，而皆試策三道」（見選擧志）。就以上所引各點而論，可見開成以前，早試詩賦。又唐摭言，卷十五，關於開成事有同樣記載：「開成二年，高侍郎鍇主文，恩賜詩題曰霓裳羽衣曲。三年，復前詩題爲賦題，太學石經（爲）詩（題）。」（按開成元年秋試，賦題爲琴瑟合奏賦，詩最佳者爲李肱。見雲溪友議）這裏只記錄詩賦題，並無試詩賦自此始的說法，可爲明證。

由以上所擧各例而言，不但開成以前，已試詩賦一事，可以無疑，即武后之前，也可能已試詩賦。試就以下所擧的高宗朝的文獻言之，可見一斑。

通鑑、唐紀、十八：

上元元年……是歲，有劉曉者上疏論選。「……又禮部取士，專用文章爲甲乙，故天下之士，皆捨德行而趨文藝。有朝登甲科而夕陷刑辟者。雖日誦萬言，何關理體？文成七步，未足化人。況盡心卉木之間，極筆煙霞之際，以斯成俗，豈非大謬。夫人之慕名，如水趨下。上有所好，下必甚焉。陛下若取士以德行爲先，文藝爲末，則多士雷奔，四方風動矣。」

以上這一段文字，很顯明是批評以雜文詩賦取士。可見這時的進士科，便已試詩賦。但據唐摭言所記，則謂試詩賦乃起於神龍元年。茲摘錄其原文如下：

唐摭言選擧志，卷一、試雜文條：（參看太平廣記一七八卷，新唐書選擧志，與唐語林補遺八）

進士科，與雋秀同源異派，所試皆答策而已。……有唐自高祖至高宗，靡不率由舊章。垂拱元年，吳師道（太平廣記引作師古）等二十七人及第後，敕批云：「略觀其策，並未盡善。若依令式，及第者唯祇一人。意欲廣收其材，通三者並許及第。」後至調露二年（選擧志與文獻通考選擧考引，均作永隆二年。唐語林作開耀元年），考功員郎劉思元（選擧志與唐語林俱作思立，太平廣記作思立），奏請加試帖經與雜文。文之高者放八策。尋以則天革命，事復因循。至神龍元年（太平廣記作二年），方行三場試。故常列詩賦題目於榜中矣。

按摭言所記，顯有錯誤。垂拱乃則天年號，何以竟置之於調露之前？選擧志略而不提，可見歐公也嫌爲無據。至於上文既言高祖至高宗，當係指高宗時事。以前引通鑑例言之，則垂拱試第一事，當又係指上元以前之事而誤。選擧志引寶應二年禮部侍郎楊綰上疏言：「進士科起於隋大業中，是時猶試策。高宗朝劉思立加進士雜文，明經塡帖，故爲進士者，皆誦當代之文而不通經史……」此文指「高宗朝」而雖未書年代，但試雜文（雜文乃指詩、賦、文三者而言，即所謂三場試）一事，決不出高宗朝而無疑。進士科加試詩賦一事，雖可確定在高宗朝，但開始於何年何科，仍難確定，大體而言不外以下兩說：

第一：即就唐摭言而言，其卷一，述進士上篇云：「咸亨之後，凡由文學一擧於有司者，競集於進士。」這與前條所謂神龍始加試雜文一說，顯有矛盾。於此，也足證進士科重文學，已開始於咸亨。咸亨在上元之前，可見前引上元劉曉上疏之言，實非虛發。

第二：據册府元龜云：「調露三年四月，劉思立除考功員外郎。先時，進士試策而已，思立以其膚淺，奏請帖經及試雜文，自此，因以爲常。」據此，與唐摭言前說及選擧志所引楊綰之言合觀，則試詩賦一事，又似至調露始實行。按咸亨上元、儀鳳、調露前後相距不過九年，且調露、永隆、開耀都只不過一年，後人記載，調露有二年三年，亦多不合，姑存兩說以待考。（試詩一事，似無應在此一時期，因此時，仍尚齊梁體，而律詩也漸形成，進士所試之詩，據見於著錄的，通常都是五言六韻排律（六〇字）可證。）唐音癸記籤卷十八進士科故實條六云：「唐進士初只試策，調露中，始試帖經，經通試雜文，即詩賦也。雜文又通試策，凡三場。其後，先試雜文，次試論，試策試帖經爲四場。第一場雜文放者，始得試二三四場，其四場帖經被落，仍許詩贖。謂之贖帖。至於制擧試策，元以羅非常之方，乃問策外，亦試詩賦，其觭重如此。」即就唐摭言而言，其卷一，述進士上篇云：「咸亨之後，凡由文學一擧於有司者，競集於進士。」這與前條所謂神龍始加試雜文一說，顯有矛盾。於此，也足證進士科重文學，已開始於咸亨。咸亨在上元之前，可見前引上元劉曉上疏之言，實非虛發。

自此，經武后，中宗而下，日趨盛行。惟選擧志載，建中二年曾停試詩賦，至太和八年才恢復。則似在這段期間，停試詩賦近五十年。可是，根據若干記載，則這一記載，也不可靠。試擧兩事爲證：

摭言、卷二：（亦重見卷五）

元和中，令狐文公鎭三峯時，及秋賦，榜云：特加置五場。盖詩、謌、文、賦、帖經爲五場。

據此，可知當時地方州府試仍加試雜文（徐凝與張祜、錢塘初試「長劍倚天外賦」「餘霞散成綺詩」，見雲溪友議，白樂天於貞元十五年應宣川試「射中正鵠賦」與「窗中列遠岫詩」。見白氏長慶集，皆地方試雜文之證）。又：

十七史商榷、卷八十一、登第未即釋褐條：

（韓）昌黎以貞元二年始至京師，八年方及第……集中明水賦，登進士第作。

摭言、卷三：（亦見唐詩紀事）

白樂天一擧及第。詩曰：「慈恩塔下題名處，十七人中最少年。」樂天時年二十七（唐詩紀事作二十八，爲是）。省試性習相近遠賦、玉水記方流詩。

按韓昌黎以貞元八年及第，白樂天以貞元十六年及第，可知在建中之後的十一年與十九年，省試仍試詩賦。（此外，如李繆公（程）在貞元中試日五色賦及第，亦見摭言，此例尙多，不贅擧）。

總之，唐代的科擧，以進士科爲盛；而進士科則以試詩賦爲主，所以，進士科也稱爲文學科（註六一）。文人的進身，全靠以此爲階梯。自漢以來的射策與明經，一時都爲之減色（註六二）。雖然當時的學者，曾大聲疾呼的反對以虛文取士，應該注重德行與經術；但自六朝以來，詩賦日趨發展，已經成爲時尙；同時，唐代的帝王，大多癖好詩賦，他們提倡以詩賦取士，正是迎合當時的潮流，而並非對德行與經術的壓抑。因而，在這種情形之下，詩賦自然更加發展；重詩的觀念與風氣，自然更加提高與普遍。

有唐一代，重詩的風氣，確是足令後人企羨的。今人常稱唐代爲詩的黃金時代，實在並非過譽。當時，上自帝后，羣臣，將帥，下至僧、道、歌伎、野老，幾乎無不能作詩或誦詩。試以當時宮廷中的情形來說，便可以窺見一斑。

唐詩紀事、卷一：（見全唐詩話卷一）

貞觀六年九月，帝幸慶善宮，帝王時故宅也。因與貴臣宴，賦詩。……

大唐新語、卷三（亦見唐詩紀事卷一，全唐詩話卷一）。

太宗謂侍臣曰：「朕戲作豔詩。」虞世南便諫曰：「聖作雖工，體制非雅。上之所好，下必隨之。此文一行，恐致風靡。而今而後，請不奉詔。」太宗曰：「卿懇誠若此，朕用嘉之。羣臣皆若世南，天下何憂不理？」乃賜絹五十疋。先是梁簡文帝爲太子，好作艷詩，境內化之，浸以成俗，謂之「宮體」。晚年改作，追之不及，乃令徐陵撰「玉臺集」，以大其體。永興之諫，頗因故事。（按唐詩紀事所載，詞略異，併引於下：帝嘗作宮體詩，使虞世南賡和。世南曰：「聖作誠工，然體非雅正。上有所好，下必有甚焉。恐此詩一傳，天下風靡，不敢奉詔。」帝曰：「朕試卿爾。」後帝爲詩一篇，述古興亡。既而歎曰：「鍾子期死，伯牙不復鼓琴。朕此詩，何所示耶？」敕褚遂良即世南靈座焚之。）

隋唐嘉話中：（亦見大唐新語卷七、卷十三。本事詩第七，唐語林補遺卷五。全唐詩話卷一。唐詩紀事，卷四。）

太宗宴近臣，戲以嘲謔。趙公無忌（長孫），嘲歐陽率更（詢）曰：「聳膊成山字，埋肩不出頭。誰家麟閣上，畫此一獮猴？」詢應聲曰：「索頭連背煖，烷（完）襠畏肚寒。只由心溷溷（渾渾同），所以面團團。」帝改容（本事、紀事、詩話等均作笑）曰：「歐陽詢豈不畏皇后聞？」趙公，后之弟也。

大唐新語、卷八、文章第十七：（亦見唐詩紀事卷四）

太宗在雒陽，宴羣臣於積翠池。酒酣，各賦一事。太宗賦尙書云（略），魏徵賦西漢曰（略），太宗曰：「魏徵每言，必約我以禮。」（按魏詩後二句爲「終藉叔孫禮，方知天子尊」。）

唐室在開國之初，太宗討平羣寇，經略四方，是以武功而得天下的。然而，他在爲秦王時，便重文教。先後延攬房玄齡（隋進士）杜如晦（隋曾預吏部選）等十八人爲文學館學士。及即位，更置弘文館，以文學士歐陽詢等爲學士。並提倡經學，詔修晉以下歷朝史書。唐代三百年文化與國勢的興隆，可以說完全是由於他的獎勵與領導之功。就以上所引的幾件事而論，君臣和洽，從容賡唱；酒酣賦詩，間以嘲謔；正如虞世南所說的，「上有所好，下必有甚焉」，從此弦歌四起，天下風靡，當然都是作始於貞觀。

太宗以下，歷代帝室，都無不提倡風雅，獎賞聲韻之作。高宗以後的詩賦試士，這可以說是一種文藝的自然趨勢，毫無足怪的。後人往往以爲這是帝王牢籠天下文人的一種手段。這種議論，只是從壞的意義一面去着想，究竟有欠公道。

將政事看得過嚴肅，實在是一部分道學家的議論。有宋洛黨與蜀黨的互詆，究竟伊川的「繩趨矩步」，不如東坡的「脫岸破崖」。唐代帝室的生活，就愛好詩歌這一點而言，應該是值得後人讚美的。高宗武后朝的文事，如上官昭容以及當時沈宋各家的詞采，對於後代的文風，可以說發生着很大的影響。至中宗朝，帝室與羣臣，常常遊宴賦詩爲樂，這在政治上未始不是一種可喜的現象。如景龍三年重九，中宗幸臨渭亭，與羣臣登高分韻賦詩，極一時之盛。又十月中宗誕辰，特於內殿設宴，君臣聯句，也極一時的歡娛。茲就全唐詩話卷一（亦見唐詩紀事）所載，摘錄一節如下：

帝謂侍臣曰：「今天下無事，朝野多歡，欲與卿等詞人，賦詩宴樂。可識朕意，不須惜醉。」大學士李嶠、宗楚客等跪奏曰：「臣等多幸，同遇昌期；謬以不才，榮名文館。思勵駑朽，庶裨河嶽。旣陪天歡，不敢不醉。」此後，每遊別殿，幸離宮，駐蹕芳苑，嗚笳仙禁，或戚里宸筵，王門置集，無不畢從。

景龍四年正月五日（唐詩紀事有移丈蓬萊宮五字），御大明殿。會吐蕃騎馬之戲，因重爲柏梁體聯句。帝曰：「大明御宇臨萬方。」皇后曰：「顧慚內政翊陶唐。」長寧公主曰：「鸞鳴鳳舞向平陽。」安樂公主曰：「秦樓魯舘沐恩光。」太平公主曰：「無心爲子輒求郎。」溫王重茂曰：「雄才七步謝陳王。」昭容上官曰：「當熊讓輦愧前方。」吏部侍郎崔湜曰：「再司銓管恩何（紀事作可）忘。」著作郎鄭愔曰：「文江學海思（紀事作恩）濟航。」考功員外郎武平一曰：「萬邦考績臣所詳。」著作郎閻朝隱曰：「著作不休出中腸。」時，上疑御史大夫竇從一，將作大匠宗晉卿，素不屬文，未即令續。二人固請，許之。從一曰：「權豪屏迹肅嚴霜。」

晉卿曰：「鑄鼎開嶽造明堂。」此外，遺忘時吐蕃舍人明悉獵，請令授筆與之，曰：「玉醴由來獻壽觴。」上大悅，賜與衣服。

這一段記載是很有趣的。君臣的詩句雖都不很高明，但各肖作者的身份與口氣，確不失爲柏梁台詩以後的惟一盛事。至於帝王一家人連臣下與外使，一共賦詩，也足見當時的政風和煦。（此所謂政風和煦，乃就今日的眼光視之，在當時，却是毀譽不一的。據唐詩紀事所記：「帝有所感，即賦詩，學士皆屬和，當時人欽慕。然皆狎猥佻佞，忘君臣禮法，惟以文華取幸，若韋元旦……等無它稱。」又：「二十九日御宴，祝欽明爲八風舞，諸學士曰：祝公斯擧，五經掃地盡矣。」以上均見卷九李適條。）

玄宗朝，這是唐代詩風最盛的時期。玄宗本人，能作詩，善譜曲，愛好音樂舞藝，富有文人情趣。他做了四十幾年的太平天子，雖然最後釀成了天下大亂，但文學史上的詩聖詩仙和許多第一流的詩人，却產生在這一時代。所以，從文學藝術的觀點上來看，他確不失爲一個風流倜儻的人物。開元之治，政治上的成就，倒不如文藝上的成就來得多。

唐詩紀事，卷二：（亦見全唐詩話卷一）

開元十六年，帝自擇廷臣，爲諸州刺史。許景先治虢州，源光裕鄭州，寇泚宋州，鄭溫琦邠州，袁仁恭杭州，崔志廉襄州，李昇期邢州，鄭放定州，蔣挺湖州，裴觀滄州，崔成遂州，凡十一人。行，詔宰相、諸王、御史以上，祖道洛濱，盛具，奏太常樂。帛舫水嬉，命高力士賜詩，令題座右，帝親書。且給筆紙。令自賦。賚絹三千遣之。

帝詩曰：眷言思其理，鑒寢（全唐詩話作寤）想惟良。猗與此推擇，聲績著周行，賢能既俟進，黎獻實佇康。視人當如子，愛人亦如傷。講學試誦論（全唐詩話作詩），阡陌勸耕桑。虛譽不可飾，清知不可忘。求名迹易見，安直德自彰。獄訟必以情，教民貴有常。恤惸且存老，撫弱復綏強。勉哉各祇命，知予眷萬方。

玄宗朝，宮廷與民間的韻事佳話，諸書所載，不勝引述。其中有不少早已炙膾人口，千載以來，傳爲美談。上引一則，表面上看起來，只是一件官場故事。可是，正因爲這是一件官場故事，而却能脫去官場形式，變爲詩酒雅集。試想當時詩成互詠，「帛舫水嬉」的情形，却不能不令人神往。尤其玄宗一詩，較之千言萬語的聖諭廣訓，更覺簡要而親切。這在政治上可以說是一種最好的風範。玄宗以後，唐代的政治，便走下坡，但是重詩的風氣，仍方興未艾（唐音癸籤，談叢三，紀唐代諸帝吟業之盛甚詳，可參考）。茲再引三四故事：

本事詩：（亦見唐詩紀事、卷三十，全唐詩話、卷二）

韓翃少負才名。天寶末，舉進士。……淄青節度侯希逸奏爲從事，……後罷府，閒居，將十年。李相勉鎮夷門，又署爲幕吏。時韓已遲暮，同職皆新進後生，不能知韓，舉目爲惡詩。韓邑邑殊不得意，多辭疾在家。唯末職韋巡官者，亦知名士，與韓獨善。一日，夜將半，韋叩門急，韓出見之，賀曰：「員外除駕部郎中（紀事作侍郎，誤。）知制誥。」韓大愕然曰：「必無之事。定誤矣」。韋就座，曰：「留邸狀報：制誥闕人，中書兩進名，御筆不點出。又請之。且求聖旨所與，德宗批曰：『與韓翃。』時有同姓名者，爲江淮刺史。又具二人同進。御筆復批曰：『春城無處不飛花，寒食東風御柳斜。日暮漢宮傳蠟燭，輕（紀事、詩話均作青）煙散入五侯家。』又批曰：『與此韓翃。』」韋又賀曰：「此非員外詩邪？」韓曰：「是也。」（韋曰）「是知不誤矣。」質明而李與僚屬皆至。時建中初也。

雲溪友議、卷下：（亦見唐詩紀事，卷二十八。全唐詩話、卷二）

憲宗皇帝朝，以北狄頻侵邊境。大臣奏議：古者和親之有五利，而日無千金之費。上曰：「比聞有一卿能爲詩，而姓氏稍僻。是誰？」宰相對曰：「恐是包子虛」，「冷朝陽」，皆不是也。上遂吟曰：「山上青松陌上塵，雲泥豈合得相親？世路盡嫌良馬瘦，惟君不棄臥龍貧。千金未必能移姓，一諾從來許殺身。莫道書生無感激，寸心還是報恩人。」侍臣對曰：「此是戎昱詩也。京兆尹李鑾，擬以女嫁昱，令其改姓，昱固辭焉。」上悅。曰：「朕又記得詠史一篇，此人若在，便與朗州刺史，武陵桃源，足稱詩人之興詠。」聖旨如此稠疊，士林之榮也。（按此句贅出）其詠史詩曰：『漢家青史內，計拙是和親。社稷依明主，安危託婦人。豈能將玉貌，便欲靜胡塵。地下千年骨，誰爲輔佐臣。』」上笑曰：「魏絳之功，何其懦也！」大臣公卿，遂息和戎之論矣。

本事詩、第二：（亦見唐詩話卷二）

白尚書（居易）姬人樊素善歌。妓人小蠻善舞；嘗爲詩曰：「櫻桃樊素口，楊柳小蠻腰。」年既高邁，而小蠻方豐艷。因爲楊柳之詞以託意云：「一樹春風萬萬枝，嫩于金色軟于絲。永豐坊裏東南角，盡日無人屬阿誰？」及宣宗朝，國樂唱是詞。上問誰詞，永豐在何處，左右具以對之。遂因東使，命取永豐柳兩枝，植于禁中……

唐語林、卷四：（亦見唐詩話卷二，唐詩話卷三，唐詩紀事卷三，太平廣記一八二引盧氏雜記。）

宣宗愛羨進士。每對朝臣，問登第否。有以科名對者，必可喜。便問所試詩賦題，並主司姓名。或有人物優而不中第者，必歎息久之。嘗于禁中（自）題鄉貢進士李道龍（御名）。（詩話、紀事、下敍白居易之死，帝以詩弔之，並附詩。從略）

就以上幾個故事言之，君王的習誦詩歌，愛惜詩才，誦詩以裁決國家大計，注重進士科第與試賦題目，處處都表現着一種特殊的政情與風趣。在這種氣氛中，無怪天子也要以列身鄉貢進士爲榮了。

摭言、卷一：（太平廣記一七八卷，謂出國史補，誤。）

進士科，始於隋大業中，盛於貞觀永徽之際。縉紳雖位極人臣，不由進士者，終不爲美。以至歲貢常不減八九百人，其推重，謂之白衣公卿，又曰一品白衫；其艱難，謂之三十老明經，五十少進士……其有老死於文場者，亦無所恨。故有詩曰：「太宗皇帝眞長策，賺得英雄盡白頭。」

……

這一段記載，可以說明兩種情形。一方面說明進士科第之盛及其名位觀念之重。如李德裕，雖「

位極人臣」，但終身以非進士出身爲憾。（隋唐嘉話中：薛中書元超謂所親曰：「吾不才，富貴過分。然平生有三恨：始不以進士擢第，娶五姓女，不得修國史。」）如杜昇，已官拾遺賜緋，而仍應舉及第，時稱「著緋進士」。（見盧氏雜記、太平廣記一八三引。）

另一方面，說明進士一科，有「白衣公卿」與「一品白衫」的榮譽，也有「老死文場」與「英雄白頭」的慨歎。唐宋以下歷代載記，莘莘士子，常有終身不得一舉，或既舉而終身不得一第者。

摭言、卷十：（亦見全唐詩話，卷四）。

劉得仁，貴主之子。自開成至大中三朝，昆弟皆歷貴仕，而得仁苦於詩，出入舉場三十年，竟無所成。嘗自述曰：「外家雖是帝，當路且無親」。（全唐詩話多以下一段：「又云：外族帝王是，中朝親故稀。翻令浮議者，不許九霄飛。」）既終，詩人爭爲詩以弔之。唯供奉僧棲白擅名。詩曰：「忍苦爲詩身到此，冰魂雪魄已難招。直教桂子落墳上，生得一枝寃始銷。」可以引爲安慰的，只有自古以來的重詩的觀念；幸而還能保持不墜而已。

【附註】

註一　見斯溫著之世界文化史（James Edgar Swain; History of World Civilization, 1938），沈鍊之譯。民國三十六年，開明書店出版。

註二　國語韋昭註：（獻詩）獻詩以風也。（列士）上士也。（瞽獻典）無目曰瞽。瞽、樂師。典、樂典也。（瞍賦）無眸子曰瞍「即瞍」。賦，賦公卿列士所獻詩也。（矇誦）有眸子而無見曰矇。周禮：矇主弦歌風誦。誦，謂箴諫之語也。按：瞽，師，瞍，矇，工，皆古代樂師。

註三 國語韋昭註：（使工誦諫於朝）工，矇瞍也。（在列者獻詩，使勿兜）列，位也；謂公卿至於列士，獻詩以風也。兜，惑也。（風聽臚言於市）風，采也。臚、傳也。采聽商旅所傳善惡之言。

註四 國語韋昭註：（師長士）師長，大夫。士，衆士也。（誦訓之諫）誦訓工師所誦之諫。（贄御）贄，進也。（瞽史）瞽，樂太師，掌詔吉凶。史，太史也，掌詔禮事。（師工）師，樂師。工，瞽矇也。（懿戒）懿，詩大雅抑之篇也。懿讀曰抑，毛傳敍曰：抑，衛武公刺厲王，亦以自儆也。

註五 舜典一段，史記五帝本紀作「舜曰：龍，朕畏忌讒說殄僞，振驚朕衆。命汝爲納言，夙夜出入朕命，惟信。」孫星衍以爲史記以「聖」爲「畏忌」，較馬融鄭康成之說爲勝。史記易「行」爲「僞」，「僞」與「爲」一義。又段玉裁訓「聖」爲「巠」，亦合。

益稷一段，最費解者爲「在治忽」一語。鄭本原作「在治曶」。（註，曶，臣見君所秉書思對命者也。按書思對命，說見禮記玉藻。）王鳴盛、段玉裁都以「忽」爲「笏」，從鄭說。王引之以「忽」讀爲「滑」，「滑」訓「亂」，以「在治忽」爲「察治亂」之意。按史記夏本紀作「來始滑」，孫星衍以爲「來」爲「采」之誤，「始」爲「治」之誤，「來始滑」即「采治滑」，亦即「采治亂」。此一解說，最得原作本意。因爲，由音樂以采治亂，這是和「樂記」之說符合的。由此而推論到采詩以采治亂，意義是相同的。（過去今文作「采政忽」，漢書律曆志引作「七始詠」，均可不論）其餘文字不關本文者，不具述。

註六 「工以納言」，孔安國傳注：「工，樂官，掌誦詩以納諫。」此說甚當。江聲以「內言」爲古「合語」之禮，過於牽強。

註 七　太甲中：也有相同的記載。「伊尹拜手稽首，曰：……先王子惠困窮，民服厥命，罔有不悅。並其有邦厥鄰。乃曰：徯我後，後來無罰。」仲虺與太甲兩篇。雖列僞書，但其記載亦有可取之處。（古書雖多僞託，但絕非毫無依據而嚮壁虛造。）

註 八　毛詩、衞風、碩人，小序曰：閔莊姜也。莊公惑於嬖妾，使驕上僭，莊姜賢而不答，終以無子。國人閔而憂之。

註 九　毛詩、鄭風、清人，小序曰：清人，刺文公也。高克好利而不顧其君，文公惡而欲遠之。不能，使高克將兵而禦狄于竟，陳其師旅，翺翔河上，久而不召。衆散而歸，高克奔陳。公子素惡高克進之不以禮，文公退之不以道，危國亡師之本，故作是詩也。按：此指爲公子素所作，與左傳略異。或爲公子素所獻。

註一〇　毛詩、秦風、黃鳥。小序曰：黃鳥。哀三良也，國人刺穆公以人從死，而作是詩也。

註一一　毛詩、豳風、鴟鴞小序曰：鴟鴞，周公救亂也。成王未知周公之志，公乃爲詩以遺王，名之曰鴟鴞焉。

註一二　召康公戒成王詩，尙有卷阿，泂酌，均見大雅。

註一三　按毛詩小序：刺幽王詩最多，達四十餘篇。其中註作者名者爲所錄三首；其他尙有未指名而亦云大夫者，似皆爲獻詩之類。據此，可知大小雅中，獻詩實佔多數。

註一四　毛詩、鄘風、載馳、小序曰：載馳、許穆夫人作也。閔其宗國顚覆，自傷不能救也，衞懿公爲狄人所滅，國人分散，露於漕邑。許穆夫人閔衞之亡，傷許之小，力不能救，思歸唁其兄又義不得，故賦是詩也。

註一五　舜典有疑爲戰國人作，禮記有疑爲漢儒所作。此種疑慮固未可厚非，然在無充分證據以斷定其爲僞書之前，仍不能不引爲稽考古代史事的證據。（卽爲戰國時或西漢初年書，其去古爲近，所述古事，亦較可信，與後代僞書，究竟有別。）

註一六　按夏書胤征篇爲僞書。此語可能抄自左傳，故仍以左傳爲較可信。（孔傳註：遒人，宣令之官。木鐸，金鈴木舌，所以振文教。）

註一七　班固去古爲近，所改與所增的各點，當然有其根據。茲將後人所註各點，列擧於下，以爲參考。

「遒人」　左傳杜註：遒人、行人之官也。

「行人」　漢書顏師古註：行人，遒人也，主號令之官。

「木鐸」　杜註：木鐸、木舌金鈴。顏註：鐸，大鈴也，以木爲舌，謂之木鐸。

「徇於路」杜註：徇於路，求歌謠之言。顏註：徇、巡也。

「大師」顏註、掌音樂之官。教六詩，以六律爲之音者。

註一八　「聲曲折」：王先謙漢書補註云：聲曲折，卽歌聲之譜。唐曰「樂句」，今曰「板眼」。

註一九　「茲邡」：漢書補註：茲邡，蓋卽汁邡。按：汁邡，亦卽什邡或什方。今爲四川縣名。

註二〇　「四會」曲名。奏樂而又歌詩。

註二一　按獻詩采詩的事，自崔述以來，許多人疑爲後人所「臆度」，斷定古代並無其事。史家疑古的精神，當然可佩：但一味懷疑而沒有確切的證據以推翻古人的記載，將使後人讀史而無一事可信。所以，我們盲目的信古固不可，而存心的疑古也不免厚誣古人。如崔述讀風偶識所云：「余按克商以後，下逮陳靈，近五百年。何以前三百年所采殊少，後二百年所采甚多？」此一疑問，殊不合理。因詩經的輯錄，乃陳靈以後的事。輯詩的人，自然對於時近的材料，容易收集，對於遠年的材料，散失過多，難於獲得。此種情形，凡明事理者，卽可瞭然，何至發生懷疑？何況，采錄的多少是一問題，采詩觀風的事又是一問題。何至以「前三百年采錄少而後二百年采錄多」一事來懷疑「采風」一事的有無呢？又云：「周之諸侯千八百國，何以獨此九國有風可采，而其餘皆無之？」此一問題，更不足以懷疑「采風」一事的存在。即使只有一國有風可采，我們還得承認實有采風之事。試問：「周之諸侯千八百國」，我們是否能一一舉其國名？假使不能舉其國名，崔氏何以獨相信不宜信的「千八百國」而卻不信這九國之詩乃由采風而來？又云：「春秋之策，王人至魯，雖微賤無不書者，何以絕不見有采風之使？乃至左傳之廣搜博采，而亦無之？」此一疑問，比前二點較為合理。但，崔氏必須先確定一前提，即是否春秋左氏書所未載的事，皆可斷定必無其事？否則，此一疑問，作疑問則可，若斷定采風乃「出於後人臆度無疑也」則不可。……總之，崔氏雖對史學的貢獻很多，但認采風一事為臆度，自己卻犯了臆斷的毛病。

註二二　鄭註：（樂正）正，長也。（工）工四人，二人鼓瑟，二人歌。（相者）相，扶工也。凡工，瞽矇也。故有扶之者。（笙）笙，吹笙者也。（南陔，白華，華黍）小雅篇也。今亡。未聞其義。按：此三篇與下間歌中的由庚、崇丘、由儀三篇，都是笙歌。現在的詩經中，有目無詞。（陔）陔夏也。按為樂章名，為九夏之一。（鄉樂唯欲）鄉樂，周南召南六篇之中，唯所欲作，不從次也。

註二三　按貍首亦見於儀禮大射儀。鄭註：貍者，逸詩曾孫也。貍之言不來也。其詩有射詩侯首不朝者之言，因以名篇，後世失之。謂之曾孫，曾孫者，其章頭也。射義所載，曾孫侯氏是也。以為諸侯射節者，采其既有弧矢之威。又言：小大有莫處，御於君所，以燕以射，則譽有樂以時會君事之志也。

註二四　皇皇者華，詩中有「周爰諮諏」「周爰咨謀」「周爰咨度」「周爰咨詢」等句。毛詩鄭註：「忠信為周」，「訪問於善為咨」，故下云五善。

註二五　周禮：以鐘鼓奏九夏。一曰王夏，二曰肆夏（一名樊），三曰韶夏（一名遏），四曰納夏（一名渠），五曰章夏，六曰齊夏，七曰族夏，八曰陔夏，九曰鷔夏。按肆夏之三，即指樊、遏、渠。

註二六　文王之三。指文王、大明、緜三篇。

註二七　引詩見詩經，大雅，思齊。

註二八　引詩，前見詩經，小雅，小旻。後見詩經，周頌，敬之。

註二九　引詩，前者見詩經，大雅，既醉；其次見小雅，信南山；最後見商頌，長發。

註三〇　引詩見詩經，小雅，六月。

註三一　引詩，前者見周頌，時邁，其次見周頌，武。今本詩經武，只有一章七句，即卒章。其所引「其三」，見今本周頌，賚；其所引「其六」，見今本周頌，桓。與左傳所引有異。

註三二　引詩見詩經，小雅，桑扈。

註三三　引詩見詩經，大雅，板。

註三四　引詩見詩經，小雅，常棣。

註三五　引詩。前者見詩經、大雅，大明之七章。其次，見小雅，皇皇者華之首章，其後，見鄭風，將仲子之卒章。

註三六　按孔子所引，見詩經，周頌，雍。

註三七　引詩見詩經，小雅，角弓。

註三八　大學引詩見小雅，南山有臺。中庸引詩見大雅，烝民。

註三九　引詩見詩經，小雅，隰桑。

註四〇　引詩，見詩經，周頌，閟宮。
註四一　前段所引見詩經小雅，小明，；後段見小雅，楚茨。
註四二　引詩，前見詩經，周頌，載見。後見小雅，皇皇者華。
註四三　引詩見詩經，小雅，賓之初筵。其中「既醉以酒，既飽以德」兩句，見大雅，既醉。
註四四　引詩，前見詩經，衞風，凱風。後見小雅，小菀。
註四五　引詩見詩經、邶風、旄丘。
註四六　後漢書雖非漢人所作，但皆漢代史料。
註四七　引詩見詩經，曹風，鳲鳩。
註四八　引詩，前見詩經，小雅，緜蠻。後見魏風，伐檀。
註四九　引詩見詩經，小雅，漸漸之石。按漢書天文志，亦引此詩。原文：「西方爲雨，雨，少陰之位也。月失中道，移而西入畢，則多雨。故詩云：『月離于畢，俾滂沱矣。』言多雨也。」
註五〇　引詩見詩經，小雅，正月。
註五一　引詩見詩經，小雅，十月之交。
註五二　引詩見詩經，衞風，木瓜。
註五三　引詩見詩經，小雅，青蠅。
註五四　引詩見詩經，衞風，芄蘭。
註五五　引詩見詩經，齊風，甫田。

註五六　引詩見詩經、邶風，匏有苦葉。

註五七　周禮一書，宋以後儒者，卽疑信參半，至近世學者多斷爲戰國時人的一種理想著作，並非周代的眞實制度，或爲周代未能實行的一種禮制藍本。然任何一種理想，必有其現實社會爲其背景。以詩樂一點而言，如當時無重視詩樂之事，則作者的理想，亦無從發生。所以，卽使此書有可疑，但有關詩樂之事，必有事實爲其根據，決非憑空揑造之說。

註五八　此歌亦載莊子，文略異：「鳳兮鳳兮，何如德之衰也！來世不可待，往世不可追也。天下有道，聖人成焉；天下無道，聖人生焉；方今之時，僅免刑焉。福輕乎羽，莫之知載；禍重乎地，莫之知避。已乎已乎，臨人以德；殆乎殆乎，畫地而趍。迷陽迷陽，無傷吾行。吾行卻曲，無傷吾足。」

註五九　孔子家語卷三作：「先之以詩書，而道之以孝悌，說之以仁義，觀之以禮樂，然後成之以文德。」

註六〇　雲溪友議：「文宗元年秋，詔禮部高侍郎鍇復司貢籍；曰「……卿精揀藝能，勿妨賢路。其所試賦，則准常規，詩則依齊梁體格。」按試時至開成尚重齊梁體，當係遵照上官儀以來的「常規」。又：「乃試琴瑟合奏賦，霓裳羽衣曲詩。（任用韻），李肱（詩）云：開元太平時，萬國賀豐歲。梨園獻舊曲，玉座流新製。鳳管遞參差，霞衣統搖曳。醮罷水殿空，輦餘春草細。蓬壺事已久，僊樂功無替。詎肯聽遺音，聖明知善繼。此詩，卽當時應試的常格。此外，尙有二韻、四韻、八韻等等。見文苑英華。又關於試賦一事，常規爲八韻，然亦有三韻、四韻、五韻、六韻、七韻等等多種規定。韻式見容齋隨筆二集，第十三卷。亦見文苑英華辨證。又曾閱日本兒島獻吉郎著中國文學通論曾擧「唐應試詩」（三卷）書名。惜未見。

註六一　如摭言、卷三，慈恩寺題名遊賞賦詠雜記條，有「伏以國家設文學之科，求貞正之士」等語。及卷四節操條第二則，有「大朝設文學之科，以待英俊」之語。可知當時朝野間，通稱爲文學科（五代後亦稱文科）。

註六二　唐代重視進士科，擧明經者，遭人輕視，唐摭言進士條云：「其艱難，謂之三十老明經，五十少進士」。可見當時人對科擧之觀念。康駢劇談錄：「元和中，李賀善爲歌篇，爲韓愈所知，重拾縉紳，時元稹年少，以明經擢第，亦工篇什，嘗交結於賀，日執贄造門，賀覽刺不答，遽入，僕者謂曰：「明經及第，何事看李賀？」稹慚恨而退，又裴廷裕東觀奏記上：（亦見新唐書李鈺傳）「李鈺、趙郡贊皇人，早孤。居淮陰，擧明經，李絳爲華州刺史，一見謂之曰：日角珠庭，非常人也。當掇進士科，明經碌之，非子發跡之路。」（以上亦見唐語林）

註六三　唐代科擧制度，弊端頗多，據摭言一書所記，已可概見當時若干不合理的現象。然其中最主要的一項，即爲人事關係。李肇國史補列擧進士科在當時所流行的名詞，其中有「造請權要，謂之關節。激揚聲價，謂之還往」等項，可見一斑。茲擧一事爲例：

全唐詩話　卷二：（閻）濟美，大歷九年春下第（按濟美此爲第三次落第）。將出關。獻座主（即主考）張謂詩六韻曰：「蹇諤王臣直，文明雅量全。望爐金自躍，應物鏡何偏。南國幽沈盡，東堂禮樂宣。轉令游藝士，更惜至公年。芳樹歡新景，青雲泣暮天，惟愁鳳池拜，孤賤更誰憐。」謂覽之，問失第之因，具以實告。謂深有遺才之歎。乃曰：「取投六韻，必展後效。」明年，濟美自江東繼薦，就試東都，謂復主文。雜文已過，繼欲帖經。濟美辭以不能。謂曰：「禮闈故事，亦許作詩贖帖。」遂命「天津橋望洛城殘雪」題。濟美曰：「新霽洛城端，千家積雪寒。未收清禁色，偏向上陽殘。」既而日勢已晚，詩未就。謂曰：「據見在將來一覽。」稱賞。遂唱過。盧景莊（時與濟美同試，因帖經而被絀落）謂曰：「前足下試蠟日祈天宗賦，以魯血對衞賜。（衞賜）則子貢也，乃作駟字，誤矣。」方悔之。明日，謂曰：「天寒急景，諸君文卷不成，未可以呈宰相，請重送納。」既而索舊卷，則駟字上，朱點在焉，易卷之意，蓋有在也。列闕，謂揖濟美曰：「前日春闈遺才，所投六韻，不敢暫忘，幸副素懷矣。」濟美紀其事曰：「前朝公相許與定分，一面不忘濟美哉。」（亦太平廣記一七九引，謂出乾臊子。較此文爲詳）。由此文所記，可知閻濟美之及第，完全是靠張謂所提攜，若憑考試則必又落選而無疑。但同試之盧景莊，則因帖經而紬落，並不能援例以詩爲贖，可謂不幸。

註六四　與元九書：「……僕是何者？竊時之名已多，既竊時名，又欲竊時之富貴，使己爲造物者，肯兼與之乎？今之迍窮，理固然也。況詩人多蹇，如陳子昂、杜甫，各授一拾遺，而迍剝至死，李白、孟浩然輩，不及一命，窮悴終身。近日孟郊六十，終試協律，張籍五十，未離一太祝，彼何人哉？彼何人哉？……」

註六五　容齋隨筆一集，卷九：「國朝自太平興國以來，以科擧羅天下士，士之策名前列者，或不十年而至公輔。……及嘉祐以前，亦指日在清顯。東坡送章子平序，以謂仁宗一朝十有三榜，數其上之三人，凡三十有九，其不至公卿者五人而已。（下略）」。

註六六　明八股文的內容，乃沿宋之經義；洪武三年考試，即以四書五經爲題。至於形式，則係沿元代延祐以後科場文的體制（有破題、接題、小講、官題、原題、大講、後講、原經、結尾等規定）。惟洪武二十四年所定的格式，尚不稱完備；到成化以後，才稱定體。

詩與樂舞

——詩的起源、發展、及詩樂舞之關係

任何國家民族的文學，詩歌的產生，都是早於其他文體的。同時，原始的詩歌與樂與舞，也是胎息與共，互相結合，三位一體的（註一）。追溯我國詩歌的起源及其與樂舞的關係，並不例外。

我國詩歌的起源，論者以爲應「自生民始」。

沈約、宋書謝靈運傳論：

民秉天地之靈，含五常之德，剛柔迭用，喜慍分情。夫志動於中，則歌詠外發。六義所因，四始攸繫。升降謳謠，紛披風什，雖虞夏以前，遺文不覩，稟氣懷靈，理無或異。然則歌詠所興，宜自生民始也。

孔穎達，毛詩正義序：

詩理之先，同夫開闢。

王灼，碧鷄漫志：

或問歌曲所起。曰：天地始著，人生焉；人莫不有心，此歌曲所以起也。

朱熹，詩經集傳序：

人生而靜，天之性也；感於物而動，性之欲也。夫既有欲矣，則不能無思；既有思矣，則不能無言；既有言矣，則言之所不能盡，而發於咨嗟詠歎之餘者，必有自然之音響節奏而不能已焉；此詩之所以作也。

以上四說，是以詩乃出之於人的心靈性情；而人的心靈性情，則是本之於先天；故詩的產生，實與人生以俱來的。換言之，自從人類出現於這天地之間，詩歌也就出現於這天地之間。（劉勰文心雕龍，亦以爲「文之爲德大矣，與天地並生。」他所謂文，也是包括詩而言的。）

這種推論，當然是很合理的。不過，他們的說法，尚不免失之含混。因爲談到詩歌的起源，僅僅從詩歌的內涵方面，亦即心靈性情方面去說明，這還是不夠的。主要的，必須要將詩歌的最初形態追究清楚，然後才能斷定詩歌的產生，確是與人生以俱來的。所謂「志動於中，則歌詠外發」，「言之所不能盡，而發於咨嗟詠歎之餘者」，以及「六義所因，四始攸繫」這些話，並沒有涉及到詩歌的最初形態。

論詩歌的起源而並涉及到詩歌的最初形態者，如：

鄭玄，詩譜序：

詩之興也，諒不出於上皇之世。大庭軒轅逮於高辛，其時有亡載籍，亦蔑云焉。虞書曰：「詩言志，歌永言，聲依永，律和聲。」然則詩之道昉於此乎？

黃櫄，詩解：

有天地，有萬物，而詩之理已具。雷之動，風之偃，萬物之鼓舞，皆有詩之理而未著也。嬰孩之嘻笑，童子之謳吟，皆有詩之情而未動也。桴以蕢，鼓以土，籥以葦，皆有詩之用而未文也。康衢順則之謠，元首股肱之歌，詩之義已備矣。

鄭黃兩氏，引到虞書的聲律之言，提到蕢桴，土鼓，葦籥；而後以雷動，風偃，嬰孩嘻笑，童子謳吟以比託詩的情理；這種說法，比較近於實際。但是，他們仍然着重於詩的文義，所以認定詩乃起於唐虞之世，這又未免犯了以今之詩視古之詩的毛病。

以現在所能讀到的古籍而論，在康衢謠與舜皐陶賡歌之前，尚有伏羲氏，葛天氏，伊耆氏，黃帝氏種種歌樂的記載（註二），何以不將詩的起源提早到伏羲葛天氏之世？若以伏羲葛天氏之世的作品爲無稽，則康衢之謠與帝舜之歌，一樣可發生疑問的。

所以，就成文的詩歌而言，只能考訂它是否爲古代流傳下來的最早的詩，絕不能將它與詩的起源一事，相提並論。這樣，才可以使我們擺脫詩的傳統概念，而重新認識與人生以俱來的最原始的詩歌的眞正面目。

一、原始的詩爲聲詩、詩樂爲一體

與人生以俱來的最原始的詩，我們可以相信，不但不是文字之詩，却也不是語言之詩，而只是一種聲音之詩。如果替最原始的詩下個定義，可以說：這時的詩，只是人類爲宣洩情意而從人體發生出來的一種音樂。

據人類學家的研究，遠古的人類，曾過着一個漫長的無語言的時代（註三）。到了舊石器時代初期的史前原人，才證實有了語言（註四）。不過，前者所指的沒有語言，應該是指沒有完備的語言而言。這時的人類，依然可以利用天賦的超乎其他動物的聲帶，發出種種的聲音，並輔佐以各種的姿態與手勢身勢，以自我表達或互相交換在那種簡單生活中所欲表達與交換的一切情意（註五）。至於後者所指的有了語言，實際上也只能說是一種極簡單的語言，和人類長足進化以後的語言，究竟不是一樣的。這時的人類，主要還是利用聲音與態勢；不過比較更早期的人類的聲音與態勢要日趨於增益而已。因爲，語言的進步，乃是隨着人類生活的需要而增加的。在舊石器時代以至新石器時代的初期，人類的生活還是非常簡單，他們的環境與遭遇的一切情況也非常簡單。所以他們在自我表達與互相交換情意的方法上，只需利用簡單的聲音與態勢，便已夠用。在應用的效果上，原始的簡單聲音與態勢，和現在的複雜的語言文字，可以說並無二致的。

因此，我們可以肯定的說，在人類沒有完備語言之前，聲音實與語言的效用相同而爲當時人類表達與交換情意的主要工具。此後因爲生活進步，乃由聲音而形成語詞，由語詞而形成語言，都是由簡而日趨於繁，由不固定而日趨於固定，由無組織而日趨於有組織，由不完備而日趨於完備的。由此推論，所以在語言之詩沒有建立以前，詩的最初形態，實爲聲音。

聲音之詩，也簡稱爲聲詩。樂記所謂「樂師辨乎聲詩」，即是指聲音之詩而言。但聲音這一名詞，在應用上有兩點不同的意義，是不可不先加說明的。

第一是聲音這個名詞，原概括着聲與音兩種意義。單稱和連稱，本有分別，亦如語言與文字這兩個名詞的兩個字，各含有不同的意義是一樣的——自言爲言，對言爲語。單體爲文，合體爲字——樂記：「凡音之起，由人心生也。人心之動，物使之然也。感於物而動，故形於聲；聲相應，故生變；變成方，謂之音。」鄭註：「宮商角徵羽雜比曰音，單出曰聲。」可知聲乃音的單位，音乃聲的合體。（變成方，即變成文，故樂記亦曰聲成文謂之音）因此，在本義上，聲爲聲，音爲音，顯然有別；只有連稱爲聲音，才不致有誤會。可是，古人在應用上，有時稱聲，有時稱音，都概括着兩種意義而言；若根據聲與音的各義去加以解釋，反往往不合。如聲律、聲色、聲教等等名詞之聲，均兼指聲與音並包括語言而言，所以聲音之詩簡稱爲聲詩，而含義實相同。

第二是聲與音，它是語言的基礎，也是音樂的基礎。在語言上的聲音與音樂上的聲音，本有區別。因此，在應用上，對語言上的聲音，經常稱爲語聲或語言；對音樂上的聲音，則別稱爲樂聲或樂音。不過這種區別，有時並不須要用語言或音樂等字加以連用，而在單稱聲與音時，自然可以分別其性質。

如「貊其德音」與「喤喤厥聲」，讀者自然可以分別何者指言語，何者指音樂。又如稱「新聲」，或「鄭衞之音」，讀音亦自然可以知道是指音樂的聲音，決不會解作語言的聲音。所以，關於聲詩與聲音之詩這個名詞，實際上乃是指諧乎音樂的聲音之詩，與語言的聲音是顯然有別的。

以上兩點的說明，主要是說明聲音之詩即聲詩，而聲詩也即音樂之詩。其中，並不包含語言及其辭義的成分在內。同時，也表明詩與音樂是不可分的。

詩與音樂的不可分，這是原始詩的最初形態，亦即是原始詩的最大特徵，也就是詩的所以爲詩的第一義。

瞭解這一點，然後我們可以知道：所謂詩源於心，與樂記所云：「凡音之起，由於人心也」與「樂者，心之動也」這兩句話，正是說明詩與音樂，乃是同一胚胎；而所謂「感於物而動」（樂記語）以形成音樂，與「感於物而動」（朱熹語）之形成詩歌，則更證明詩與樂也是同一形體。宋書樂志云：「夫歌者，固樂之始也。」這句話說得最爲透徹。劉勰文心雕龍云：「夫音律所始，本於人聲者也。聲含宮商，肇自血氣，先王因之以制樂歌。如知器寫人聲，聲非學器者也。」又王灼碧鷄漫志亦云：「古人初不定聲律，因所感發爲歌，而聲律從之。」此亦即音樂原於詩歌，詩歌原於人聲之意。由此引申，不但原始詩的形態如此，就是到了語言文字發生以後，這一原始意義，依舊爲詩的不可或缺的基本因素。

宋鄭樵，他的論詩，便以聲（亦即音樂）爲第一。他在所著的通志樂略中，有以下的主要議論：

詩者，人心之樂也。

以詩繫於聲，以聲繫於樂。

樂以詩爲本，詩以聲（樂）爲用。

應知古詩之聲爲可貴也。

詩爲聲也，不爲文也。

仲尼編詩，爲燕享祀之時，用以歌，而非用以說義也。

古之詩，今之辭曲也；若不能歌之，但能誦其文而說其義，可乎？

義理之說既勝，則聲歌之學日微。

蓋聲失則義起。

今都邑有新聲，巷陌競歌之，豈爲其辭義之美哉？直爲其聲新耳。禮失則求諸野，正爲此也。

鄭樵這些議論，雖然只是論「后夔以來」的詩的體用，特別是說明三百篇的體用，而並不是論詩的起源與原始的詩；但他強調詩聲重於詩義，而反對「以義理相授」，「遂使聲歌之音，湮沒無聞」，這一點，正足以闡明原始詩的本質。

鄭樵所謂「禮失而求諸野」，以當時都邑的競歌新聲，實乃歌其聲而非歌其義，這種情形，即在今日的社會中依然相同。

美英的流行歌曲風靡全球，唱者聽者實大多不能明其歌義，其動人處亦不完全在其歌義。由此可見詩聲的重於歌義，這一情況，是自原始以至現代而一貫未變的。

「禮失而求諸野」的另一更重要的事實，即是近代的人類學者、考古學者、藝術學者、社會科學的研究者，爲着要瞭解原始時代的人類生活狀況，特別着重於考察世界各地現存的各落後民族的生活情況，使能在他們的研究上可以得到驗證。因爲世界各地現存的各落後民族，有的尚滯留在舊石器時代，有的剛進入新石器時代，從這些民族的實際生活中去瞭解史前人類的一切情況，當然比較書本上所閱讀到的許多有關記載要眞切得多。

在他們的考察報告中，關於落後民族的各種藝術活動的記載，資料相當豐富。在詩歌部分，有許多資料，確是過去書本中所找不到的。根據這些資料去參證原始時代的詩歌形態，往往使我們對於詩學上許多問題的推論，得到充分的證實。

第一：是根據許多考察資料，證實在若干落後民族所擧行的某些熱烈歌舞場合中，他們所唱的詩歌，並無任何辭義，只是跟着音樂的節奏，隨口唱出來的一連串各種不同的表現情感的聲調而已（註六）。

因此，使我們對於虞書：「帝命夔，汝典樂」一節中所說的：「詩言志，歌永言，聲依永，律和聲」這幾句話，我們知道這正是對於聲詩的一段最好的說明。最顯明的是：這段話雖是說詩，實際乃是說樂。詩的地位，僅是在樂的範圍之中。亦即表明這時所指的詩，只是一種聲詩，也是一種聲樂；與後世以語文表達出來的獨立的詩，却完全不同。而這段話，若脫去許多不必要的註解而完全依照原文所包括的意義加以翻譯出來，則等於說：

「詩（詩）的作用，是爲了表達（言）內心的情意（志），而內心的情意（言—此言字亦即代表前句所指的詩，前言字爲動詞，此言字爲名詞。）乃是藉着歌唱（歌）以表達（詠）出來的。這種歌唱出來的聲調（聲），既必須符合（依）着內心所欲表達的情意（詠—此詠字即指前句所表達者。前詠字爲動詞，此詠字爲名詞），同時，也必須符合（和）着音樂中的節奏（律）的。」（註七）

依照以上的解釋，所以，在這段話的前文所謂「直而溫，寬而栗，剛而無虐，簡而無傲」，這正是說明詩樂的意旨（樂訓），而後文所謂「八音克諧，無相奪倫」，則是說明詩樂在進行中必須遵守的原則。最後，乃說到詩樂的效果，使能歸於「神人以和」，這樣，所謂「教胄子」的目的，乃算全部的完成。所以「夔曰：於予擊石拊石……」便承納了他的典樂任務了。

綜合虞書這一整節的意義來說，全部是指音樂而言。而其中所說的詩，乃是聲音之詩，只須以聲音來表達內心的情意，和音樂同一作用，並非指着重辭義的語言文字之詩而言。雖然當時已經有了語言，並有了文字，但詩的形態，却依然以聲音爲重。故樂書曰：「樂師辯乎聲詩，北面而弦。」王肅曰：「但能別聲詩，不知其義，故北面而弦。」由此，推溯到沒有語言文字以前，可見詩的眞正面目，只是合乎樂律的歌聲而已。

第二：是在若干落後民族的詩歌中，有的是已經有了固定的辭義的。但是，一則是辭義非常簡單、淺薄、粗野，多數只是一句或二三句而重復的加以歌唱（註八），或者是，詞句雖多，而不過將基本的幾句話，在語詞上略加變化，在意義上則仍是重複的（註九）。再則是，這些詩雖然有着固定的辭義，可是在歌唱時，依然只重聲而不重義。特別是在聽者方面，他們根本是在聽音樂而並不理睬辭義如何。尤其是，這時的詩人，也就是歌者。所謂「每一個原始的抒情詩人，同時也是一個曲調的作者。每一首原始的詩，不僅是詩的作品，也是音樂的作品（註一〇）。」

以上這幾點，已經是原始的詩的後期形式；可是它的重聲的形式，依然是未變的。詩與音樂，依然是不可分離的。

梁、劉勰、文心雕龍、樂府云：

詩爲樂心，聲爲樂體。

宋、戴埴、鼠璞云：

求詩於詩，不若求詩於樂。……古者詩存於樂。

明、朱載堉、律呂精義總論律呂章，引劉濂樂經正義論歷代樂家之失云：

虞書詩言志數語，萬世詩樂之宗也。自是而下，言樂之詳者，莫如樂記及周禮大司樂；其言過當失實，如繫風捕影，無一語可裨於樂者。蓋由不知詩之爲樂，乃遺詩而言樂，故其失如此。

這兩家的批評，可謂一針見血，將詩樂的關係，說得極爲透徹。所以，論古代的詩樂，如果遺詩說樂，則不明樂；如果離樂說詩，也不明詩。

詩與樂的關係，既如上述；我們再來說明詩與舞的關係。

舞，在人類的歷史上，是一種重要的藝術，包含着許多動人感人的姿態與動作，與音樂的發展，同臻美妙而日新月異的。樂記云：「鐘鼓管磬，羽籥干戚，樂之器也；屈伸俯仰，綴兆舒疾，樂之文也。」樂舞之關係可見。然而，在原始時代的舞，只不過是各種自然而簡單的態勢，伴着樂歌，以表達其內心的濃烈的感情與意志。正如哥羅斯（Crosse）所說：「原始的跳舞，纔眞是原始的審美感情底，最直率，最完美，却又最有力的表現。」（註一一）

原始的舞，與音樂是緊密相聯，渾然一體，同時，與詩歌也是融和一致，牢不可分的。

禮記、檀弓下：

人喜則斯陶，陶斯咏，咏斯猶，猶斯舞，舞斯慍，慍斯戚，戚斯歎，歎斯辟，辟斯踊矣。（註一二）

淮南子、本經訓：

凡人之性心和，欲得則樂，樂斯動，動斯蹈，蹈斯蕩，蕩斯歌，歌斯舞，歌舞節則禽獸跳矣。

人之性心，有憂喪則悲，悲則哀，哀斯憤，憤斯怒，怒斯動，動則手足不靜。

以上兩則，後者當然是抄襲前者而略加改變的。檀弓所云，由喜至舞，由慍至踊，本來是兩種情緒的發展，「舞斯慍」或許是衍句。但是由樂極生悲的情緒變化來說，也未嘗不可連貫的描述。淮南子可能覺察到樂與悲的表現是兩回事，所以分別成爲兩段。可是在文辭上的改變，究竟不及檀弓的簡明易曉。

這兩則，都是說明詩歌樂舞，乃根據內心的情感而一連串的迸發出來的。我前所引哥羅斯的藝術的起源一書中，曾這樣說：「多數的文學史家和美學家，都以爲戲劇是詩的最新的形式；然而我們却有相當正確的理由，斷定它是詩的最古的形式。」因爲他根據許多落後民族的詩歌樂舞的表現，和戲劇的演出的言詞聲調姿態的調和的進行，情形一致。所以他敢作出此一結論，實在是理由充分的。

我們古籍中，也有以下的說法：

樂記：

故歌之爲言，長言之也。說之，故言之；言之不足，故長言之；長言之不足，故嗟歎之；嗟歎之不足，故不知手之舞之，足之蹈之也。

又：

詩，言其志也；歌，詠其聲也；舞，動其容也；三者本於心，然後樂器從之。

毛詩序：

詩者，志之所之也。在心爲志，發言爲詩。情動於中而形於言，言之不足故嗟歎之，嗟歎之不足故永歌之，永歌之不足，不知手之舞之足之蹈之也。

樂記與詩序所云，很明顯的說明詩樂舞的原始關係。這種關係，是自然所形成的；也是融合爲一體的。不過到了後世，這種關係便逐漸有所改變，有時合，有時離；有時特別密切，有時比較疏遠。而且詩樂舞三者，無論在內涵方面，在形式方面，都隨着時代而日趨於進步，在下文，我們要分別的加以敍述。

二、遠古的詩歌與樂舞的關係

前一節，是說明詩歌的原始形式及其樂舞的關係。現在再就詩歌的發展，以說明詩與樂舞的關係。在我國的古籍中，記載着不少的遠古詩歌，可是這些詩歌的眞僞，很難分辨。原因是，原始的詩歌，都是聲詩，隨口歌唱，當然沒有記錄。其後，語言發達，詩歌漸漸有了辭義，但有的仍然是隨唱隨滅，有的則只有藉記憶而口傳下來。可是這些口傳的詩歌，也可能久而失傳；也可能有所缺誤；也可能隨傳隨改。即使到了有文字的時代可以將口傳的詩歌記錄下來，可是最初的文字必然簡陋，對於口傳的詩歌，未必能如實記錄。因此，即使實有其歌，也可能已非本來面目。其後，文化一天天進步，文字也一天天完備，這時的詩歌自然也一天天的發展。此時，對於古代口傳下來的詩歌，却往往以當時所流行的詩體追錄出來，以致在形式上，使人難辨這是今歌古歌。如周代尙四言詩，於是記載下來的古詩，多數是四言體。漢人尙楚歌，於是記載下來的古詩，多數是楚歌體。所以，不但遠在堯舜時代的詩，我們不敢確信，即在春秋戰國時的許多詩，也不敢保其爲本來面目。

時至今日，我們惟一可採取的辦法，只有信賴可靠的古籍。在近代學者辨僞的成績下，從已證實爲可靠或比較可靠的古籍中，去發掘遠古的詩歌。這些詩歌，無論其形式如何，我們不必加以深究，只好予以承認。因爲，對於這些可靠的古籍所記載下來的古代詩歌都不予以承認，那麼，只有自毀歷史，將遠古一筆勾銷了。

首先，我們根據原始詩歌必然是與樂舞渾然一體的這個原則下；對於呂氏春秋古樂篇所載：「昔葛天氏之樂，三人摻牛尾，投足以歌八闋。」這一段傳說，認爲是接近事實的。因爲這一段傳說，其中正是有歌有樂有舞而且是渾然一體的。所謂摻牛尾，也許是後世執籥秉翟等等舞蹈的先驅。而所謂投足，也正是初民舞蹈的最主要的動作。至於葛天氏是何時代的帝王，不必去深究，我們只須認定他是遠古某一個時代的代表者便夠了。（如有巢、燧人、伏羲、神農等等遠古帝王，我們也不必一定要肯定有無其人，只須認定在歷史上有這麼一個時代；如此，對於我們解釋遠古的文化及其一切，自然比較妥善合理。）又八闋之名：「一曰載民，二曰玄鳥，三曰遂草木，四曰奮五穀，五曰敬天常，六曰達帝功，七曰依地德，八曰總萬物之極。」這些樂歌，是否有目無辭，名目是否正確，似乎也不必去深究。如郭紹虞在所作中國文學演進之趨勢一文中說：「我們即就此八闋的名目而言，亦覺很合於初民的思想。初民所最詫爲神祕而驚駭者，即是對於自然界的敬仰和畏懼；而他們所希冀的，亦即是一些奮草木，遂五穀的事情。」我認爲郭氏這一段話，是有問題的。如果這八個名目合乎初民的思想，則必須先證明葛天氏（姑不論有無其人）這個時代，已經是農業時期，才算合乎事實。否則便違背歷史。所以我說不予深究者，因這乃是歷史家的考證之事，我們未可貿然加以肯定的。不過，有一點是我們可以假定的：照歌舞的形式來看，照八闋的名目來推測，這一首葛天氏之樂，可能爲一首祭祀之樂歌。

其次，再說到伊耆氏的蜡辭。禮記郊特牲：「伊耆氏始爲蜡。蜡也者，索也。歲十二月合聚萬物而索饗之也。蜡之祭也……曰：土反其宅，水歸其壑，昆蟲毋作，草木歸其澤。」這是一首祭祀歌辭。伊耆氏，鄭註曰古天子號。孔穎達謂即神農（見禮記正義與毛詩正義）帝王世紀認爲即帝堯。據各家的推測，可能爲農業時期的一位帝王之名號。禮記明堂位曰：「土鼓、蕢桴、葦籥，伊耆氏之樂也。」證明這時已經有了簡單的樂器。禮運亦云：「禮之初，始諸飲食，其燔黍捭豚，汙尊而杯飲。蕢桴而土鼓，猶若可以致其敬於鬼神。」證明土鼓蕢桴這些樂器，是用之於祭祀的。至於蜡祭，與方相氏之毆疫的儺祭，同是一種民間的祭禮。同時，朝廷也一樣盛行蜡祭。明堂位云：「夏礿、秋嘗、冬烝、春社、秋省而遂大蜡，天子之祭也。」（到了秦，改爲臘。）鄭註：「大蜡，歲十二月索鬼神而祭之。」禮運：「昔者仲尼與於蜡賓。」又雜記曰：「子貢觀於蜡，孔子曰：『賜也樂乎？』對曰：『一國之人皆若狂，賜未知其樂也。』子曰：『百日之蜡，一日之澤，非爾所知也……』」可見此種祭祀，場面非常鋪張而熱鬧。蜡祭既然是古代的一種祭祀，又是一種隆重的祭禮，伊耆氏可能爲農業時期的一位君主，此時且已有了樂器。則在祭祀中，當然有歌有樂，也可能有舞。因此，我們相信這一蜡辭是決非虛構，蜡辭的內容也正合索鬼神之措辭的。雖然沒有提到樂舞，我們也可以想像得知。所以這首歌，可以確認是遠古的一首祭歌。

依據以上兩則來說，似乎我國遠古的詩歌，乃起源於祭歌，關於這一點，我不敢加以肯定。我只可說，我國遠古所口傳下來的詩歌，以祭歌爲最早。主要的原因是先民對於祭祀是最重視而也是不斷舉行的，因此關於祭祀的種種口傳也就易於保留。試從古籍中去加以觀察，關於祭祀的種種記載特別多。偶爾保留一二則祭祀的樂歌，當然不足爲奇。相反，其他的種種歌詠，不是沒有，可能口傳中，久而淹滅。所以，決不能因爲現存的詩樂中以祭歌爲最早，便認爲詩歌起源於祭祀，如此，便觸犯着孤證的弊病了。

再說到伏羲、女媧、神農之世，司馬遷作史記，並未提到這個時代，只有司馬貞補三皇本紀認爲這三位便是三皇。其後，許多追記的古史，不但有伏羲神農的記載，更往前推到所謂古皇十紀。本來，舊石器時代遠得很，史前的歷史可以上溯到幾十萬年，甚至二百萬年前。不過，這一段歷史，究竟是荒邈難稽的。只有，近代從地下所掘出來的史料，使我們不能不信。這些地下史料，現在可以證實的，有北京人時代，有河套人時代，有山頂洞人時代。以下便到了黑陶彩陶文化時期，也就進入我們夏商歷史了。根據北京人的研究，這時的人類，已能用火，已有語言，可見，在我們國度裏，五十萬年前，已經發出文化的曙光了。我們如果加以據理推論，這時的人們既然有了語言，可能也就有了詩歌。所以，遠在五十萬年前便可能有了詩歌，則近在幾千年前的伏羲神農之世之有詩歌，也就理所當然。前節所稱的伊耆氏，如果即是神農氏，豈不是恰好給以一個實證？若照路史前後紀所列的古皇次第，連葛天氏也在伏羲之前，那麼，伏羲之世當然更有詩歌了。

不過，這些都只是推測之詞，未能加以徵信。如伏羲有網罟之歌，有駕辯之曲，樂曰立基，一曰扶來（扶犂，風來），亦曰立本。神農作豐年之詠，樂曰下謀，一名扶持。又伏羲作琴（或作瑟），女媧作笙簧，神農作瑟（或作琴），因爲是路史及孝經鉤命訣等緯書所載，自不能認爲是信史。這些，我們只好置之於傳聞之列。

史記作始於黃帝，這已進入了有史時期。黃帝本紀中沒有詩樂的消息。據周禮：「大司樂以樂舞教國子，舞雲門大卷。」註曰：「黃帝樂。」又禮記：「咸池備矣」註曰：「黃帝樂。」莊子天運篇，亦有「帝張咸池之樂於洞庭之野」之文。黃帝以下，諸書所載：「少皞作大淵之樂，亦稱九淵之樂。顓頊作五莖承雲之樂，亦稱六莖，亦稱承雲之舞。帝嚳作六英之樂，亦稱六瑩、或中瑩，亦稱五英、或中英；復有九韶六列之名。帝堯作大章之樂，周禮稱大咸（亦稱咸池）。帝舜作大磬，亦曰大韶，亦稱九韶之樂。以上這都是五帝時代的樂舞。周禮只採其中三代，黃帝之雲門大卷，帝堯之大咸，帝舜之大磬，或傳至周時，只此三樂。

至於詩歌，黃帝時有彈歌，見吳越春秋。有袞龍之頌、寧封七言頌，見拾遺記。有黃帝銘六篇，見漢志。有巾几之銘，見蔡邕銘論。有輿几之箴，見皇王大紀。有丹書之言，見大戴記。有明堂之議，見管子。有鼓棡之曲十章，見歸藏。此外漢志所載黃帝之書，包括道家之言、醫藥之經、陰陽之說、天文、雜占、神仙、小說之作，無所不有。大約估計，超過三百多卷。按照歷史的記載，黃帝時才創造文字，而黃帝的著作便有三百多卷，其荒謬當不言而喻。可見漢人僞託附會之勇，歷代莫與比倫。考其原因，因爲漢初帝后好黃老之學，而黃帝又爲我民族之遠祖。

在以上各書中，有關詩歌記載的，只有一件是可以提出來討論的，即是吳越春秋的彈歌。

後漢、趙曄、吳越春秋九：

范蠡復進善射者陳音……音曰：「臣聞弩生於弓，弓生於彈，彈起古之孝子。……古者人民樸質，飢食鳥獸，渴飲霧露，死則裹以白茅，投於中野。孝子不忍見父母爲禽獸所食，故作彈以守之，絕食獸之害。故歌曰：斷竹，續竹，飛土，逐宍。」（宍古肉字。明本作害）

這首歌，劉勰文心雕龍以爲是黃帝時之歌（見通變與章句），也許有所根據，或者出於當時的傳說。就辭句來說，這是古歌中最簡樸的一首。我在前章中已經討論過，知道最古的詩歌，最初多是無辭義，其次便是辭義簡單，多數只有一句或二三句。這首歌如作四言句讀，只有二句，作二言句讀，只有四句，可說是正合乎古詩的形式，更合乎民歌的形式。這種簡短的民歌，可能便是重複迴環來歌唱的，也可能合上樂舞的。雖然這首歌到後漢時才記載，去古很遠，值得懷疑；可是具有古歌的特質，我們也不妨置之於古歌之列（註一六）。

到了堯舜時代，古籍所記載的詩歌，便較前代爲多了。帝堯，有列子所載的康衢歌、論衡所載的擊壤歌、淮南子所載的堯戒。帝舜，則有尙書所載的舜皐陶賡歌、尙書大傳所載的卿雲歌、八伯和歌、帝載歌、及樂記與孔子家語所載的南風歌。以上這些歌，當然以尙書所載的最可靠，其次便是尙書大傳與樂記所載的幾首，比較可靠。這些都是樂歌，是否合舞，不見記錄。至於康衢與擊壤二首，頗有道家觀念，可能爲依託；堯戒也只是有韵的格言，不類於古代詩歌；也可能是依託。又這些詩歌，多以四言爲主。可能都經過周代人士潤色以後所傳錄的。其中南風歌爲楚歌體，最爲晚出。比較保持遠古詩歌面目的，只有賡歌一首。茲並錄於後，當可比較加以辨識。

列子、仲尼篇：

堯治天下，五十年，不知天下治歟？不治歟？不知億兆之願戴已歟？不願戴己歟？……堯乃微服游於康衢，聞兒童謠曰：

立我蒸民，莫匪爾極。不識不知，順帝之則。

論衡，感虛篇：

堯時，五十之民，擊壤於塗。觀者曰：大哉堯之德也，擊壤者曰：

吾日出而作；日入而息；鑿井而飲；耕田而食；堯何等力？（註一七）

淮南子，人間訓：

堯戒曰：戰戰慄慄，日愼一日。人莫墤於山，而墤於垤。（註一八）

尚書，益稷：

帝庸作歌曰：勑天之命，惟時惟幾。乃歌曰：

股肱喜哉！元首起哉！百工熙哉！

皐陶拜手稽首，颺言曰……乃賡載歌曰：

元首明哉！股肱良哉！庶事康哉！

又歌曰：

元首叢脞哉！股肱惰哉！萬事墮哉！

尚書大傳，虞夏傳：

於時俊乂、百工，相和而歌卿雲。帝（舜）乃倡之曰：

卿雲爛兮！糺縵縵兮！日月光華，旦復旦兮！

八伯咸進，稽首曰

明明上天，爛然星陳。日月光華，弘于一人！

帝乃載歌旋持衡曰：

日月有常，星辰有行，四時從經，萬姓允誠。於予論樂，配天之靈。遷於賢聖，莫不咸聽。鼚乎鼓之；軒乎舞之；菁華已竭，褰裳去之！

禮記、樂記：「昔者舜作五絃之琴，以歌南風。」

孔子家語，辯樂解第三十五：

昔者，舜彈五絃之琴，造南風之詩。其詩曰：

南風之薰兮，可以解吾民之慍兮！

南風之時兮，可以阜吾民之財兮！（註一九）

從以上的幾首歌中，我何以認爲舜與皐陶賡歌保存了遠古詩歌的面目？原因是，這首歌的辭句極爲簡單；而且歌者即作者；歌詞也再三重複；同時，並是相和而歌的。凡是古代的詩歌，都有這四種特徵。其次，卿雲與八伯歌，也是相和歌曲，不過沒有賡歌那種樸實的氣質。還有一點是我們値得注意的：古代的詩樂舞，上自帝王，下至庶人，都是親身參加以表達情志，決不如後人的委之俳優倡伎。如舜與皐陶與八伯，與俊乂百工，君臣上下之間，歌詠達志，何等融和！何等自然！他們歌唱的時候，必然也有音樂，或者即是聲詩。如韓非子五蠹篇云：「舜之時，有苗不服，禹將伐之。舜曰：不可。上德不厚而行武，非道也。乃修教三年，執干戚舞。有苗乃服。」又竹書紀年，也有「舜即位……擊石拊石，以歌九韶。」的記載。「歌九韶」也即「舞九韶」。禮記祭統有：「冕而總干」之文。可見，帝王也一樣旣歌且舞的。我下文還要引到中古以前的歌舞情事，以證實這一久遠不輟的流風遺韻。

夏商兩代，有一千多年的歷史，可是史料短缺，詩歌的傳錄尤少。呂氏春秋古樂篇云：「禹立，勤勞天下……命皐陶作爲夏籥九成，以昭其功。」即周禮所稱的大夏之樂舞。淮南子齊俗訓，以夏后氏之樂爲「夏籥九成，六佾六列六英。」竹書紀年稱：「帝啓十年巡狩，舞九韶於大穆之野。」山海經大荒西經稱：「夏后開，上嬪於天，得九辯與九歌以下。」此即與楚辭「啓九辯與九歌，夏康娛以自縱。」同一傳說。此外，僞孔傳有五子之歌，墨子有夏鑄鼎歌，孟子有夏謠，呂氏春秋有塗山氏歌，吳越春秋有塗山歌，山海經有啓筮之辭，尙書大傳有夏人歌、伊尹歌，新序有刺奢歌，僞歸藏有桀筮等等。除夏謠與塗山氏歌，其餘都不必論。至於商代，殷湯作大濩樂，見竹書紀年，列於周禮。墨子以湯樂爲九招，呂氏春秋亦謂「湯命伊尹作大濩，歌晨露，修九招六列。」按九招九韶六列之名，多代互見，均出於傳聞之誤。湯樂爲大濩，可爲定論。此外，商有盤銘，見禮記大學。有桑林禱辭，見荀子大略。有商銘，見國語。至於尙書大傳所載微子的麥秀歌，與史記所載之伯夷叔齊的采薇歌，則已到周代初期了。

孟子，梁惠王下：

夏諺曰：吾王不遊，吾何以休？吾王不豫，吾何以助？一遊一豫，爲諸侯度。

呂氏春秋，季夏紀，音初篇：

禹行功，見塗山之女，禹未之遇，而巡省南土。塗山氏之女，乃令其妾，待禹于塗山之陽。女乃作歌。歌曰：「候人兮猗」。實始作爲南音。周公及召公取風焉，以爲周南召南。

夏諺，是晏子所傳聞的民謠，孟子的傳錄是可信的。塗山女歌，只有一句，這正合乎原始詩歌的形態。夏代本是石銅並用時代，而塗山更是初開化的地方。這首歌，在時間上和空間上，都是非常吻合的。這在我們詩歌史上是最可珍貴的資料。

夏商兩代共一千多年，可徵信的詩歌，如此其少，實令人不解。若以夏書中禹貢等篇而論，這時的文化已相當進步。無論朝野，都應有很多的詩歌，流傳於世。又商代的文化，比夏代更爲進步。以殷墟的甲骨文而言，文字的結構與應用，已六書俱備，對於詩歌的傳錄，決不發生困難。如易經的卦辭爻辭，乃殷末周初的遺文，其中類似詩歌的韻文很多，證明這時必然有了很美的詩歌。足見，這兩代的文獻，湮沒太多。無怪孔子也慨歎着說：「夏禮吾能言之，杞不足徵也；殷禮吾能言之，宋不足徵也；文獻不足故也，足則吾能徵之矣。」

三、周代的詩、樂、舞

詩歌到了周代，便大大不同了。由西周到春秋中期這五百多年（約當公元前一一二二——五七〇年左右），可以說是一個詩歌時代。不但上層社會中的祭祀、燕享、朝覲、聘問等等儀禮中，洋溢着一片鐘鼓歌舞之聲；就是在四方鄉社閭閻和各處的山林田野之間，無不飄盪着絲竹之音與男女的謳吟。我們要特別感謝當時魯國給我們保留了，以及孔子給我們傳授了一部偉大的詩歌總選集——詩經；也感謝三禮及左傳國語的作者，以及墨、孟、莊、荀、呂覽等等諸子書，給我們紀錄了相當詳備的樂舞制度以及許多朝野的詩歌、謠諺，與采詩、歌詩、賦詩的種種史實。使我們如同走進了一個詩歌的國度中，從朝廷的禮樂政制上，我們可以想見「郁郁乎文哉」的歌舞昇平的現象；從那些士大夫及無名詩人的歌吟中，我們可以傾聽出他們內心所蘊發的喜怒哀樂怨憤愛憎的眞摯感情。我們會感覺到往古農業社會的純樸可愛；更會感覺到我們祖先在文化創進上的光榮史蹟的可佩。

(甲)周代的樂舞制度

我們先追述一下周代禮樂制度中有關詩樂舞的一般設施。這種資料，多數見於經、史及諸子的書中。其中以周禮一書，記載較詳。其他如前文所舉的書經、樂記、以及詩經、左傳、禮記、儀禮等書，也有不少記載可資佐證。惟周禮一書的眞僞，歷代學者說法不一。有篤信其爲周公所作，有斥其爲劉歆所僞造。以作者的見解，認爲：(一)可能爲戰國時人所作，決非撰自周公，尤非孔子所造。(二)所述官制，決非周代政制之實錄。㈢雖非周制之實錄，但亦決非戰國時人所虛構。其資料多傳自西周，至少一部分乃周制之追述，一部分乃未曾實行之周制藍本。（如後世各代的政制，亦多詳載於典册而並未一一付諸實施者。即如近代太平天國之政制，其中頗爲未普遍實施，即爲一例。）根據以上三點，故作者認爲研究周代前期之政制，周禮所述，仍爲極有價值之資料。

至於諸子之言，及出於漢初及後世所撰古史諸書，往往託之寓言，或以訛傳訛，大多不可深信。如呂氏春秋所云：「音樂之所由來遠矣。生於度量，本於太一。太一出兩儀，兩儀出陰陽，陰陽變化，一上一下，合而成章……先王定樂，由此而生……」（見仲夏紀大樂篇）又：「樂所由來尙矣……昔古朱襄氏之治天下也，多風而陽氣畜積，萬物散解，果實不成，故士達作爲五絃瑟，以采陰氣，以定羣生……昔陶唐氏之始，陰多，滯伏而湛積，水道壅塞，不行其原，民氣鬱閼而滯著，筋骨瑟縮不達，故作爲舞以宣導之……。」（見古樂篇）這種說法，可以說是荒誕無稽的。其後路史、帝王世紀及外紀等書，尤多穿鑿附會，未可徵信。

又樂記曾詳闡「樂與政通」之說。其說原是根據「感於物而動」而來的。如：「樂者，音之所由生也，其本在人心之感於物也。是故其哀心感者，其聲噍焦以殺；其樂心感者，其聲嘽吸以緩；其喜心感者，其聲發以散；其怒心感者，其聲粗以厲；其敬心感者，其聲直以廉；其愛心感者，其聲和以柔。六者，非性也，感於物而后動。」因此，便推論到禮樂刑政：「是故先王愼所以感之者。故禮以道其志，樂以和其聲；政以一其行，刑以防其姦，禮樂刑政，其極一也；所以同民心而出治道也。」由此，更推論到音樂之道與政通：「凡音者，生人心者也。情動於中，故形於聲。聲成文謂之音。故治世之音安以樂，其政和；亂世之音怨以怒，其政乖；亡國之音哀以思，其民困。聲音之道，與政通矣。」這一段議論，由人心而推及於社會政治，由社會政治而反映於人心，一一都從音樂中表現出來，這是很有道理的。即使連帶詩歌與舞蹈而言之，也可說是理無二致的。可是後世的論樂者，過於強調這種說法；尤其是根據「宮爲君，商爲臣，角爲民，徵爲事，羽爲物」之說，將音樂也捲入了陰陽五行說的圈套之中，並且與時令也配合起來，使歷代樂律之書，無形中引導到迷信的道路中去。甚至如「裴知古逢乘馬者，聞其聲，知其當墜馬死，聞新婦珮玉聲，知不利於姑。」又：「王生善聽聲。聽丁晉公馬蹄聲，曰：月中必拜相。又聽馬蹄聲，曰：有西行之兆。果分司西京。」（見駭聞錄）類似這種的記載，簡直荒謬絕倫了。因平時讀到許多樂律的書，接觸到許多無稽可嗤之說，故舉凡這一類的有關詩樂舞的材料，即使是經史子類的，也一概摒棄，不加徵引。以下，只就比較質實可信之說，加以研討。

周禮，春官，

大司馬，掌成均之法，以治建國之學政，而合國之子弟焉。

以樂德教國子：中、和、祗、庸、孝、友。

以樂道教國子：興、道、諷、誦、言、語。

以樂舞教國子：舞雲門、大卷、大咸、大磬、大夏、大濩、大武。

以六律、六同、五聲、八音、六舞、大合樂、以致鬼神示，以和邦國，以諧萬民，以安賓客，以說遠人，以作動物。（註一三）

大司樂是樂官之長，官位是中大夫。職務是管理學宮，執行學政，教育國子。教育的項目是樂德、樂語、樂舞。樂德是德育部分，樂語是詩歌文字語言部分，樂舞是包括黃帝、堯、舜、禹、湯、武王六代的樂與舞。教育的目的是致鬼神，和邦國，諧萬民，安賓客，說遠人，作動物。從這一段的記載來看，以樂官來管領教育國子的責任，可知音樂實爲當時教育之重心。

又：

乃分樂而序之：以祭、以享、以祀。

乃奏黃鐘，歌大呂、舞雲門，以祀天神。

乃奏大簇，歌應鐘，舞咸池，以祭地示。

乃奏姑洗，歌南呂，舞大磬，以祀四望。

乃奏蕤賓，歌函鐘，舞大夏，以祭山川。

乃奏夷則，歌小呂，舞大濩，以享先妣。

乃奏無射，歌夾鐘，舞大武，以享先祖。

以上是詩樂舞教育的配合實施。詩樂舞的應用於祭祀薦享，起源很早，但不是最原始的起因。大約是到了巫覡產生之後，才成爲定制。（註一四）此一定制，後世沿用最久。

樂師，掌國學之政，以教國子小舞。

凡舞，有帗舞，有羽舞，有皇舞，有旄舞，有干舞，有人舞。教樂儀，行以肆夏，趨以采薺。

……

大師，掌六律、六同，

教六詩：曰風，曰賦，曰比，曰興，曰雅，曰頌。以六德爲之本，以六律爲之音。

樂師與大師，爲大司樂之下的下大夫，分掌舞與詩歌樂律。其下復有大胥、小胥、小師、瞽矇、眡瞭、典同、磬師、鍾師、笙師、鎛師、韎師、旄人、籥師、籥章、鞮鞻氏、典庸器、司干等等職官，分別掌理詩樂舞之管教各職，（大司樂所屬有一千三百三十九人，可知其盛。）此外尚有男巫、女巫、以及卜、祝諸官，都屬於春官。這是一個完善的詩樂舞教育的機構，也規定了許多詩樂舞實施的規則（見原文、略）。因此，我們讀到古籍中所載關於周代許多詩樂舞的故事，以及詩經三百十一篇詩與樂舞的關係，便可瞭然於心了。同時，周禮中尚有其他的有關官職，如：

地官，鼓人，掌教六鼓四金之音聲，以節聲樂，以和軍役，以正田役……凡祭祀百物之神，鼓兵舞帗者……

舞師，掌教兵舞，帥而舞山川之祭祀；教帗舞，帥而舞社稷之祭祀；教羽舞，帥而舞四方之祭祀；教皇舞，帥而舞旱暵之事；凡野舞，則皆教之。

夏官，射人……樂以騶虞……樂以狸首……樂以采蘋……樂以采蘩。

諸子……凡樂事，正舞位，授舞器。

司兵與司戈盾……祭祀，授舞者兵。

凡此，均足證明周制對於樂舞之重視及其分工之細。

惟周禮所載，類皆行之於祭祀。由於祭祀是國家最重要的典禮，當然禮節特別的隆重。在隆重的典禮之中，詩樂舞的表現是必不可少的。史記樂書曰：聖人作爲鞉鼓椌楬壎篪，此六者德音之音也。然後鐘磬竽瑟以和之，干戚旄狄以舞之，此所以祭先王之廟也。如：

禮記，祭統：

……及入舞，君執干戈就舞位。君爲東上，冕而總干，率其羣臣，以樂皇尸……夫祭有三重焉，獻之莫重於祼，聲莫重於升歌，舞莫重於武宿夜。此周道也。

夫大嘗禘，升歌清廟，下而管象。朱干玉戚，以舞大武，八佾以舞夏，此天子之樂也……

又：明堂位：

成王以周公爲有勳勞於天下，命魯公世世祀周公以天子之禮樂。季夏六月，以禘禮祀周公於太廟。……升歌清廟，下管象，朱干玉戚，冕而舞大武；皮弁素積，裼而舞大夏。昧，東夷之樂也；任，南蠻之樂也。納夷蠻之樂於大廟，言廣魯於天下也。

以上幾節，都是詩樂舞在祭禮中的表現。至於在其他典禮中，也是一樣。如：

禮記，仲尼燕居：

兩君相見，揖讓而入門，入門而縣興；揖讓而升堂，升堂而樂闋。下管象，武，夏籥，序興。陳其薦俎，序其禮樂……行中規，還中矩，和鸞中采齊，客出以雍，徹以振羽……入門而金作，示情也；升歌清廟，示德也；下而管象，示事也。……

儀禮，燕禮：（鄉飲酒禮，詩樂略同）

工歌鹿鳴、四牡、皇皇者華。

笙入，奏南陔、白華、華黍。

乃間歌魚麗，笙由庚；歌南有嘉魚，笙崇丘；歌南山有臺，笙由儀。

歌鄉樂：周南——關雎、葛覃、卷耳。召南——鵲巢、采蘩、采蘋。

升歌鹿鳴，下管新宮。笙入，三成，遂合鄉樂。若舞，則勺。

又鄉射禮：

合樂周南——關雎、葛覃、卷耳。召南，——鵲巢、采蘩、采蘋。

奏騶虞。奏陔。

又大射儀：

奏肆夏，歌鹿鳴三終。管新宮三終，奏貍首。

以上都是禮樂並行。所歌之詩，多見於詩經。其中如鄉射，大射，鄉飲酒，既有樂，也有舞。史記樂書：「故鐘鼓管磬羽籥干戚，樂之器也；詘信俯仰級兆舒疾，樂之文也；簠簋俎豆制度文章，禮之器也；升降上下周旋裼襲，禮之文也。」這段話也可以說明禮樂與歌舞的關係。

詩樂舞之見重於周制，已略如上述。主要原因，因爲周代重禮；由於重禮，所以必須配合詩樂舞以成禮。論語：「子曰：興於詩，立於禮，成於樂。」禮記，仲尼燕居：「子曰：禮也者，理也。樂也者，節也。君子無理不動，無節不作。不能詩，於禮繆；不能樂，於禮薄；薄於德，於禮虛。」其中雖然沒有提到舞，實則樂是包括舞的。徐師曾文體明辨說：「凡樂，以舞爲主。」可知古代的樂舞是相連的。左傳莊公二十年：「王子頹享五大夫，幾及偏舞。」在燕享中樂舞並行，是爲證。

由於重禮與兼重詩樂舞，所以習禮與習詩習樂習舞，也是周天子以至士大夫及國子學士所必修的。

禮記，文王世子：

凡學，世子及學士，必時。春夏學干戈，秋冬學羽籥，皆於東序。小樂正學干，大胥贊之。籥師學戈，籥師丞贊之。胥鼓南，春誦夏絃，大師詔之。鼓宗秋學禮，執禮者詔之。冬讀書，典書者詔之。禮在瞽宗，書在上庠。

大學正學舞干戚。

又、內則：

十有三年，學樂，誦詩，舞勺。成童，舞象，學射御。二十而冠，始學禮，可以衣裘帛，舞大夏。

又、王制：

樂正崇四術，立四教。順先王詩、書、禮、樂以造士。春秋教以禮、樂；冬夏教以詩、書。

周禮，地官：

保氏，養國子以道。乃教之六藝，一曰五禮，二曰六樂，三曰五射，四曰五馭，五曰六書，六曰九數。乃教之以六儀……

以上各節，如果互相參照來看，並參閱周代獻詩，誦詩，采詩，陳詩，賦詩，歌詩，詩訓，引詩，詩教等等歷史來印證（註一五）當可知道周制在詩樂舞三者方面的表現的完美了。

㈡詩經與樂舞之關係

現在，再從周代的詩歌及其與樂舞的關係，說明如下：

毫無疑問，今日所傳存的詩經中三百〇五篇風雅頌，以及其他可靠的書籍中所載錄的周代詩歌，除了文字上可能有多少傳鈔錯誤，或經當時的文人加以潤色之外，可以說是全部眞實而決無僞造之嫌的。

詩經，這部中國古代文學寶典，是魯國所保存下來的。（我認爲五經都是魯國所傳，另有專文論之。）其中絕大部分的詩樂，當然還是得之於朝廷王官大師之所輯藏。到了孔子，他便傳鈔出來作爲教授弟子的教材，（此外尚有書、禮、春秋三書。至於周易，他是見到過的，但並未以之教弟子。）並且加以整理編訂。其中魯頌，商頌，可能便是他所增入的（註一六）。國風的目次，也可能是他所改正的。詩與音樂的配合，更可能是孔子所校正的（註一七）。至於刪詩之說，則是後世傳聞之誤或附會之言（註一八）。

詩經的詩，風詩一百六十篇，雅詩一百〇五篇（小雅七十四篇，大雅三十一篇），頌詩四十篇（

周頌三十一篇，魯頌四篇，商頌五篇），另有聲無辭的笙歌六篇，合共三百十一篇。這些詩的來源，分爲兩類：風詩與小雅中的一部分，都是從采詩而由民間得來的；小雅的一部分及大雅與三頌，都是士大夫文人所作的。惟士大夫文人所作，亦分兩類：三頌乃士大夫文人奉朝廷之命而作，用之於祭祀神祇祖先的；其餘則爲士大夫文人傷時憂國，或褒贊賢良諷刺王政，或述史懷人紀念功德而作的。此類詩歌，有的也偶爾顯露作者的姓名，如大雅崧高與蒸民，均有「吉甫作誦」之句；如小雅節南山，有「家父作誦，以究王訩」，又巷伯有「寺人孟子，作爲此詩」之言。士大夫的詩，可能屬於陳詩與獻詩；有一部分或亦由采詩而成。

國風，現列十五國風，包括現在的陝西的（周南、召南、秦、豳）山西（魏、唐）河南（王、鄭、陳、檜）山東（齊、曹）以及河北河南之間（邶、鄘、衛）。大部是黃河流域，小部分南達江漢。可以說都是北方的詩歌。因爲中國的文化，發源於黃河流域，北方的文化，比較早熟，春秋中期以前的長江流域，還不十分發達，所以吳楚一帶的詩歌，未被采選。（註一九）。

詩經的詩，內容極爲豐富。包括着社會各階層的民情風俗；包括着當時政治現象與民生疾苦；包括着許多歷史掌故與民族戰爭；包括着先民對於政治人生各方面的體念與思想。詩中表現的有喜有憂，有怨有憤，有美有刺，有血有淚。詩的種類，有各種情狀的男女情歌；有狂放的，坦率的，溫柔的，委宛的，貞烈的，癡迷的，慘痛的，美滿的，無不描寫深刻而表現得非常天真樸實，絕沒有一點矯揉造作的痕跡。此外，如祝賀，哀悼，諷刺，贊美，征戰，田獵，農牧，遊覽，祭祀，燕享，以及傷時，感事，懷古思鄉等等歌詠，一字一句，都活躍在紙上，都透入到讀者的心中，令讀者爲之感動，爲之神往。特別是其中絕少神話，沒有迷信；有熱烈的感情，也有冷靜的理知，充分表現這個時代的文化是極爲進步的。孔子說：「詩三百，一言以蔽之，曰：思無邪。」又曰：「小子何莫學乎詩，詩可以興，可以觀，可以羣，可以怨。邇之事父，遠之事君，多識於鳥獸草木之名。」這種批評，是極爲恰當的。（註二〇）

再就形式來說，詩經詩的作法是非常進步的。三百〇五篇詩，都是以四言句爲主，間亦穿插一、二、三、四、五、六、七、八、九言句。除周頌三十一篇及商頌中三篇外，其餘每篇均分章，少者二章，多者十六章。每章少者二句，多者三十八句。又除周頌中數篇外，其餘各篇，無不用韻。用韻的方式很多：有每句用韻的。有隔句用韻的（隔一句或隔二三句）。有隔句用二韻或三韻的。有轉韻的。有句中用韻的。有句尾用代聲之字（多數無義）如：之、也、矣、焉、哉、兮、只、且、思、止、忌、其、乎而，只且等字，而於此等代聲字之上用韻的（舊稱懸脚韻）。總之，用韻的方式，很自然，變化也很多。

至於用字，用詞，以及句法，章法，篇法，似乎都與音樂有關，可以說，每首詩的文字，都充滿了音樂性。如多用疊字，用雙聲，用疊韻。又常用對稱句，儷偶句，排比句。每篇各章，詩句多重復，使語氣與詩意，一步步加強加深。很顯明，這些都是從原始詩歌進步而來，而其中却保留着原始詩歌的特質。

前章已經說過，原始詩在最初只是音樂，即是一種不重辭義的聲詩；其後，進步到一句或數句重複的歌唱，也還是重在聲樂的。以詩經而論，其中特別是采自民間的風詩，大部分都保留了這種特質。最簡單的，如周南的樛木篇與芣苢篇，三章詩，詩意相同，每章只更改了兩個字。如螽斯篇，三章詩，詩意相同，每章只更換了兩個形容疊字。至於詩意相同而只更改一二個名詞動詞或其他一二個文字的，很多很多，舉不勝舉。其餘，有的為了加強詩意，也有更改字數較多，甚或也更改一些詩句，但大體說來，字句仍然是多數重複的。這種作法，主要的原因，都是為了歌唱，為了音樂。

周南，樛木：

南有樛木，葛藟纍之。樂只君子，福履綏之。
南有樛木，葛藟荒之。樂只君子，福履將之。
南有樛木，葛藟縈之。樂只君子，福履成之。

芣苢：

采采芣苢，薄言采之。采采芣苢，薄言有之。
采采芣苢，薄言掇之。采采芣苢，薄言捋之。
采采芣苢，薄言袺之。采采芣苢，薄言襭之。

螽斯：

螽斯羽，詵詵兮！宜爾子孫，振振兮！

螽斯羽，薨薨兮！宜爾子孫，繩繩兮！

螽斯羽，揖揖兮！宜爾子孫，蟄蟄兮！

召南，采蘩：

于以采蘩？于沼于沚；于以用之？公侯之事。

于以采蘩？于澗之中；于以用之？公侯之宮。

被之僮僮！夙夜在公；被之祁祁，薄言還歸。

采蘋：

于以采蘋？南澗之濱。于以采藻？于彼行潦。

以盛于之？維筐及筥。于以湘之？維錡及釜。

于以奠之？宗室之下。誰其尸之？有齊季女。

所以，從文字上看，這是一些詩歌；歌唱起來，便是幾首音樂。不過，詩經的詩，究竟不同於原始的詩，而只是一種詩與音樂配合的詩，論語子罕篇：「子自衞反魯，然後樂正，雅頌各得其所。」史記孔子世家云：「三百五篇，孔子皆弦歌之，以求合韶武雅頌之音。」可見詩經的詩，全部都是合樂的。這種詩樂的配合，當然不自孔子開始；不過到了孔子時，音樂方面可能有了許多不配合或錯亂的情形。孔子對於音樂，不但愛好，而且也很有研究。因此，孔子便一一加以校正，特別是在雅頌方面。

至於音樂的來源，第一、采詩的同時也兼采各地的音樂；第二、采詩是由大師掌管其事，如果音樂不協，大師當然加以調整。第三、朝廷士大夫文人奉命所作的頌詩，當然也由大師配製音樂。第四、其餘小雅大雅等詩，有的用之燕享，有的也歌誦於王所，必然都是由大師配樂的。實際，所謂國風，小雅，大雅，頌的區分，雖然關係於詩的分類而並非詩體的分類；換言之，即四種不同的樂，而非四種不同的詩。又三百零五篇詩，同時也是三百零五篇樂章。每一個詩題，只是代表一種樂章的名稱，故任選爲首的其中的二三字爲題，與詩意並無關係的。這一點，對於詩經的認識是非常重要的。

綜括而言，周代的詩歌，以詩經爲代表來說，詩與音樂的關係，確是非常密切配合的。至於此時有沒有徒歌呢？這可以從兩方面來說：如果認詩是必須歌唱的；或所謂詩，都是由歌唱出來的。則詩與音樂，依然是渾然一體，不能劃分，當然也就無所謂徒歌。如果認爲詩與音樂的配合，乃是必須配合樂器來歌唱的，則民間的歌謠，有時並沒有樂器與之合奏，這種情形，當然也可以稱爲徒歌了。依作者的意見，詩與樂的配合，不一定要有樂器存乎其間。如我們在山林之中，或田野之間，或江波之上，所聽到的那些嘹亮優美的山歌，農歌，牧歌，漁歌等等，我們能說它們是一種沒有音樂的詩歌嗎？又一種有樂譜或樂調的詩歌，雖然由歌者的口中唱出而並沒有樂器爲之配合，我們能說它們是徒歌嗎？因此，作者所認爲的音樂，並不一定包括樂器而言。凡是配合樂音而有節奏歌唱出來的，一樣可視爲樂歌，也就是詩樂配合的詩歌；只有一般口頭所傳言的謠諺，與後世只在紙上寫出來的可讀而不可唱的，所謂不協音律的詩歌，這才眞正是詩樂分離的徒歌。從周代來說，徒歌很少，絕大部分都是詩樂配合的樂歌。

其次，說到詩樂與舞的關係。就詩經而言，似乎只有頌詩是合樂合舞的，風詩和雅詩，都僅合樂而不合舞的。又就周禮所載保留於周代的大咸等六舞而言，似乎只有樂有舞而又可能無辭的。這兩個問題，都是值得研究討論的。先就頌詩來說：詩序謂：「美盛德之形容，以其成功告於神明者也。」這句話，只是將頌字釋爲贊美之意，是不妥善的。清阮元釋頌，以說文釋頌爲貌。籀文作頌，故以頌即容貌之容，也即以頌爲舞容。這一解釋，頗爲恰當，正合樂記「舞動其容」之義。何況，頌詩都是用於祭祀的。考據古代祭祀典禮中，無不詩樂舞兼而有之。因此，證明頌詩之合樂合舞，是很合理的。不過，據鄭樵說，古代樂舞，未必有辭，近人亦有論頌詩諸篇，除酌之一詩外，其餘皆非舞曲之辭。連過去詩序與許多學者認爲武爲大武舞樂之辭（尚有維清一詩，詩序以爲奏象舞）亦加以否定。我則認爲這兩者的說法，都難作定論。按鄭氏之說，以爲舞曲之有辭，至晉武帝命張華作樂章時始有之。殊不知周有帗、羽、皇、旄、干、人、共六舞。周禮曰：「舞師掌教兵舞（按即干舞），帥而舞四方之祭祀；教帗舞，帥而舞社稷之祭祀；教羽舞，帥而舞四方之祭祀；教皇舞，帥而舞旱嘆之事……」又漢代有雅舞，有雜舞，雅舞用之郊廟朝饗；雜舞用之宴會。據此，知周至漢，凡各項祭祀、朝饗、宴會，均莫不有舞。同時，詩經之頌，如清廟之祀文王，執競之祀武王，昊天、有成命之祀天地，良耜之祀社稷……等等，明明都是祭祀之詩。又漢代郊廟有歌，朝饗有歌，宴會有歌。綜合起來說，豈不是既有舞，又有詩歌。詩歌就是舞辭，舞就是詩容。何能說周漢沒有舞辭，或竟說頌詩不合舞呢。魯頌有駜：「鼓咽咽，醉言舞，于胥樂兮。」閟宮「萬舞洋洋。」商頌、那：「……庸鼓有斁，萬舞有奕。」都證明與舞有關的。所以，頌詩的合樂合舞，應是毫無疑問的。只是那些詩配合那些舞，我們無法知道；亦如詩的樂譜如何，我們無法知道是一樣的。

至於朝饗宴會，漢代既然有雅舞雜舞，而且有樂歌，這可能也是沿用着古代的制度。因此，在周代的朝饗宴會中，既有樂歌，也可能有舞。唐杜佑通典云：「前代樂歌，酒酣必起自舞。詩云：屢舞僊僊是也。宴樂必舞，但不宜屢耳。前代譏在屢舞，不譏舞也。」（註二一）又明朱載堉律呂精義云：「古之君子生而未嘗不學舞，燕而未嘗不起舞。詩小雅云：坎坎鼓我，蹲蹲舞我。（註二二）魯頌云：鼓咽咽，醉言舞，于胥樂兮是也。賓筵之詩云：亂我籩豆，屢舞僛僛，側弁俄俄，屢舞傞傞，此譏醉舞之失度，非譏舞也。又陳風曰：無冬無夏，値其鷺翿。又曰：不績其麻，市也婆娑。（註二三）皆與賓筵同意。故說詩者，不以文害辭，不以辭害意，以意逆志，是爲得之。噫，古人自天子至於庶人，無有不能舞者，以其從幼習之也。故大司樂：王大射詔諸侯以弓矢舞，此臣舞於其君也。食三老五更於太學，天子冕而總干，此君舞於臣也。冕而總干率羣臣以樂皇尸，此孫舞於其祖也。老萊子著斑斕之衣舞，此子舞於其父也。子路援戚而舞，此弟子舞於其師也。……」據此，朝饗宴會之有舞，可無疑義。可知不僅頌詩合樂合舞，即小雅中如鹿鳴、四牡、皇皇者華、常棣、伐木、以及大雅等詩，當其歌於燕饗時，也一樣有樂有舞的。又不僅頌詩雅詩如此，即如國風詩，其在民間歌唱時，往往合舞；其在朝廷歌誦於宴會時，亦可能有舞。邶風、蕳兮：「蕳兮蕳兮，方將萬舞。日之方中，在前上處，碩人俁俁，公庭萬舞。有力如虎，執轡如組。左手執籥，右手秉翟……。」王風，君子陽陽：「君子陽陽，左執簧……君子陶陶，左執翿。」又前所引陳風「鷺羽」「鷺翿」「婆娑」之詠，可知在先民社會中，歌舞是很為普遍的。墨子公孟篇曰：「誦詩三百，弦詩三百，歌詩三百，舞詩三百。」這不是指有四種不同的詩，乃是指詩三百篇，皆可誦，可弦，可歌，可舞。無異對於詩經與樂舞的密切關係，給予一個簡要的證明。

不過，舞有兩種重大的不同，是由舞者的不同而分別的。分別如下：

㈠雲門、大卷、大咸、大磬、大夏、大濩等舞，與祭祀神祇祖先及大饗之舞，都是由專門習舞的人所擔任的。專門習舞的人有兩類：第一類是由大司樂樂師等所教育出來的國之子弟所擔任的（稱國子或國士）；第二類是由舞師鼓人等所訓練出來的舞徒所擔任的。如周禮大司樂云：「凡樂事，大祭祀，宿縣，遂以聲展之。王出入，則令奏王夏，尸出入，則令奏肆夏，牲出入，則令奏昭夏。帥國子而舞。大饗不入牲，其他皆如祭祀。」又：「韎師，掌教韎舞，祭祀則帥其屬而舞之（舞者十有六人，徒四十人）。大饗亦如之。」又：「旄人，掌教舞散樂，舞夷樂，凡四方之舞仕者屬焉（舞者衆寡無數）。凡祭祀賓客，舞其燕樂。」又：「籥師，掌教國子舞羽歈籥。祭祀，則鼓羽籥之舞。賓客饗食，則亦如之。」第二類如地官舞師下有舞徒四十人，均由舞師教練，帥以舞山川、社稷、四方等祭祀；又鼓人教鼓舞，凡祭祀百物之神，鼓兵舞帗舞者。以上兩類，顯示凡盛大典禮的歌舞場面中，都是由專門習舞的人士所擔任的。

㈡至於祭祀大饗以外的一般典禮與民間的歌舞，則是由賓主本身參加起舞的。正如朱載堉所云：「古之君子生而未嘗不學舞，燕而未嘗不起舞。」故天子以至庶人，凡參加宴會者，例須起舞爲歡，這是一種禮節，也是先民的一種傳統；這種傳統，一直到千餘年以後，都還是保存着的。如前所引通典所云，大射中之諸侯以弓矢起舞，大學宴三老五更時之天子總干而舞……等等，舞者爲天子諸侯及子孫弟子，並非專門的舞人。茲引二三事如下：

晏子春秋，內篇諫下，第六：

景公爲長庲，將欲美之……晏子作歌曰……歌終，顧而流涕，張躬而舞。

晏子春秋，外篇，第十二：

景公築長庲之臺，晏子侍坐。觴三行，晏子起舞。曰……舞三而涕下沾襟……

劉向新序，雜事篇：

晉平公欲伐齊，使范昭往觀焉。景公賜之酒，酣。……范昭佯醉不悅而起舞。謂太師曰：能爲我調成周之樂乎？吾爲子舞之。太師曰：冥臣不習。……景公謂太師曰：子何以不爲客調成周之樂乎？太師曰：夫成周之樂，天子之樂也。若調之，必人主舞之。今范昭，人臣也；而欲舞天子之樂，臣故不爲也。……

根據以上所學，可知在宴會中，賓主可以自由起舞。不僅舞者有別，即音樂亦有別。以下，引錄一段關於詩樂舞演奏的記錄，以說明詩經與樂舞的關係：

左傳，襄公二十九年：

吳公子札來聘……請觀於周樂：

使工爲之歌周南、召南。

曰：美哉！始基之矣，猶未也。然勤而不怨矣。

爲之歌邶、鄘、衞：

曰：美哉！淵乎！憂而不困者也。吾聞衞康叔武公之德如是。是其衞風乎！

爲之歌王：

曰：美哉！思而不懼，其周之東乎？

爲之歌鄭：

曰：美哉！其細已甚，民弗堪也！是其先亡乎？

爲之歌齊：

曰：美哉！泱泱乎！大風也哉！表東海者其大公乎？國未可量也！

爲之歌豳：

曰：美哉！蕩乎！樂而不淫，其周公之東乎？

爲之歌秦：

曰：此之謂夏聲。夫能夏，則大；大之至乎！其周之舊也。

爲之歌魏：

曰：美哉！渢渢乎！大而婉，險而易，行以德輔，此則明主也。

為之歌唐：

曰：思深哉！其有陶唐氏之遺民乎？不然，何憂之遠也！非令德之後，誰能若是？

為之歌陳：

曰：國無主，其能久乎？

自鄶以下無譏焉。

為之歌小雅：

曰：美哉！思而不貳，怨而不言，其周德之衰乎？猶有先王之遺民焉。

為之歌大雅：

曰：廣哉！熙熙乎！曲而有直禮，其文王之德乎？

為之歌頌：

曰：至矣哉！直而不倨，曲而不屈，邇而不逼，遠而不攜，遷而不淫，復而不厭，哀而不愁，樂而不荒，用而不匱，廣而不宣，施而不費，取而不貪，處而不底，行而不流。五聲和，八風平，節有度，守有序，盛德之所同也。

見舞象箾、南籥者：

曰：美哉！猶有憾。

見舞大武者：

曰：美哉！周之盛也，其若此乎！

見舞韶濩者：

曰：聖人之弘也，而猶有慙德；聖人之難也。

見舞大夏者：

曰：美哉！勤而不德，非禹，其誰能脩之？

見舞韶箾者：

曰：德至矣哉！大矣！如天之無不幬也，如地之無不載也。雖甚盛德，其蔑以加於此矣！觀止矣！若其他樂，吾不敢請已。

從這一段記錄來看，可知詩經乃是周樂的重心（當然還有其他的樂歌，觀其最後一語可證）。風、雅、頌，都是樂歌，所謂詩三百五篇，孔子皆弦樂之，於此可見。至於頌詩是否合舞，似乎記載不甚明白。若從行文的次第與措辭來說，在「爲之歌頌」之後，不曰「爲舞某某」而云「見舞某某」，似乎各種的舞，都是隨着頌詩的奏唱而同時表演的。若從吳公子的評語，頌與舞，分別言之，又似乎不是同時擧行的。不過，這乃是一種表演的性質，與各種典禮中所實施的，當然是兩樣的。所以，我們依然可以得到一個結論：一、周代在春秋以前的詩歌，都是合樂的。二、在朝廷的祭祀大饗等典禮中，詩樂舞是聯合演奏的。所謂聯合演奏，與原始詩樂舞的渾然一體是大不相同的。三、在一般的宴會中，如歌詩，必合樂，也有起舞的禮節。四、在民間，詩歌樂舞，不一定聯合。也可說，詩與音樂（指歌唱）不分，而與舞則漸疏遠。

到了戰國時代，關於第二第三種情形，也許繼續維持，至於第一第四種情形，則似乎有了變遷。即是說：不僅詩與舞漸漸疏遠，即詩與樂，也有漸漸疏遠的現象。我們以楚辭來說，可以得到證明。

四、楚辭之興起，與樂舞關係之開始疏離

戰國這二百幾十年，歷史的記載，缺少一本像春秋與左傳這樣的編年史；詩歌的記載，缺少一本像詩經這樣的詩歌總選集。只憑戰國策與諸子書中零星的記載，歷史既不甚詳明，詩歌更非常稀少。比較有點材料，只是到了漢代以後才加以追述的。可是漢代的書籍，很多是依託僞造的，縱使那時依託或僞造的書中，也可能有一些是有根據的眞實材料，但眞僞混亂，亦令人難於分辨，不敢相信。所以，談到戰國的詩歌，除了以南方的楚辭爲主體來加以研討外，其他北方各地的詩歌等於絕響了。孟子是戰國前期的人，他已經說：「王者之迹息而詩亡」。一方面是慨歎文武成康以來的王道政治陵替，一方面也是指古代獻詩采風陳詩之風絕跡，所謂「世衰道微，邪說暴行有作」，證明到了東周以後的局面便一切都改變了。故左傳國語中絕未提到采詩之事，而各國賦詩，多是引用春秋以前的一些作品（大部都見詩經中）。除了一些謳謠而外，很難發現一首像風雅頌那一類的詩（註二四）。春秋尚且如此，戰國當然更不必說了。

班固漢書藝文志說：「春秋以後，周道寖壞，聘問歌行，不行於列國。學詩之士，逸在布衣，而賢人失志之賦作矣。」這說明：當時的詩歌，只流行於民間，作者只是一些布衣之士，無名詩人。由於「王澤殄竭，風人輟采」（文心雕龍・明詩），因而，這些詩便永遠埋沒在民間，後世無從知曉。因而所謂賢人，當然是指在朝的士大夫文人而言。這些士大夫文人，在得志的時候，並不學習詩歌。因為這時「交接鄰國」，不須要「以微言相感，當揖讓之時，必稱詩以喻其志，以別賢不肖而觀盛衰。」可是，到了失志的時候，便向另一種含有「惻隱古詩之義」的新興而流行的詩體——賦，去發洩他們抑鬱之情，並寄託他們的諷諫之義了。

從此，詩歌分向兩途發展，一是民間的詩歌，一是士大夫文人的詩歌。這兩途，各有它的演進的歷史。不過，後世所傳述的，偏重在士大夫文人這一途而已。

楚辭一名，起自後漢王逸所輯楚辭十二卷，約當安帝元初與永寧之間（公元一一七年左右）。在此以前，史記漢書，都稱為賦。賦之名，最早見於荀卿的五賦。同時而略後的宋玉的作品，一部分也稱為賦。屈原在荀宋之前，將他的作品追稱為賦，自亦不甚恰當。劉勰因為屈原有離騷一篇，文心雕龍乃標稱為騷，以別於賦。其實騷字並非文體，將屈原的作品概稱為騷，更不妥當。屈原是楚國人，他的作品原沒有一定的名稱，但卻是起自楚國的一種新興的詩歌體，通稱之為楚辭，倒是名符其實。至於宋玉、景差、唐勒等作家，都是楚人。就是荀卿，晚年也仕於楚，家於楚，死於楚。將他們的作品，總稱為楚辭，也未始不可。不過，這種通稱，沿用既久，便變成了一個專名，凡是以賦為題名的稱爲賦，無賦爲題名的稱爲楚辭，於是楚辭與賦，遂分爲二體。這種歷史性的名稱，是自然演成的，我們也只好照樣沿用。嚴格的說，兩者的性質相同是無法分別的。

在屈原以前，楚國早已有了詩歌，楚國的文化，原較中原爲晚進。在春秋時，中原的人常稱之爲蠻夷，爲荊蠻。就是早期的楚國，也以蠻夷自居。可是在天時地利的優厚條件下，楚民族日趨強大，楚文化也日趨展開。他們在思想上形成了一種特殊的學說，就是道家的哲學；他們在文學上也形成了一種特殊的詩體，便是楚辭。這兩者，都是與中原分庭抗禮的。至於人民的生活習慣、風俗、信仰語言、服飾、器物、音樂、藝術以及政治的制度等等，與中原都多不相同。它的疆土日大，以後竟包括了整個的南方。他們有志之士，並且不斷的到北方去學習，也將南方的學術思想，傳播於北方。他們的王朝，隨時都向北侵佔，包藏着呑併中原的野心。若無齊晉等國的力征，在莊王問鼎時便可能統一中原了。

孔子曾南行入楚，他受到楚人的許多譏諷揶揄，如楚狂接輿、荷蓧丈人、長沮、桀溺等等，均見論語。至於列子、莊子等書中所載孔子的言行，大多揚老抑孔，以張道家的學說。其中楚狂接輿歌。可以說是最早的楚歌。

論語・微子篇：

楚狂接輿，歌而過孔子曰：

鳳兮！鳳兮！何德之衰！往者不可諫，來者猶可追。已而！已而！今之從政者殆而！

孔子下，欲與之言。趨而辟之，不得與之言。

又莊子中也載有此詩，但文句則多不相同

莊子・人間世：

孔子適楚，楚狂接輿遊其門曰：

鳳兮！鳳兮！何如德之衰也！來世不可待，往世不可追也。天下有道，聖人成焉；天下無道，聖人生焉！方今之時，僅免刑焉。福輕乎羽，莫之知載；禍重乎地，莫之知避。已乎！已乎！臨人以德；殆乎！殆乎！畫地而趨。迷陽！迷陽！無傷吾行；吾行却曲，無傷吾足。

這首歌，雖然是論語與莊子所載不同，但可相信是眞實有之的。在形式上，與詩經詩截然不同，更可相信是楚歌無疑了。其次，孟子中載有一首楚歌，也近眞實。

孟子・離婁篇：

有孺子歌曰：

滄浪之水清兮，可以濯我纓。滄浪之水濁兮，可以濯我足。

孔子曰：「小子聽之！清斯濯纓，濁斯濯足矣，自取之也。」

這首歌，也與詩經詩不同，完全是楚歌形式。以後的楚辭，便是這種形式的擴展。

此外，見於古籍中的楚歌，尚有㈠史記滑稽列傳所載的優孟歌，與隸釋及古文苑所錄的楚相孫叔敖碑（漢桓帝延熹三年所立）中的歌辭不盡相同。楚語與中原語不同，早期的楚歌之傳於中原，都是經過翻譯的。史記所載之歌，沒有韻，可能是翻譯者的文詞不甚高明，與原歌不甚切合。孫叔敖碑中的歌辭，則不但有韻，詞氣也比較順暢，當然是經過修飾的。㈡說苑至公篇，載有子文歌；善說篇，載有越人歌。正諫，篇載有楚人歌。㈢新序，節士篇，載有延陵季子歌。㈣左傳哀公十三年，載有吳申叔儀歌。㈤吳越春秋，載有漁父歌（亦見越絕書）、河上歌、申包胥歌、樂師扈子琴曲、越王夫人歌、采葛婦歌、軍士離別歌等。㈥風土記，載有越歌謠。以上這些歌，論時代，史記與說苑新序所載的，都在接輿歌以前一世紀以上，其餘則在以後。由於是漢人的記錄，不免因流傳過久而經過不少的修飾，而且有的文句很長，故不加引述。但在形式上也都具有楚歌特色的。

此外，漢以後出土的古代鐘鼎彝器，日漸加多。其中有一部分是作於楚國及其屬國吳、越、陳、許等國的。這些古器上有銘文，並有類似詩歌的有韻銘文。年代最早的，有宋政和三年出土於湖北嘉魚的周宣王時代的楚公逆鎛銘（註二五）。其原文如左：

隹八月甲申，楚公逆自作夜雨雷鎛。氒銘曰：

夋和八㐬，□占純公。逆其萬年又壽，□保其身，孫子其永寶。

此銘㐬公爲韻（陽東合韻），壽寶爲韻（屬幽部），文有損缺。據孫詒讓考證：逆，即熊咢，熊咢元年，當周宣王二十九年（公元前八二四）。就銘文的字句體製而言，與北方列國的銘文相似。可知此時的楚國尚是向北方列國學習的，並不顯示有何特色。足徵楚歌的發展，仍是淵源於北方文學。其後本身的文化漸漸滋長，到了屈宋時代，繼詩經而演進成爲一種優美的南方文學，實有其深厚悠久的歷史背景的。

班固曰：「賦者，古詩之流。」又曰：「不歌而誦謂之賦。」這是包括楚辭而言的。一則說明辭賦的來源，淵源於古詩，取其有惻隱風喻之義；一則說明辭賦的性質是不歌而誦，有別於合樂合舞的古詩。這兩點，從大體上來說，是持之有故，言之成理的。因爲，古詩到了戰國，便已變質。詩與音樂的關係，漸漸疏遠，詩在教育上政治上的作用，也可有可無。縱橫家的言辭與諸子的學說，都是長篇大論，曼衍恣肆，與春秋論語之述作，截然不同。至於詩歌，自然也向鋪采摛文方面發展。過去的詩，不能不遷就音樂，所以辭義質樸而重在聲；此時的詩，特別重於辭義，所謂體物寫志，故不能不盡情抒發，遂成爲不歌而誦的文學了。這個誦字，與詩經中的誦字不同，詩經中的誦字，與書字歌字義近；這個誦字，在說文上釋作諷，有別於歌詠，和讀字義近，故讀字釋爲誦詩。所謂讀，只是口頭上的誦讀，只能「誦其文而說其義」，便表明不合樂也。

但是，楚辭中並不是絕對沒有合樂的作品，如九歌十一篇，不但合樂，而且合舞。以下，將屈宋荀三家的作品，大體檢述一下。

屈原的作品，漢志的著錄是二十五篇。王逸的楚辭章句所選錄是二十六篇。即離騷，九歌（東皇太一、雲中君、湘君、湘夫人、大司命、少司命、東君、河伯、山鬼、國殤、禮魂，共十一篇），九章（惜誦，涉江，哀郢、抽思、懷沙、思美人、惜往日、橘頌、悲回風，共九篇），天問，遠遊，卜居，漁父，大招。其中離騷，九歌，九章，天問等二十二篇爲屈原的作品是無待懷疑的。至於遠遊一篇，充滿了道家的故事與術語，與屈原的思想不合，篇中又有屈原以後的人名（韓衆），且有抄襲司馬相如大人賦的嫌疑，顯係後人的作品。大招一篇，作者究係屈原抑景差，王逸雖疑不能明，但次序却列在宋玉九辯之後，可見其內心亦認爲是景差所作。其實，詳細考察其內容與辭氣，亦與屈原的作品不同，不應列入屈原作品之中。又卜居、漁父兩篇，後人致疑者很多，但無確切的根據證明其僞，且曾爲史記所引錄，我們也只好相信王逸所說，認爲乃屈原所作（註二六）。又史記屈賈列傳中，有「讀離騷、天問、招魂、哀郢」之言，可知招魂一篇，乃屈原所作。但王逸認爲宋玉所作，不知何據。若從內容來說，雖未明言懷王，顯係招王者之魂之詞，似爲屈原懷念懷王之作。故我們應該將招魂列於屈原之作品中，以符合太史公之所言。照以上所述，除去遠遊與大招兩篇，加入招魂一篇，恰爲二十五篇。

屈原二十五篇，情感高潔而眞摯，文辭華燁而雅麗，確爲中國文學的瑰寶。尤以離騷一篇，照曜今古。史記引淮南王之言：「雖與日月爭光可也」，誠非過譽之詞。這二十五篇，名詞上稱爲楚辭，性質上實爲詩歌。不過，與春秋以前的北方詩歌，在體製與作法上，完全不同，內容上亦顯然有別。㈠詩經是合樂的，部分或全部都可合舞的；楚辭除九歌可合樂合舞外，其餘都只能口誦而不能合樂不能歌唱的。（也許我們可以叫它作朗誦時）㈡詩經詩以四言爲主，偶穿插一二三五六七八九言句；楚辭則四五六七言不等，夾用語助詞，句法變化較多。㈢詩經詩多重複句，多叠字；楚辭則沒有重句，多用雙聲叠韻而很少用叠字。㈣詩經詩多短篇，篇中多分章，每章平均四句至十句；楚辭多長篇，篇不分章，如離騷多至三百七十二句，二千四百九十字。（五）詩經詩用韻方式較多，楚辭用韻方式較少，以隔句用韻爲主。㈥詩經詩多寫實，絕少神話；楚辭則重想像，多涉及神話，並徵引歷史故事。如離騷中則上自高陽，下至齊桓以及楚之子蘭子椒，並擧羲和望舒諸神之名，多至三四十事。總之，在時代上是一前一後，在地域上是一北一南，代表着兩種不同的文學。

九歌，據王逸云：「昔楚國南郢之邑，沅湘之間，其俗信鬼而好祠。其祠必作歌樂鼓舞以樂諸神。屈原放逐，竄伏其域，懷憂苦毒，愁思沸鬱。出見俗人祭祀之禮、歌舞之樂，其詞鄙陋，因爲作九歌……。」這一說法是可信的（註二七）。九歌十一篇，前十篇各祭一神，最後一篇乃公用的送神歌。每篇字數都很短，多四、五、六言句，而句中用「兮」助聽。（樂府詩集中選錄山鬼一篇，曾將兮字删去，便成爲全首三言句）每篇少者五句，多者四十句，平均不過二十句左右，可以證明是與合樂有關的。九歌之所以稱爲歌，十一篇而總稱爲九，也許正是因爲合樂的緣故。又，凡是祭歌，即合樂，亦必合舞。這時楚國祭祀，仍多由巫覡主持，巫覡乃是以舞樂神之人，故王逸所云，甚合事實。但另有兩點是須要附加說明的。第一，王逸認爲屈原作九歌，「上陳事神之敬，下見己之寃結，託之以風諫，故其文意不同，章句雜錯，而廣異義焉。」這完全是一種畫蛇添足的說法。今考九歌文內，何嘗有呼寃與風諫之義？要知祀神便是祀神，屈原縱有萬千寃結，也不致在祭歌中去傾吐。第二，九歌，乃是民間的祭祀之歌，也可說是經過士大夫文人修飾過的民間祭歌。這是在古歌曲中最可寶貴的。其原文如何，我們不得而知，想必較伊耆氏蜡辭要進步多了，可惜不能保留。至於這時楚國王廷，也應有魯頌商頌一類作品，由於文獻不足，也是一種缺憾。

宋玉的作品，漢志著錄爲十六篇，王逸所選只九辯招魂二篇。招魂應爲屈原作，前已言之，是宋玉只有一篇列於楚辭。其他文選所選的五篇，有四篇賦——風賦、高唐賦、神女賦、登徒子好色賦，另一篇爲對楚王問，乃是散文。又古文苑載有六篇也都是賦——笛賦、大言賦、小言賦、諷賦、釣賦、舞賦。

九辯與離騷同一格調，也是一首不能合樂的長篇抒情詩。它的詞藻是很豐富的，聲調也是很優美的，由於多用雙聲疊韻與疊字，所以音樂性很強。又內容也切近於人生現實的描寫。與屈原的作品比較，顯然有不同之處。可能，宋玉雖然模仿屈原的作品，却受詩經的影響相當深。

荀卿，是繼承孔子思想，發揚孔子學說的一位大儒；但他也是傳授詩經的一位學者，對於詩自然富有興趣。在他的著作中，除了今所傳的荀子三十篇外（漢志作三十三篇），漢志著錄有孫卿賦十篇。今日所存，只有五篇，即禮賦、知賦、雲賦、蠶賦、箴賦。另有佹詩一篇，小歌一篇，又成相三篇。有人以爲此五篇加前五篇，恰合漢志十篇之數。惟漢志另著錄有成相雜辭十一篇，是荀卿成相三篇，應在成相雜辭之內，佹詩與小歌，皆不應與賦同列。因知荀卿之賦，尚有五篇已經遺佚了。

荀卿五賦，實爲賦名的創始，前已言之。惟荀卿的賦，乃以四言爲主，而間有楚辭的句法。可以說，這是以北方文學爲基礎，而受楚辭影響的一種南北揉和的文學。也可以說是由詩到賦的一種過渡性文學，這在文學的演進上是必然有此階段的。

荀卿作品中最突出的，要算成相篇五十六首。這是一種有固定形式的詩體。（古代詩歌中，還沒有那一種詩體是有固定形式的）。每首五句。第一第二句爲三字句，第三第五句爲七字句，第四句爲四字句，即全篇句法爲三三七四七。第一第二第三及第五句同韻，惟第四句不用韻。其中也有多一二字或少三四字，這都是屬於衍漏，並非另有別體。例如：

請成相，世之殃。愚闇愚闇墮賢良。人主無賢，如瞽無相何倀倀。

這種詩體，來源如何，不得而知。尤其是全部都是說政治治亂之理，並且也引用歷史故實以爲教訓，等於是一種格言詩。古今詩體中沒有第二種相似的。勉強可以比擬的，就是後世的詞曲，有長短句的規定。可是與詞曲的性質又絕不相同。據荀子楊倞注：「以初發語名篇。論君臣治亂之事，以自見其意。故下云，托於成相以喻意。漢書藝文志謂之成相雜辭，蓋亦賦之流也。或曰，成功在相，故作成相三章也。」這種解釋，不得要領。俞樾諸子平議曰：「此相字即『舂不相』之『相』。禮記曲禮篇：『鄰有喪，舂不相』。鄭注曰：『相謂送杵聲』。蓋吾人於勞役之事，必爲歌謳以相勸勉，亦舉大木者呼『邪許』之比。其樂曲即謂之相。請成相者，請成此曲也。漢志有成相雜辭，足徵古有此體。」俞氏的解釋，頗切事理。因此，我們可以認爲「成相」乃是當時民間的一種樂歌體，荀卿却採用來發抒他的政治意見，但在民間則是另有內容的。以漢志著錄有十一篇之多，可知作者不只荀卿一人，更不是荀卿所獨創。可惜其他各篇沒有流傳下來，遂使我們爲之迷惘，而無法確定它的性質。

由於成相篇，加上屈原的九歌，我們可以如此假定，戰國時的民間詩歌，尤其是楚歌，仍是合樂或者合舞的，而士大夫文人的楚辭與賦，則只是口誦文學而却脫離音樂與舞蹈了。

五、漢樂府、詩樂舞之再度結合

楚歌到了秦漢之間，更爲流行。因爲三楚子弟，羣起逐鹿中原，陳涉起大澤，項羽起會稽，劉邦起豐沛，皆楚地。楚歌，乃是當時流行習唱之歌。玆引項劉兩歌爲例：

史記、項羽本紀：

項王軍壁垓下，兵少食盡。漢軍及諸侯兵，圍之數重，夜聞漢軍四面皆楚歌。項王乃大驚曰：漢皆已得楚乎？是何楚人之多也？項王乃夜起，飲帳中，有美人名虞，常幸從。駿馬名騅，常騎之，於是項王乃悲歌慷慨，自爲詩曰：

力拔山兮氣蓋世！時不利兮騅不逝！騅不逝兮可奈何？虞兮虞兮奈若何！

歌數闋，美人和之，項王泣數行下。

又，高祖本紀：

高祖還歸。過沛，留，置酒沛宮，悉召故人父老子弟，縱酒。發沛中兒，得百二十人，教之歌。酒酣，高祖擊筑，自爲歌詩曰：

大風起兮雲飛揚，威加海內兮歸故鄉，安得猛士兮守四方？

令兒皆和習之。高祖乃起舞，慷慨傷懷，泣數行下。

就以上兩事來說，可知那時的人，雖貴而爲王爲帝，當感情激動時，一樣的慷慨歌詩，而且起舞。他們的詩，都是戰國以來所流行的楚歌，高祖的舞，可能也是楚舞。由以下一段記載可以證明：

史記、留侯世家：

上（高祖）欲廢太子，立戚夫人子趙王如意……

戚夫人泣。上曰：爲我楚舞，吾爲若楚歌。歌曰：

鴻鵠高飛，一擧千里，羽翮已就，橫絕四海。橫絕四海，當可奈何？雖有矰繳，尚安所施？歌數闋，戚夫人噓唏流涕……

讀此，可知楚歌與楚舞是相連的。又這首歌是四言句而名曰楚歌，可知楚歌的形式有多種，不一定要有「兮」「些」等字以助聲？可能是合乎楚調或配合楚樂，便是楚歌；字句長短是沒有關係的。以此類推，史記所載的趙王友歌，漢書所載的戚夫人歌及以後的烏孫公主歌等等，都是楚歌。可知漢初朝野之間，洋溢着一片楚歌之聲。

古詩樂舞在戰國時便已遭冷落，到秦以後更多散失，六舞只餘韶武。漢初，樂家有制氏，但能紀其鏗鏘鼓舞而不能言其義。叔孫通製朝儀，亦曾制宗廟樂，如迎神奏嘉至，皇帝入奏永至，乾豆上奏登歌，登歌終奏休成，皇帝就坐奏永安，凡此，都是因秦樂而改，只存其名而亡其辭。高祖時宗廟仍用秦五行舞（因周大武舞而改），有樂無辭。又有武德舞，附昭容樂（高祖四年作），文始舞（因韶舞而改），附禮容樂（高祖六年作），可能是制氏沿襲而改製，亦有樂舞無辭。此外，有兩種樂舞，乃是新製：㈠巴渝舞。據晉書樂志云，高祖爲漢王時，自蜀定三秦，閬中范因，率賨人以從，爲先鋒，勇而善鬥。其俗喜舞，高祖樂其猛銳，數視其舞曰：此武王伐歌也。使人習之，名巴渝舞舞曲四篇，皆巴渝語。（註二八）。此可稱爲民間歌與土風舞。㈡房中祠樂，唐山夫人所作。因高祖樂楚聲，故房中樂乃係楚歌。

根據以上所述，可知漢初詩樂的一般情形。一面是與古詩樂舞脫了舞，一面是民間詩樂舞抬了頭。惠、文、景三朝，沒有什麼大改變。到了武帝時，便大放異彩了。

漢書禮樂志：

至武帝定郊祀之禮，祠太一於甘泉，就乾位也。祭后土於汾陰，澤中方丘也。乃立樂府。采詩夜誦，有趙、代、秦、楚之謳。以李延年爲協律都尉，多擧司馬相如等數十人，造爲詩賦，略論律呂，以合八音之調，作十九章之歌。使童男女七十人俱歌，昏祠至明。」

又、藝文志：

自孝武立樂府而采詩謠，於是有代趙之謳，秦楚之風，皆感於哀樂，緣事而發，亦可以觀風俗，知厚薄云。

又、李延年傳：

李延年善歌，爲新變聲。是時上方興天地諸祀，欲造樂；令司馬相如等作詩頌，延年輒承意絃歌所造詩，爲（謂）之新聲曲。

又、外戚傳：

孝武李夫人……兄延年，性知音，善歌舞，武帝愛之，每爲新聲變曲，聞者莫不感動。延年侍上，起舞歌曰：「北方有佳人，絕世而獨立。一顧傾人城；再顧傾人國。寧不知傾城與傾國？佳人難再得！」上嘆息曰：「善，世豈有此人乎？」平陽主因言延年有女弟，上召見之，實妙麗善舞……及夫人卒……上愈益相思悲感，爲作詩曰：「是邪非邪？立而望之，偏何姍姍其來遲！」令樂府諸音家弦歌之……

根據以上所述，這是一個詩樂舞再度結合的新局面，與西周時代，差可比擬。茲分敍如下：

㈠立樂府　在漢武以前，因秦制，有樂府令而沒有樂府。（秦，大樂令及丞，屬於奉常；樂府令丞，屬於少府。）至漢武乃專設樂府機構，亦猶周制的有大司樂部門。（太樂令丞，仍然保持）樂府組織龐大，人員甚多。宣、元、成三帝，均曾減樂府人員，至哀帝時罷樂府，再裁人員四百四十一人，尚有三百八十八人之衆，可見一斑。樂府的詳情，史無記載。李延年任協律都尉，當爲樂府的主持人之一。其下尚有僕射及主領諸樂人員，郊祭樂人員、各種鼓員、四會員、歌員、謳員、吹鼓員、夜誦員、聽工、鐘工、磬工、簫工、竽工、琴工、柱工、繩弦工，象人……等等。可知各種歌樂人員俱備，盛極一時。

㈡采詩　采詩是東周以前歷代的盛事，到春秋便已不見記載。故春秋中期以後三百多年，沒有一本詩集傳世。采詩制度，詳見拙作「詩與政教」一篇，茲不贅述。漢武采詩一事，如何進行，不得而知；是否實行一次後，即不再繼續，亦不得而知。但知當時所采集者爲「趙、代、秦、楚之謳」。所謂趙、代、秦、楚，並非專指此四地，乃是概括四方各地而言。當時樂府中歌樂人員，包括邯鄲、江南、淮南、臨淮、巴渝、楚、梁、鄭、沛、陳、秦、銚（趙）、齊、茲邡（川）等地之鼓員與四會員等。又，漢書藝文志詩賦略，歌詩部分，有：一，吳、楚、汝南歌詩；二，燕、代謳、雁門、雲中、隴西歌詩；三、邯鄲、河間歌詩；四，齊、鄭歌詩；五，淮南歌詩；六，左馮翊、秦歌詩；七、京兆尹、秦歌詩；八、河東、蒲反（阪）歌詩；九，雒陽歌詩；十，河南、周歌詩；十一、周謠歌詩；十二，周歌詩；十三，南郡歌詩等，共一百三十八篇。此外尚有雜歌詩、諸神歌詩、送迎靈、頌歌詩；及河南、周歌詩聲曲折、周謠歌聲曲折（聲曲折即歌譜）等。以此證明，可見當時采詩地域之廣。以上各地的采詩，不但采其歌詩，亦兼采取其歌譜；若無歌譜可采的，即徵用各地歌樂人員至樂府任職。因此，樂府便成了全國各地歌樂的總滙聚。

可惜，漢志所著錄的那些歌詩，十有九均失傳。宋郭茂倩樂府詩集所錄的許多「古辭」，也許便是那些采詩中的一部分。至於那些各地的樂譜與歌譜，當然更蕩然無存。

此外，除采詩兼采樂之外，各地的有名舞藝，亦在采取之列。如舞曲歌辭中之雜舞，包括公莫（巾舞）、巴渝、槃舞、鞞舞、鐸舞、拂舞、白紵等舞，郭茂倩稱：「始皆出自方俗，後寖陳於殿庭……漢魏之後，並以鞞鐸巾拂四舞，用之宴饗。」其中巴渝舞，乃高祖時采自巴渝賨人之舞，其餘或皆武帝時所采用。至少，鐸舞與公莫舞可確定爲武帝時舞。因鐸舞與巾舞，皆有古辭，辭語雜錯不可懂，當爲各地土語的譯言，亦如巴渝舞辭在當時不可解一樣。由此，更證明爲採自民間歌舞之本色。至於雅舞，用之郊廟，不在此列。

總之，漢武帝立樂府與采詩之事，在中國文學史上，是值得大書特書的。可惜史家加以忽視，沒有充分的材料留給後世。

㈢製樂　製樂一事爲樂府的本職。但所製何種音樂，因史籍沒有明載，所以也無由確知。惟據漢書禮樂志所述，所製者主要爲郊祀歌舞，所謂「十九章之歌」。因當時民間祠有鼓舞樂，而郊祀無樂。（見郊祀志）故命李延年製樂。

至於宗廟樂，如五行樂，武德舞與昭容樂，文始舞與禮容樂等，皆高祖時制氏沿秦樂而改作，至此似再加以改製。又房中祠樂，原爲高祖唐山夫人所作，爲楚聲；惠帝時改名安世樂。至武帝時是否改作，不得而知：惟歌詩十七章，則非唐山夫人舊作無疑。

李延年所擅長者爲新變聲，新聲曲，新聲變曲。其所製樂，當然也就是所謂新變聲，與古雅樂一定是迥然不同的。戰國時魏文侯最爲好古，但聽古樂則昏昏欲睡，聽鄭衞之音則興奮而不知倦。漢武帝和魏文侯的情形一樣，故寵用李延年，不惜捨古而就新。禮樂志有云：「是時河間獻王有雅材，亦以爲治道非禮樂不成，因獻所集雅樂。天子下大樂官常存隸之，歲時以備數，然不常御。常御及郊廟，皆非雅聲。………今漢郊廟詩歌，未有祖宗之事，八音調均，又不協於鐘律。而內有掖庭材人，外有上林樂府，皆以鄭聲，施於朝廷。」據此，可知李延年所製，都是新聲，而非舊樂，不但連郊廟歌詩，都有改變，而宮廷所奏唱的，也都是一片新聲變曲。無怪乎成帝以下的守舊士大夫，要義正詞嚴的主張「放鄭近雅」。偏偏成帝也好新聲，所謂「是時鄭聲尤甚，黃門名倡丙彊景武之屬，富顯於世，貴戚五侯、定陵、富平、外戚之家，淫侈過度，至與人主爭女樂。」所以到了哀帝，便不得不下詔罷減樂府人員了。

其實，文學音樂及一切藝術，是不能不變的。魏文侯與漢武帝所感覺的，乃人情之常。若一切食古不化，何嘗會有進步？韶武之樂，在孔子時可有盡善盡美之歎，如果傳至今日，恐怕只是一些索然無味的鏗鏘之音而已。當時所謂鄭聲，實際就是民間音樂。漢初所賞的，可以楚聲爲代表，到了漢武時，更擴大的將各地的民間音樂，一概收集起來加以改良，這原是音樂的一大進步。李延年的新聲，也就是從民間音樂變化而來的。這種新聲，一定有興奮鼓舞的作用，故能成爲一時的好尚。至於「淫侈過度，至與人主爭女樂」，這是政治問題，不但與音樂無關，反足反映當時人們對於音樂的愛好，到達了超越禮法的瘋狂程度。

李延年的製樂，表面上是影響了郊廟樂，實際上是影響了一切的歌樂。當時朝野所奏唱的，一切都是新聲，古雅樂只是偶一點綴而已。一直到魏武帝得杜夔重定雅樂止，三百多年，都直接受李延年新聲的影響。但魏武所改亦是郊廟樂，故李延年的影響，實及於南北朝。

又當時的音樂，不僅收集本部各地的音樂，邊疆的音樂也成爲主要的歌樂。一曰鼓吹，二曰橫吹。鼓吹樂乃北狄樂，北狄諸國，固馬上作樂，原用於軍中，想爲征匈奴時所得。武帝時以鳴笳加簫聲，用之朝會、道路，並多賜給有功諸侯。如南越七郡（交阯、九眞、日南、合浦、南海、鬱林、蒼梧）皆給鼓吹，可見一斑。古代原有一種軍樂，稱爲短簫鐃歌，亦稱愷樂、愷歌。相傳爲：「黃常岐伯所作，以建威揚德，風敵勸士」；實乃周樂的一種。周禮大司樂曰：「王師大獻，即令奏愷樂。」大司馬曰：「師有功，則愷樂獻於社。」可知係用之以顯武功。武帝時乃改訂古樂而通稱爲鼓吹。又橫吹樂，乃西域樂（胡樂）。有鼓角者（雙角），名爲橫吹。樂府詩集謂由博望侯張騫得之於西域。最初只摩訶兜勒一曲，李延年因之而更造新聲二十八解，其法乘輿以爲武樂。後用之軍中，馬上奏之。以上兩種音樂，可稱爲新樂，亦爲李延年製造新聲的一部分。以後歷代沿用，成爲宴會與軍中的主要音樂。

㈣造詩頌　詩經中，用之於燕饗祭祀的雅頌，皆爲士大夫文人所作，已見前述。漢武帝既立樂府，製新樂，於是也步周代的後塵，命司馬相如等作詩頌以合樂。（禮樂志曰作詩賦，李延年傳曰作詩頌，稱謂不同。按漢賦不合樂，何以用此賦字？因漢時稱楚辭爲賦，所謂作賦，即命之作楚辭，說見後。）按武帝朝文人甚多，究竟何者何人所作，已無從考證。惟漢書所錄安世房中歌十七章，文詞作法一致，似爲一人所作；至郊祀歌十九章，所歌之對象既異，作法亦不同，可能爲多人所作。如一、練時日。似爲迎神曲，三言句，四句一轉韻。二、帝臨。似爲祭后土之歌（元鼎四年，始立后土祠），四言詩。三、青陽。四、朱明。五、西顥（亦作西皓，或西皐）。六、玄冥。以上四首，似爲春、夏、秋、冬四時祀歌，漢書均書爲「鄒子樂」，或爲鄒陽所作，皆四言詩。七、惟泰元。似爲祀泰一之歌，泰元即泰一。天子祀泰一、天一、地一、皆尊神。八、天地。即祀天一、地一。（以上兩歌，成帝建始時丞相匡衡曾先後奏請更定）此詩四言雜七言句。九、日出入。此爲祭日神之歌。此歌三四六七言雜用，作法詞調都與前幾首不同。十、天馬。爲獲馬之歌，有兩首，但與史記所載不同。可能一爲馬生渥洼水中歌，一爲獲烏孫馬歌，一爲獲大宛馬歌。十一、天門。似爲封禪泰山之歌。十二、景星。乃獲寶鼎之歌。此歌除前十二句爲四言外，餘十二句均七言，作法又異。十三，齊房。爲獲芝之歌。十四、后皇。亦爲獲鼎之歌，一說爲祭后土歌。十五、華爗爗，乃祭后土之後，濟汾之歌。十六、五神。爲祠五時祭五帝之歌。十七、朝隴首。爲獲麟之歌。十八、象載瑜。爲獲赤雁之歌。十九、赤蛟。爲送神之歌。以上五首，均三言，與練時日作法同。

按以上十九章，在作法上顯係模仿楚辭；若在句中句尾加兮字，便和離騷九章九歌等大體相同。樂府詩集中錄山鬼，亦删去兮字，成爲三言句，而楚辭原文中則皆有兮字可證。又史記所錄天馬歌，均有兮字，而漢書則沒有，又可證。再者，漢書稱：命司馬相如等作詩賦，漢時稱楚辭曰賦，尤可證。或楚辭在歌奏上不必用兮字。兮字只是用在「不歌而頌」的篇幅上。楊愼詞品云：「延年以曼聲協律，司馬以騷體製歌。」可謂知言。

又十九首中，除四時祀歌在漢書中注有「鄒子樂」外，餘均未加注明，當無從揣測何首爲何人所作。漢武時文人中均無詩歌傳世，故亦無從比較。總之，文人之作，重在典雅，與民間抒情歌曲，則絕不相同。

茲依各家論述與記錄，將漢樂府歌辭分類列述如下。但後人所記，乃包括前後漢而言，武帝時樂府的經緯，已不得其詳。今仍從各家之例，不完全以武帝時之樂府爲限。

㈠朝廷樂歌

㈠甲郊廟歌辭—分爲郊歌與廟歌二類

㈠子郊歌—乃祭祀天地神祇的樂歌。（如詩經中昊天有成命等樂歌）武帝時定郊祀禮（可見漢與以來尚無郊祀禮。）命李延年製樂，司馬相如等作詩，主要的任務在此。

郊祀歌共十九章，即前文所擧。又古辭靈芝歌一篇，想亦武帝時歌。

㈤廟歌—乃祭宗廟祖先的樂歌。(如詩經中清廟等樂歌)高祖時已有之，即前擧之昭容樂、禮容樂以及叔孫通所制之嘉至、永至、登歌、休成、永安等五篇。又唐山夫人所作之房中祠樂歌，亦屬於此。惠帝時改稱安世樂，武帝時，有安世房中歌十七章，可能爲樂府所改作，非唐山夫人之舊。(其體製亦爲楚辭)今考察其文中，甚少頌述祖德的詞句，漢書禮樂志有：「今漢郊廟詩歌，未有祖宗之事……皆以鄭聲施於朝廷。」之言，正合。此外，未有其他詩歌傳世。

㈡燕射歌辭——分爲燕饗樂、大射樂、食擧樂三類。

㈠燕饗樂——乃是燕饗四方賓客的樂歌。(如詩經鹿鳴、四牡、皇皇者華等等詩樂。)樂歌已亡佚，並無可考。

㈤大射樂——乃親故舊賓朋的樂歌。(如周樂之歌騶虞)樂歌已亡佚，並無可考。

㈢食擧樂——乃親宗族兄弟的樂歌。樂歌亦亡佚，但據宋書樂志，知漢有宗廟食擧、殿中御飯食擧、上陵食擧、大樂食擧四類。

㈣舞曲歌辭——分雅舞、雜舞二類，附樂散一類。

㈠雅舞——乃郊廟朝饗所配奏之文武二舞。前所擧高祖時五行舞、武德舞、文始舞屬之。惟舞無單獨歌辭，即配合郊廟朝饗燕射等樂歌而擧舞。所謂雅舞亦即配合雅樂之舞。(如周禮之六舞、六代舞)又文帝造四時舞，景帝爲昭德舞，宣帝爲盛德舞，光武郊祀明堂，舞雲翹育命之舞，明帝為大武之舞。東平王蒼，造武德舞歌。至魏以下，舞名改稱甚多，自雲門以下諸舞，都造為歌辭。至於音樂，魏晉也多加改造。

㈤雜舞——乃採自民間而進於殿廷之舞，前所舉公莫，巴渝，鞞舞，鐸舞，槃舞，拂舞，白紵等舞屬之。歌辭如巴渝、巾舞、鐸舞之古辭皆不可解，因係照方言所錄，能歌而不能明其義，足以為聲詩的代表作。其他舞辭多失傳。

㈥樂散——乃野人之樂舞。周禮、旄人，教舞散樂。鄭注曰：散樂，野人為樂之善者。唐書樂志曰：散樂者非部伍之變，俳優歌舞雜奏。秦漢以來又有雜伎，其變非一，名為百戲，亦總謂之散樂。可知散樂包括各種歌舞雜奏，由俳優擔任，有類於戲劇或雜技的表演。

古辭有俳歌辭八曲，前一篇二十二句，樂府詩集僅摘錄十句。並曰：一曰侏儒導，自古有之，蓋倡優戲也。詞句不甚可解，也是一種方言舞歌。

㈡採用外來音樂之樂歌

㈠鼓吹曲——乃採自北方邊疆之音樂，經樂府製曲，用之朝會、道路，並以賜有功。說明已見前。

漢有鐃歌二十二曲：朱鷺、思悲翁、艾如張、上之回、擁離（亦作翁離）、戰城南、巫山高、上陵、將進酒、君馬黃、芳樹、有所思、雉子班、聖人出、上邪、臨高臺、遠如期、石留、（以上十八曲辭存）務成、玄雲、黃爵、釣竿（以上四曲辭亡）。

二十二曲，歌辭大多不可甚解。有的可能為士大夫文人所作，有的可能採自民間。有二三曲為漢武以後之作。總之，這些作品，都能保留古樂歌的本色。所以不能甚解，因其中雜有許多方言，或者輾轉傳鈔，不免有錯誤遺漏。

按漢明帝分樂爲四品，黃門鼓吹爲其中之一，用之朝會並宴饗。食擧樂亦包括在內。而道路從行，則屬於騎吹。

(乙)橫吹曲——乃採自西域的音樂，經樂府改製樂曲，用之於軍中，馬上奏唱。說明已見前。李延年因胡曲更造新聲二十八解。魏晉以後只傳十曲：即黃鵠、隴頭、出關、入關、出塞、折楊柳、黃覃子、赤子揚、望行人。後又傳有關山月、洛陽道、長安道、梅花落、紫騮馬、驄馬、雨雪、劉生等八曲、樂府古題要解中又增三曲，即豪俠行、古劍行、洛陽公子行。可惜，這些歌辭，都已亡佚。從題目看來，都是出之於文人士大夫之手。

(三)民間採進之樂歌

(甲)相和歌——宋書樂志，以爲「絲竹更相和，執節者歌」，謂之相和歌。古今樂錄云：凡相和，其器有笙、笛、節（鼓）、琴、瑟、琵琶。分相和曲，相和引，吟歎曲，四弦曲四種。

(子)相和曲——漢有十七曲，今存八曲，即江南、東光、薤露、蒿里、烏生、雞鳴、平陵東、陌上桑。後三首武帝以後之作。

(丑)相和引——古有六引：宮引、商引、角引、徵引、羽引、箜篌引，歌辭全亡。

(寅)吟歎曲——漢有八曲：大雅吟、小雅吟、王明君、楚妃歎、王子喬、蜀琴頭、楚王吟、東武吟。此八曲皆在武帝後：辭存王子喬一曲。

㈣四絃曲——漢有張女四絃、李延年四絃、嚴卯四絃、蜀國四絃。辭全亡。

按相和曲，乃眞正的民間樂歌，今所存者不過幾首，最早者如江南、薤露、蒿里、東光、烏生、都是富有文學價值的詩樂合奏曲。

㈡清商曲——分平調、清調、瑟調、大曲、楚調、側調，共六類。歌辭存者有係武帝以後之作。

㈠平調曲——有長歌行（古辭存）、短歌行、猛虎行、君子行（古辭存）、燕歌行、從軍行、鞠歌行等七曲。

㈡清調曲——有苦寒行、豫章行（古辭存，有脫漏）、董逃行、相逢狹路間行（亦曰長安有狹斜行）（以上兩首古辭存）、塘上行、秋胡行等七曲。

㈢瑟調曲——有善哉行、飲馬長城窟行、婦病行、孤兒行、上留田行、公無渡河行、隴西行、西門行、折楊柳行、步出夏門行、東門行、雁門太守行、艷歌行、艷歌何嘗行、（以上皆存古辭）放歌行、野田黃雀行等四十二曲。

㈣楚調曲——有白頭吟行、泰山吟行、梁甫吟行、東武琵琶吟行、怨詩行等曲，僅白頭吟與怨詩行古辭存。

㈤大曲——宋書樂志載有十二曲，十曲與瑟調同，一曲與楚調同，（瑟調楚調可入大曲）餘一曲爲滿歌行。

㈢側調曲——僅傷歌行一曲。（古辭存）

按清商曲在樂府歌辭中最發展，影響後世亦最大，後世古體歌詩（新樂府）皆淵源於此。

㈣雜曲——郭茂倩曰：「雜曲者，歷代有之。或心志之所存，或情思之所感，或宴遊懽樂之所發，或憂愁憤怨之所興，或敍離別悲傷之懷，或言征戰行役之苦，或緣於佛老，或出自夷虜，兼收備載，故總謂之雜曲。自秦漢以來，數千百歲，文人才士，作者非一……」據此，可知雜曲之選，重在文人才士之作，在音樂方面並無定格，尤不限於新聲，與前兩類曲調，可以說是不同的。

樂府詩集所錄的無名氏的古辭，有捷蝶行、驅車上東門行、悲歌、前緩聲歌、東飛伯勞歌、西洲曲、長干曲、焦仲卿妻、枯魚過河泣、橐下何纂纂、冉冉孤生竹、樂府等十三曲。所錄漢人歌有馬援武溪深行、張衡同聲歌、繁欽定情詩、阮禹駕出北郭門行、辛延年羽林郎、宋子侯董嬌嬈等六篇。所錄皆後漢之作，其中東飛伯勞、西洲、長干、焦仲卿妻四篇，有疑爲南朝的作品。而焦仲卿妻一篇，長達一千七百六十六字，爲五言最長之詩，當非入樂之作。

因知凡在罷樂府以後的詩，雖名曰樂府，而實多不入樂。不獨雜曲如此，即相和清商諸曲，亦莫不如此。但其中却有聲詩和徒歌之別。徒歌多作於文人，只是口誦的詩；聲詩則是民間自由歌唱的詩，多數爲短章，並且夾雜着方言俚語。因此，遂形成爲民間樂府，當於下文另論之。

綜上所述，漢武帝立樂府，既采詩，又製樂，並命士大夫文人作詩歌。詩有各地民間的詩，樂有內地邊疆的樂，都由李延年製爲新聲，風靡朝野，影響後世，眞可稱爲「承先啓後」的一大盛舉。

㈠從此一直繼續二千年，歷代朝廷中的郊祀、廟祭、朝饗、燕會、以及一切大典，無不有樂，有詩，有舞。詩樂舞的結合，賴此一脈相沿而未中斷。歷代史志，均有記載，無待贅述。但這詩樂舞的結合，沿用旣久，不免趨於形式化。雖然那些郊廟歌詩等，多是歷代第一流文人的手筆，可是，千篇一律的都是些歌功頌德的作品，並無文學價值可言，只是浪費了史册的許多篇幅而已。（樂府詩集等書，也選載了不少，毫無欣賞價値）。

㈡此外，如車駕出入從行（鹵簿）、軍中、官署、無不備樂。還有許多宮中的娛樂，有歌有舞。由此而推及各郡國州縣以至民間，一切重要典禮，如祀神、祭祖、祭孔、祀關岳、祝鄉賢、以及一切婚、喪、喜、慶與上梁、插秧……等等，都有樂，有歌，間亦有舞。這一風氣，流行全國，歷久不廢。

㈢在文學的流變方面而言，上繼戰國，也分爲兩途。一是士大夫文人之流，上承雅頌屈原的餘緒，詩歌辭賦，特別發展。但這些詩歌辭賦，漸與音樂脫離而偏重於詞藻，至多是在文學上力求其「宮徵靡曼，唇吻遒會」而已。即使是以樂府爲名，也只是重義而不重聲的徒歌。另一方面，則是民間的詩歌，還保留着國風的遺傳，始終若斷若續的維持着詩樂的關係。後來經由倡優樂工的媒介，又引起了朝廷士大夫文人的興趣。於是，發展成爲東晉南北朝的樂府；再發展而爲詞，爲曲，爲戲劇。這都是由漢樂府一脈相沿下來的大成就。

㈣又，詩既有入樂與不入樂之分，樂也有合舞與不合舞之分。漢樂府詩樂，除郊廟燕饗舞曲外，已少合舞。同時，自漢以後，舞藝漸向專藝方面發展。漢代后妃中有許多都是以善舞而得寵，可爲證明。至於貴族與士大夫方面，似乎還有習舞的傳統，但到宋代以後，這一傳統也就終止了。玆專就史籍所載自漢至唐的宴舞故事，擇要引錄於后，以見一斑。又民間方面，如周代的那種人人習舞之風，已不復存。所以民間的樂曲，合舞的也不多見（註二九），記載上也很少談到民間歌舞的情形。

附：宴舞之遺風

在前節中，曾引錄漢高祖在沛宮起舞的事。可知貴爲天子，在宴樂中起舞，視同平常。此乃繼承周代朝野的一種常禮與美俗。這種禮俗的遺風，一直流傳於後代將近一千年。

史記、項羽本紀：——鴻門之宴

……范增起出，召項莊：……項莊入爲壽。壽畢曰：君王與沛公飲軍中，無以爲樂，請以劍舞。項王曰：諾。項莊拔劍起舞。項伯亦拔劍起舞，常以身翼蔽沛公，莊不得擊。（此事隱伏殺機，但表面仍以劍舞爲歡。）

史記，五宗世家，長沙定王發事，應劭注：

景帝後二年，諸王來朝，有詔更前稱壽歌舞。定王但張袖小舉手。左右笑其拙。上怪問之。對曰：臣國小地狹，不足回旋。帝以武陵、零陵、桂陽屬焉。

史記，灌夫列傳：

……灌夫愈益怒。及飲酒，酣，夫起舞，屬丞相（田蚡），丞相不起。夫從坐上語侵之。……（按當時習俗，起舞者屬某人，某人亦須起舞，表示親善。屬乃邀請之意。）

漢書，李廣蘇建傳：

李陵置酒賀武曰：……異域之人，一別長絕。陵起舞。歌曰……陵泣下數行，因與武決。

漢書，蓋寬饒傳：

……酒酣，樂作，長信少府檀長卿起舞，爲沐猴與狗鬥。坐皆大笑，寬饒不悅……因起趨出，劾奏長信少府以列卿而沐猴舞，失禮，不敬。（按此乃以舞娛衆。檀身爲列卿而作此舞，可知當時，習此爲常。但遇剛直如蓋寬饒，故被劾。後，帝亦卒未加罪。）

後漢書，蔡邕傳：

……邕自徙及歸，凡九月焉。將就還路，五原太守王智餞之。酒酣，智起舞，屬邕，邕不爲報……智銜之。（可知後漢尚有起舞屬舞之風）

三國志，魏志，陶謙傳：裴松之注引吳書：

謙除舒令。郡守張磐，同郡先輩，與謙父友，意殊親之；而謙耻爲之屈。……磐常私還，入與謙飲宴，或拒不爲留。常以舞屬謙，謙不爲起。固強之。及舞，又不轉。磐曰：不當轉耶？曰：不可轉，轉則勝人。由是不樂，卒以構隙。（可知三國時尚有起舞屬舞之風。又太平御覽有一則記三國時舞事：「陸遜破曹休，王與羣僚共會。酒酣，命遜舞，解所著白鼲子裘賜之。」

又英雄記另有一則云：「孫權嫁從女，……（袁）譚醉酒，三起舞，舞不知止。」特附錄於此。）

晉書，祖逖傳：

（逖）與司空劉琨，俱爲司州主簿，情好綢繆，共被同寢。中夜聞荒鷄鳴，蹴琨覺。曰：此非惡聲也。因起舞。

晉書，謝尙傳：

（尙）善音樂，博綜衆藝，司徒王導深器之。……謂曰：聞君能作鴝鵒舞，一坐傾想，寧有此理不？尙曰：佳。便著衣幘而舞。導令坐者撫掌擊節。尙俯仰其中，傍若無人。（可知此時士大夫尙重舞習舞，而尙舞則近於專藝。亦見世說新語任誕篇。又世說品藻：劉尹，王長史（濛）同座。長史酒酣起舞；劉尹曰：阿奴今日不復減向子期。附錄於此。）

魏書，高閭傳：

太和三年……高祖文明太后，大饗羣官。高祖親舞於太后前，羣臣皆舞。高祖乃歌。……

魏書，奚康生傳：

正光二年三月，肅宗朝靈太后于西林園。文武侍坐，酒酣，迭舞。次至康生，康生乃爲力士舞……

北齊書，安德王延宗傳：

周武與齊君臣飲酒，令後主起舞。延宗悲不自持，屢欲抑藥自裁。傅婢苦執諫而止。（此乃被迫起舞，視同俳優，如青衣行酒之辱，史册僅此一見。）

北齊書，魏收傳：

收旣輕疾，好聲樂，善胡舞。文宣末，數於東山與諸優爲獮猴與狗鬥，帝寵狎之。（據此，此時之舞，漸爲倡優娛戲之事，亦即與樂府所列之樂散同。）

文獻通考：

北齊蘭陵王長恭，才武而貌美。常著假面以對敵。嘗擊周師金鏞城下，勇冠三軍。齊人壯之，爲舞以效其指揮擊刺之容，謂之蘭陵王入陣曲。（此爲民間樂舞，故併錄於此。）

又：……勿告，隋開皇中，遣使朝貢，文帝厚勞宴之，率皆起舞，曲折多鬥容。

舊唐書，燕王忠傳：

高宗初入東宮而生忠，宴宮寮於弘教殿。太宗幸宮，顧於宮臣曰：頃來王業稍可，非無酒食而唐突卿等宴會者；朕初有此孫，故相就爲樂耳。太宗酒酣起舞，以屬羣臣。在位於是遍舞，盡日而罷，賜物有差。

新唐書，祝欽明傳：

……帝與羣臣宴，欽明自言能八風舞，帝許之。欽明體肥醜，據地搖頭睆目，左右顧眄。帝大笑。吏部侍郎盧藏用歎曰：是舉，五經掃地矣。（按祝欽明，舊唐書列儒林傳，通五經，兼涉衆史百家之說。在宴會中起舞以博歡樂，本屬平常；而盧藏用譏爲五經掃地，可見當時士大夫中已有輕舞的觀念。杜佑通典曰：「近代以來，此風絕矣。」即此種觀念所致。）

舊唐書，郭山惲傳：

中宗數引近臣及修文學士，與之宴集。嘗令各効伎藝，以爲笑樂。工部尙書張錫爲談客娘舞；將作大匠宗晉卿舞渾脫；左衞將軍張洽舞黃麞；左金吾衞將軍杜元琰頌婆羅門咒；給事中李行言唱駕車西河；中書舍人盧藏用効道士上章。山惲獨奏曰：臣無所解，請誦古詩兩篇。帝從之。於是頌鹿鳴、蟋蟀之詩……

舊唐書，楊再思傳：

再思爲御史大夫時，張易之兄司禮少卿同林，嘗奏請公卿大臣宴於司禮寺。預其會者皆盡醉極歡。同休戲曰：楊內史面似高麗。再思欣然，請剪紙自貼於巾，却被紫袍爲高麗舞。縈頭舒手，擧動合節，滿座嗤笑。

新唐書，崔日用傳：

神龍中……諸武若三思、延秀、及楚客等，權寵交煽，日用多所結納，驟拜兵部侍郎。宴內殿，酒酣，起爲回波舞。求學士，即詔兼修文館學士。（以上楊崔兩人，皆以舞取媚，不耻於人，亦無怪正人君子之輕舞。）

新唐書，安樂公主傳：

……下嫁武崇訓……崇訓死。公主素與武延秀亂，即嫁之。……翌日，大會羣臣太極殿……

……武悠暨與太平公主偶舞，爲帝壽。（男女偶舞之見於史乘者，似只此一則。）

新唐書，讓皇帝憲傳：

憲嘗從帝按舞萬歲樓……

新唐書，王翰傳：

王翰……少豪健恃才，及進士第。然喜蒱酒。張嘉貞，神氣軒擧自如。張嘉貞爲本州長史，偉其人，原運之。翰自歌，以無屬嘉貞。

新唐書，杜審言傳：

審言免官還東都……後武后召審言，將用之。問曰：卿喜否？審言蹈舞謝。（蹈舞拜謝之事，習見於唐，此與音樂無關，附引於此，以見一斑）

關於宴舞一事，略如上引。其他雜史，詩話及各種筆記中所載，不見錄。唐以後，如南唐書周后請後主起舞事，遼史天祚帝命諸酋次第起舞事，只一二見，已無足稱述了。

六、漢之辭賦與五七言詩

漢代的韻文，除樂府外，尚有辭賦，五言詩，七言詩三種。這些文學，都成爲以後二千年文學的主流。楚辭發展爲賦，辭賦係楚辭與賦的合稱。漢初的辭與賦，沒有什麼特異的分別。到了武帝時，賦的作法乃漸脫離楚辭而獨立，而楚辭却也保留着一種特殊的形式，如以「九」與「七」與「辭」及「擬騷」等命名的，大體都是模效楚辭的。賦的興起，武帝以後特盛，不僅是漢代的時代文學，且歷魏晉南北朝以至唐宋而不衰。因爲賦的這種體制，較之楚辭而能鋪張揚厲，易於體物寫志；較之散文更能敷采摛藻，兼有聲韻之美；較之詩歌又能恣肆飾繪，發爲長篇鉅幅。所以它似文非文，似辭非辭，似詩非詩，成爲一種特種形式。可是，正因爲它是一種特殊形式，却始終只能成爲特殊階級的文學。因而除了流傳在少數士大夫文人之間，見賞於帝室王公之前外，在廣大的民間並不能產生任何影響。二千年來，雖然是文學中的尊長，而傳誦在人民口中的作品却實在是太少了。

五言詩與七言詩，事實上都產生在西漢。如漢書呂后傳所載外戚夫人歌，李夫人傳所載之佳人歌，尹賞傳所載的長安歌，貢禹傳所載的武帝時俗歌，禮樂志所載的黃門倡歌，五行志所載的成帝時民謠，後漢書所引的前漢城中謠，以及鐃歌中的上陵與有所思，楚漢春秋所載的虞姬歌等等，有的夾着三七言，有的却是全篇的五言詩。至於李陵與蘇武的贈答詩，古詩十九首及班婕妤的詩，雖然文選、詩品、玉臺新詠等都認爲是五言之祖，但這些是比較成熟的作品，應該是東漢人的手筆。文心雕龍的見疑，與文章流別，及蘇東坡、洪邁、錢大昕、崔述等的考證都是合理的。所以五言詩實產生於西漢，却不是始於李陵蘇武諸作。

七言詩，應淵源於楚辭。離騷中多七言，成相篇中有一百一十二句七言句。項羽的垓下歌與漢高的大風歌，是楚歌，也可視同七言歌。此外，如淮南子所載寧越（戚）歌爲七言歌，雖非春秋時的原作，但傳於漢武時則無疑。又如武帝秋風辭、瓠子歌、天馬歌、烏孫公主歌、李陵別歌、昭帝淋池歌等等，都是七言歌調。此外，東方朔的射覆語用七言，司馬相如的凡將篇用七言，史游的急就篇亦大部用七言，西漢品評人物多用七言。雖然漢武柏梁台詩，經後人證明爲僞託之詩，但七言詩之起於西漢仍應無疑問。（日知錄以七言之興，漢前有之，引靈樞經刺節眞邪篇爲證。殊不知此適證靈樞經爲漢人所依託，決非漢前的作品）。

因此，可知五言詩與七言詩，都發生於西漢。最初，也是一些可歌的詩。可是到了西漢末葉以後，和辭賦一樣，都成了徒歌。徐師曾詩體明辨說：「自漢以下，乃以其所賦五言之屬爲徒詩，而其協於音者則謂之樂府。宋以下，則其所謂樂府者，亦但擬其辭而與徒詩無別。詩之與樂，判然爲二。不特樂亡，而詩亦亡。古人以樂從詩，今人以詩從樂。」又云：「降及魏晉，羌戎雜擾，方音通變，南北各殊。故文人之作，多不可以協之音，而名爲樂府，無以異於徒詩者矣。」又引元稹之言曰：「樂府等題，除鐃歌、横吹、郊祀、清商等詞在樂志者，其餘木蘭、仲卿、四愁、七哀之類，亦未必盡播於管絃也。」又曰：「樂府中如清商清角之類，以聲名其詩也；如小垂手大垂手之類，以舞名其詩也。以聲名者必合於聲；以舞名者必合於舞。至唐而舞亡矣，至宋而聲亡矣。於是乎文章之傳盛，而聲音之用微；然後徒詩興而樂廢矣。」以上數則，就五七言詩而言。這種評論是很切當的。五七言詩，自東漢以後，便成爲詩人的正體。歷代詩人，也都以五七言名於世。可是，詩爲詩，樂爲樂，兩不相涉，其間有少數詩人之詩，也爲樂人採以入樂。但都是以詩配樂，而非詩樂合一（詩不重聲）。前文所謂「不特樂亡，而詩亦亡」，可謂慨乎言之。

七、魏晉南北朝的民間樂歌

漢以後的五七言詩不合樂，即用樂府之名而已名不符實；但民間的詩歌，却保存着樂府的遺風，給詩與詞之間（約三百年），建立了一條隱隱的長橋；也可以說是「詩樂姻緣」的「一條紅線」，這就是魏晉南北朝的清商曲與梁鼓角橫吹曲。

㈠南方的清商曲　清樂本是漢魏舊樂，與雅樂對，稱俗樂。漢明帝時，樂有四品，即大予樂、雅頌樂、黃門鼓吹樂、短簫鐃歌。前兩品爲雅樂，由大予樂令所掌管，大予樂令即西漢太樂令的改稱。後兩品爲清樂，由承華令所掌管。承華令即西漢樂府令的改稱。黃門鼓吹，爲天子宴羣臣之用，實包括西漢樂府的鼓吹曲與相和清商諸歌曲，即短簫鐃歌，亦由黃門鼓吹樂人所演唱，故當時清樂仍盛、魏雖有所改創，而清樂仍流行。但至永嘉之亂，大部散失，部份流傳江南，部分保留於西涼苻秦。後劉裕北伐，將北方所遺，傳至南朝。隋平陳，得清樂。文帝認爲是華夏正聲，重新定律呂，改樂器，立清商署，爲七部樂之一。以後煬帝的九部，貞觀的十部，都有清樂在內。此乃清樂的簡史。

郭茂倩樂府詩集，分清商曲爲六類，一吳聲歌曲，二神弦歌、三西曲歌、四江南弄、五上雲樂、六雅歌。前三類是民間歌曲，部分亦被朝廷採以入樂舞，後三類是梁武帝所改製的樂歌。簡述於下：

㈠吳聲歌曲　晉書樂志曰：「吳歌雜曲，並出江南，東晉以來，稍有增廣。其始皆徒歌，既而被之管弦。蓋自永嘉渡江之後，下及梁陳，咸都建業，吳聲歌曲，起於此也。」

吳聲歌曲所包括的歌曲四十多種，今有歌辭存錄者，有子夜歌、子夜四時歌、大子夜歌、子夜警歌、子夜變歌、上聲歌、歡聞歌、歡聞變歌、前溪歌、阿子歌、丁督護歌、團扇郎、七日夜女歌、長史變歌、黃生曲、黃鵠曲、碧玉歌、桃葉歌、長樂佳、歡好曲、懊儂歌、懊惱曲、華山畿、讀曲歌、春江花月夜、玉樹後庭花等二十六曲。又泛龍舟等，爲隋煬帝作，黃竹子歌、江陵女歌，爲唐時歌。其中有作者姓名者，如前溪歌（舞曲），宋書樂志謂爲晉車騎將軍沈玩所制；長史變，宋書樂志謂爲晉司徒左長史王廞臨敗所制；碧玉歌，樂苑謂爲宋汝南王所作；桃葉歌，古今樂錄謂爲晉王子敬所作（子敬妾名桃葉）；懊儂歌，古今樂錄謂第一首爲晉石崇綠珠所作（此北曲之傳於南者）；春江花月夜與玉樹後庭花，晉書樂志謂並爲陳後主所作。又有說明其歌曲的來源者。如：

子夜歌——唐書樂志云：子夜歌者，晉曲也。晉有女子名子夜，造此聲，聲過哀苦。樂府解題曰：「後人更爲四時行樂之詞，謂之子夜四時歌。又有大子夜歌、子夜警歌、子夜變歌，皆曲之變也。」古今樂錄曰：「子夜變歌，前作『持子』送，後作『歡娛我』送。子夜警歌無送聲。」（按民間歌曲皆有送聲，如子夜以「持子」送曲，鳳將雛（歌佚）以「澤雉」送曲。）

上聲歌——古今樂錄曰：「此因上聲促柱得名。」

歡聞歌——古今樂錄曰：「晉穆帝升平初，歌畢輒呼『歡聞』，不以爲送聲。後因此爲曲名。今世用「莎持乙子」代之，語稍訛異也。」

歡聞變——晉穆帝升平中，童子輩忽歌於道曰「阿子聞」曲終，輒云「阿子汝聞不？」無幾，穆帝崩，褚太后哭「阿子汝聞不？」聲既悽苦，因以名之。

阿子歌——宋書樂志曰：「阿子歌者，亦因升平初，歌云『阿子汝聞不？』後人演其聲爲阿子歡聞二曲。」

丁督護歌——一曰阿督護。宋書樂志曰：「鼓城內史徐逵之，爲魯軌所殺。宋高祖使府內直督護丁旿收斂殯埋之。逵之妻，高祖長女也。呼旿至閤下，自問殮送之事；每問輒息曰：『丁督護』！其聲哀切。後人因其聲，廣其曲焉。」

團扇郎——古今樂錄曰：「晉中書令王珉，捉白團扇，與嫂婢謝芳姿有愛，情好甚篤。嫂捶撻婢過苦，王東亭聞而止之。芳姿素善歌，嫂令歌一曲當赦之，應聲歌曰：『白團扇，辛苦五流連，是郎眼所見』。珉聞，更問之：『汝歌何遺』？芳姿即改云：『白團扇！顦顇非昔容，羞與郎相見。』後人因而歌之。」

華山畿——古今樂錄曰：「華山畿者，宋少帝時懊惱一曲，亦變曲也。少帝時，南徐一士子，從華山畿往雲陽。見客舍有女子，年十八九，悅之無因，遂感心疾。母問其故，具以啓母。母爲至華山，尋訪見女，具說聞，感之，因脫蔽膝，令母密置其席下，臥之當已。少日，果差。忽舉席，見蔽膝而抱持，遂吞食而死。氣欲絕，謂母曰：『葬時車載，從華山度。』母從其意。比至女門，牛不肯前，打拍不動。女曰：『且待須臾。』妝點沐浴，既而出，歌曰：『華山畿！君既爲儂死，獨活爲誰施？歡若見憐時，棺木爲儂開。』棺應聲開。女透入棺，家人扣打，無如之何。乃合葬，呼曰神女冢。」

讀曲歌——宋書樂志曰：「民間為彭城王義康所作也。」又古今樂錄曰：「讀曲歌者，元嘉十七年袁后崩，百官不敢作聲歌，因酒讌，止竊聲讀曲細吟而已。以此為名。」

以上種種說明，對於民歌的緣起，頗有必要。但所錄的歌辭，多與緣起並無關連。尤其所謂某某所作，更不一定可靠。可是就全部的歌辭而言，有幾個特點是值得注意的。

(1)這二十六曲，三百二十一首無名氏的舊歌辭，全部都是情歌。既熱情，又坦白。有甜有苦，有笑有啼。如見其容，如聞其聲。其中的語句，都為士大夫所不敢道而恰是民間青年男女的口吻。令我們想到詩經國風與小雅中那些戀歌，就是連漢樂府的清商雜曲也為之遜色。

(2)這三百多首歌，絕大多數都是五言四句的聲詩。其中有的，作三、五、五，或五言三句。或三五五五共四句，有的可能是字句有脫漏。可知，樂府的題名不同，只是音樂或聲調的不同，辭句的格式則是相同的。這種格式，一直流傳到唐代，成為近體的絕句。而唐代的絕句，是可以入樂歌唱的。可見這是由民間傳下來的樂府的遺風，並不是唐代的獨創。又各種歌曲，多有送聲。如子夜、歡聞、阿子等等，這是民間歌唱的特點。因此，我們知道如「華山畿」，「丁督護」等等，都應該是送聲。這種送聲在民歌中成為樂府名稱或樂章名稱，是通常所見的。

(3)這些歌曲中，既包括着許多民間的俗語方言，又往往用雙關的語詞來表達情意，也即所謂「廋詞」，這也是民歌一種特點。在子夜歌與讀曲歌中特別多，如「理絲入殘機，何悟不成匹」，以織絲可以成爲布匹，來隱指相思可以成爲配匹，這種雙關的寫法是非常巧妙的。其餘如以「晴」代「情」，以「蓮」代「憐」，以「藕」代「偶」，以「碑」代「悲」，以「蹄」或「題」代「啼」，以「星」代「心」，以「梧子」代「吾子」，以「棋」代「期」……等等。表面上是寫「攤門不安橫，無復相關意」，而實際的內情則是指「郎情別戀，不再關心」；表面上是詠「霧露隱芙蓉，見蓮不分明」，而實際的內情則是「我是眞心愛郎，郎尙猶豫不決」。這種含蓄而雙關的修辭，是令人回味無窮的。

(乙)神弦曲　這乃是民間的各種祭歌。歌中也抒寫着神人的戀情，歌詞也是很清新活潑的。古今樂錄曰：「神弦歌十一曲。即宿阿、道君、聖郎、嬌女、白石郎、青溪小姑、湖就姑、姑恩、採菱童、明下童、同生等十一曲。」所祭究爲何神，不得而知，只有青溪小姑曲，樂府詩集引證如下：

吳均續齊諧記日：「會稽趙文韶，宋元嘉中爲東扶侍，廨在青溪中橋。秋夜步月，悵然思歸，乃倚門唱烏飛曲。忽有青衣年可十五六許。詣門曰：『女郎聞歌聲有悅人者，逐月遊戲，故遣相問。』文韶都不之疑，遂邀暫過。須臾，女郎至。年可十八九許，容色絕妙。謂文韶曰：『聞君善歌，能爲作一曲否？』文韶即爲歌『草生盤石下』，聲甚清美。女郎顧青衣，取箜篌鼓之，泠泠似楚曲。又命侍婢歌繁霜，自脫金簪，扣箜篌和之。婢乃歌曰：『歌繁霜，繁霜侵曉幕。何意空相守，坐待繁霜落。』留連宴寢，將旦別去。以金簪遺文韶，文韶亦贈以銀盌及瑠璃匕。明日於青溪廟中得之，乃知得所見青溪神女也。」按干寶搜神記曰：「廣陵蔣子文嘗爲秣陵尉，因擊賊，傷而死。吳孫權時，封中都侯，立廟鍾山。」異苑曰：「青溪小姑，蔣侯第三妹也。」

㈣西曲　西曲是長江中上游，南朝西部各地的歌曲。樂府詩集說：「按西曲出於荊、郢、樊、鄧之間。而其聲節送和，與吳歌亦異，故其方俗而謂之西曲云。」古今樂錄載西曲有三十四曲：即石城樂、烏夜啼、莫愁樂、估客樂、襄陽樂、三洲、襄陽蹋銅蹄、採桑度、江陵樂、青驄白馬、共戲樂、安東平、那呵灘、孟珠（亦倚歌）、翳樂（亦倚歌）、壽陽樂——以上十六曲爲舞曲。青陽度、女兒子、來羅、夜黃、夜度娘、長松標、雙行纏、黃督、黃纓、平西樂、攀楊枝、尋陽樂、白附鳩（本舞曲）、枝蒲、作蠶絲——以上十五曲爲倚歌。又有楊叛兒、西烏夜飛、月節折楊柳三曲，及唐書樂志有常林歡一曲，均未明係舞曲抑倚歌。舞曲，通常舞者八人或十六人，乃指進於殿廷之舞。倚歌，乃「悉用鈴鼓。無弦，有吹。」（古今樂錄）

以上三十五曲，有考證者僅十二曲。爲民間歌曲原辭者有四曲：

莫愁樂——唐書樂志曰：「莫愁樂出於石城樂，石城有女子名莫愁，善歌謠。石城樂和中，復有忘愁聲，因有此歌。」

三洲歌——唐書樂志曰：「三洲，商人歌也。」

採桑度——唐書樂志曰：「採桑，因三洲曲而生此聲也。」

楊叛兒——唐書樂志曰：楊伴，本童謠歌也。齊隆昌時，女巫之子曰楊旻，旻隨母入內。及長，為后所寵。童謠云：『楊婆兒，共戲來！』而歌語訛，遂成楊伴兒。」又古今樂錄云：「楊叛兒送聲云：『叛兒教儂，不復相思。』」

有作者姓名與故事，或採舊曲作新詞，或全為新製之樂曲，有以下八曲：

石城樂——唐書樂志曰：「宋臧質所作也。石城在竟陵，質嘗為竟陵郡，於城上眺矚，見羣少年歌謠通暢，因作此曲。」

烏夜啼——唐書樂志曰：「宋臨川王義慶所作也。」（按歌辭八首，皆情歌，想為民間舊辭，似非被放逐之臨川王所作。）

估客樂——古今樂錄曰：「齊武帝之所製也。帝布衣時常遊樊鄧，追憶往事作歌。使樂府令劉瑤管絃被之教習，卒遂無成。有人啓釋寶月善解音律，帝使奏之，旬日之中，便就諧合。敕歌者常重為感憶之聲，猶行於世。寶月又上兩曲。……」（按樂府詩集載五曲，末兩曲未註明作者，或即為寶月作。）

襄陽樂——古今樂錄曰：「宋隨王誕之所作也。誕始為襄陽郡，元郡二十六年，仍為雍州刺史，夜聞諸女歌謠，因而作之，所以歌和中有『襄陽來夜樂』之語也。」又宋書劉道產傳云：「劉道產……（元嘉八年遷）雍州刺史、襄陽太守……百姓樂業，民戶豐贍，由此有襄陽樂歌，自道產始也。」（按通典引裴子野宋略、宋書樂志，均云始於道產。今就歌辭九首而言，實爲民間樂歌，始於道產之說較可信。歌辭中並無「襄陽夜來樂」之句，和歌不載，亦不足憑，當非隨王之作。）

雍州曲——通典云：「雍州，襄陽也。」古今樂錄云：「簡文帝雍州十曲，有大堤，南湖，北堵等曲。並謂大堤曲亦出於襄陽樂。」按樂府詩集僅錄存三首。

襄陽蹋銅蹄——古今樂錄云：「梁武西下所製也。沈約又作其和云。隋書樂志亦言之。」

壽陽樂——古今樂錄云：「宋南平穆王爲豫州所作也。舊舞十六人，梁八人。按其歌辭，蓋叙傷別望歸之思。」

西烏夜飛——古今樂錄曰：「宋元徽五年荊州刺史沈攸之所作也。攸之舉兵，發荊州，東下。未敗之前，思歸京師。所以歌和云：『白日落西山，還去來』，送聲云：『折翅鳥，飛何處？被彈歸。』又宋書與唐書樂志，皆同此說。」（按歌辭五首爲情歌，與思歸之言不類。）

其他二十三曲，雖無本事，或爲舞曲，或爲倚歌，皆南朝西部民間歌曲而無疑。綜合來說，絕大多數還是情歌：有怨別，送別的歌；有思歸寄歡的歌；有及時行樂的歌；有採桑，拔蒲的歌；都是情意纏綿的。此外如梁武的感舊，如共戲樂的祝壽，佔極少數。其中多數是五言四句，少數有七言四句。也有兩種特別的格式：即壽陽樂九首，皆爲五、三、五言句、共三句第二與第三句爲韻。（一首缺二字，二首韻不叶）又月節折楊柳歌十三首，皆爲五、五、三、五、五言句，共六句，第四句三字皆用折楊柳三字。第一句與第三句同韻，第四句與第六句同韻。此種格式，實爲唐詞的濫觴。

又歌辭中，仍有用雙關語者，如楊叛兒：「歡欲見蓮時，移湖安屋裏。芙蓉繞牀生，眠臥抱蓮子。」詞意非常美妙。有的歌辭中也有方言，而且都是民間的口吻。與那些南朝的帝王與文人的華麗作品對比，完全是兩樣的。

㈠江南弄與上雲樂　古今樂錄曰：「梁天監十一年冬，武帝改西曲製江南上雲樂十四曲。江南弄七曲。即：江南弄、龍笛曲、採蓮曲、鳳笛曲、採菱曲、遊女曲、朝雲曲。上雲樂七曲，即：鳳臺曲、桐柏曲、方丈曲、方諸曲、玉龜曲、金丹曲、金陵曲。」

武帝此作，乃根據民間樂曲所改製，詞藻華麗，一派富貴氣象，與民歌有天淵之別。但從詩歌與音樂的結合而言，有三點是值得重視的。

㈠民間的樂歌，受到重視，且被採用以改製新樂與新詞。前有齊武帝的估客樂，復有梁武帝的江南弄與上雲樂，又有梁簡文與元帝的烏棲曲，以及沈約等文人之西曲諸歌。可知自士大夫的五七言詩脫離音樂後，至此又由民間的樂曲而復流行於朝廷士大夫之間。

㈡梁武帝的江南弄七曲，已有一定的格式，即七、七、七、三、三、三、三言句，共七句。第一第二第三句同韻，第五句轉韻與第七句同韻。第四句，乃摘第三句之最後三字成句。昭明太子三首、沈約四首，皆遵此格。這是詩樂結合的進步形式。若合以前各種歌曲而言，則子夜歌等等五言四句的形式、烏棲曲的七言四句的形式、壽陽樂的三句的形式、月節折楊柳的六句的形式，加上江南弄的七句的形式，這五種，都是以後詞曲的淵源。（唐人作採蓮曲等，便不依此形式，轉爲徒歌。）

至於上雲樂，大體上也是一種八句的定式，都是由三言、四言、五言等長短句組成的。不過有的多一二句，有的少一二句，可能是傳抄上有錯誤。

㈢這些樂曲，都規定有和聲。如江南弄和云：「陽春路，娉婷出綺羅」。龍笛曲和云：「江南音，一唱直千金」。採蓮曲和云「採蓮渚，窈窕舞佳人」。鳳笙曲和云：「弦吹度，長袖善留客」。採菱曲和云：「菱歌女，解佩戲江陽」。遊女曲和云：「當年少，歌舞承酒笑」。朝雲曲和云：「徙倚折耀華」。而昭明太子與沈約之作，和聲亦不同。上雲樂七曲，亦均有和聲。這種和聲，起於民歌，徒歌是沒有的。因知雖朝廷樂歌，亦沿用民間歌曲的形式。

㈣梁雅歌　古今樂錄曰：「梁有雅歌五曲。即應王受圖曲、臣道曲、積惡篇、積善篇、宴酒篇。」這五曲也是樂曲，每曲有定式，皆四言十二句。但只是箴銘式的教訓詞，與詩歌不同。

㈡北方的鼓角橫吹曲　舊題爲梁鼓角橫吹曲。因爲是梁時樂府所搜存奏用的胡樂，所以古今樂錄加上一個梁字，其實乃是北方（包括五胡十六國至北朝）樂曲的總稱。舊唐書樂志說的很明白：「北狄樂其可知者，鮮卑、吐谷渾、部落稽三國，皆馬上樂也。鼓吹本軍旅之音，馬上奏之，故自漢以來北狄樂總歸鼓吹署。魏樂府始有北歌，即魏史所謂眞人代歌是也。……其不可解者，咸多可汗之辭，此即後魏世所謂『簸邏廻』者是也。……吐谷渾又慕容別種，知此歌是燕魏之際鮮卑歌。其詞虜音，竟不可曉。梁有鉅鹿公主歌辭，似是姚萇時歌辭，華音與北歌不同。梁樂府鼓吹又有……等曲……與北歌校之，其音皆異。」

古今樂錄曰：「梁鼓角橫吹曲，有企喻、瑯琊王、鉅鹿公主、紫騮馬、黃淡思、地驅樂、雀勞利、慕容垂、隴頭流水等歌三十六曲。二十五曲有歌有聲，十一曲有歌（無聲）。是時樂府胡吹舊曲，有大白淨皇太子、小白淨皇太子、雍臺、擒臺、胡遵利、羌女、淳于王、捉搦、東平劉生、單迪歷魯爽、半和、企喻北敦、胡度來十四曲，三曲有歌，十一曲亡。又有隔谷、地驅樂、紫騮馬、折楊柳、幽州馬客吟、慕容家自魯企由谷、隴頭、魏高陽王樂人等歌二十七曲，合前三曲，凡三十曲，總六十六曲。……」

按樂府詩集錄存的歌辭，只十七曲，即：企喻歌、琅琊王歌、鉅鹿公主歌、紫騮馬歌（兩種）、黃淡思歌、地驅樂歌（兩種），雀勞利歌、慕容垂歌、隴頭流水歌、隔谷歌、淳于王歌、東平劉生歌、捉搦歌、折楊柳歌、幽州馬客歌、慕容家自魯企由谷歌、高陽樂人歌。此外有溫子昇之白鼻騧一首（即高陽樂人），及無名氏之木蘭歌二首。（按：尚有梁武帝與吳均之雍臺各一曲，足證北方諸曲乃梁所搜集並用之於梁樂府，亦足證古今樂錄所以稱梁鼓角橫吹曲之故。）

六十六曲中倖存之十七曲，共六十六首。其註有作者姓名或本事者，有以下六曲：

企喻歌——古今樂錄曰：「企喻歌四曲，或云後又有二句『頭毛墮落魄，飛揚百草頭』。最後「男兒可憐蟲」一曲，是苻融詩。本云：『深山解谷口，把骨無人收』。按企喻，本北歌。

琅琊王歌——古今樂錄曰：「琅琊王歌八曲，或云陰涼下又有二句云：『盛冬十一月，就女覓凍漿』。最後云：『誰能騎此馬，唯有廣平公』。按晉書載記：廣平公姚弼，興之子，泓之弟也。」

鉅鹿公主歌——唐書樂志云：「梁有鉅鹿公主歌，似是姚萇時歌，其詞華音，與北歌不同。」（按鉅鹿公主當爲北歌，但句中有「官家」及「皇帝陛下」等詞，想爲南朝所改譯。並可能是舞曲。）

紫騮馬歌——古今樂錄曰：「十五從軍征以下是古詩。

黃淡思歌——古今樂錄曰：「思音相思之思。按李延年造橫吹曲二十八解，有黃覃子，不知與此同否？」

高陽樂人歌——古今樂錄曰：「魏高陽王樂人所作也。又有白鼻騧，蓋出於此。」

據以上所擧，只有企喻歌中一首爲苻融作，高陽王樂人二首爲樂人作，則其餘六十三首均爲民歌無疑。這些民歌，大部都是五言四句，也有二句三句的，這種短章，和吳歌西曲都大體相同，自然是便於歌唱與合樂。

又木蘭辭，乃三百三十三字與二百三十二字的長歌兩首。此歌見於古今樂錄，當爲陳以前的作品。又有可汗、黃河、燕山、黑水等名詞，當爲北朝的歌曲。篇幅旣長，情詞淸逸，定爲文人所作，並不入樂。

綜合鼓角橫吹曲與淸商曲而論，可知都是由漢樂府曼衍下來的民間樂歌，其後採進於殿廷，爲貴族與士大夫所重視，制樂合舞，成爲新聲。這是詩樂結合的一種自然演變，比之於六朝文人的那些駢儷詩歌，在詞采上當然是不及；但就內容來說，用民間的語言，本眞摯的情感，寫現實的生活，既質樸，又活潑，令人分外感到親切，却另有一種粗布荊釵之美。

又南北兩種歌曲，由於民族性、地域性，與社會生活風俗習俗的不同，也顯著的表現了兩種不同的風貌。大抵北人剛健爽朗，刻苦耐勞；南人蘊藉溫柔，及時行樂；所以同是一類戀歌，便有兩樣的情況。北人習於馬上生活，着「鐵裲襠」，折柳作馬鞭，如「鷂子經天」，馳騁於平原曠野之上，勇於戰陣，淡於聲色，摩挲「五尺刀」，「劇於十五女」，故多「老女不嫁」之歎；南人則生活於山明水秀之鄉，纖腰玉指，採桑採蓮，或「絲髮披肩」，以博郎憐；或「憂歎流涕」，爲情顚倒。所以，北歌則如「蹀座吹長笛」；南曲則以「溫風入南牖」；蠻意與豪情，都同樣令人嚮往。又以北歌而論，邊塞與河洛不同；以南曲而論，吳聲與西曲亦異。茲不備述。

八、唐代詩樂之興盛與變革

隋代統一，李唐繼起。政治則南併於北，學術則北併於南。但詩歌音樂，則南北揉和，展開了一個新的局面。隋文帝平陳，得清樂，以爲華夏正聲，立清商署，置七部樂——國伎、清商伎、高麗伎、天竺伎、安國伎、龜茲伎、文康伎。又雜有疏勒、扶南、康國、百濟、突厥、新羅、綏國等伎——這時樂伎如此之多，當然在音樂上要發生變化。果然，據隋書樂志所載，到了開皇中期，龜茲樂則「大盛於閭閻」。其時「有曹妙達……等，皆妙絕絃管，新聲奇變，朝改暮易。持其音技，估衒公王之間，舉時爭相慕尚。」雖文帝仍令百官「對親賓宴飲，宜奏正聲」。但此風已盛，無法遏止。到了煬帝，更大行其道。煬帝大業中，定九部樂：即清樂、西涼、龜茲、天竺、康國、疏勒、安國、高麗、禮畢等九部。煬帝並不解音律，却「大製艷篇，辭極淫綺。令樂正白明達造新聲，創萬歲樂……等曲，掩抑摧藏，哀音斷絕，帝悅之無已」。隋志並列敘九部樂的來源及其歌曲、樂器、樂工等，其中多前朝所未有。據此種種記載，頗有似於漢武帝時代立樂府製新聲的盛況。可惜隋祚甚短，煬帝又過於荒淫專横，所以沒有什麼成就可言。又唐人所修之隋書所述，也許存有貶抑之見，對於新聲之說，並未解釋清楚。又所創各種樂歌，散佚失傳，使後世也無法比較研究。不過，就樂府詩集所載「泛龍舟」一曲而論，這乃是煬帝新聲歌曲之一。既不見得「淫綺」，而郭茂倩却列入於吳聲歌曲之中。是否因此曲作於揚州，遂誤列於吳聲？抑根本便是清樂，隋志所言新聲之說有誤？按樂府詩集中，尚載有煬帝春江花月夜二首，這乃是用陳後主之調而作，本是吳聲。又相和歌辭與清、平、瑟諸調中，也有煬帝及隋代文人如薛道衡盧思道等等的作品，則證明煬帝仍傾向於清樂，並不如隋志所云的醉心於龜茲之甚。但龜茲諸地的樂曲曾風靡於一時，也是無可懷疑的事實。這一事實，到了唐代還是存在，並且還發生了很大的影響。

唐代是文學的一個革新時代，各體文學到了唐代，都有新的面貌。唐代也是詩歌的黃金時代。一千多年後的今日，尚能讀到的唐詩有四萬八千九百多首，詩人有二千三百二十多家，其中包括帝王、百官、文士、僧尼以及倡伎。詩的製作，上承詩騷樂府，下啓詞曲戲劇以及寶卷、話本、彈詞諸體。

可以說是光前裕後，盡善盡美。

至於詩歌與樂舞的關係，除了朝廷在祭祀朝饗燕會等等一切典禮的傳統詩歌樂舞以外，值得加以叙述的，有以下三點：

㈠士大夫所創製的近體詩，或以樂府命題的古體詩（亦稱爲新樂府），或其他各種古風（或用歌、行、引、吟、謠……等命題，或因人因事立題），以及各種韻文（如銘、贊、哀、誄、辭賦等，均屬詩的支流）等，無不光芒燦爛，照耀後世。但這些都是徒歌，並不入樂。却也有採取其中一些絕句短詩以入樂的，這只是教坊與梨園所主動，詩人的這些詩，並非是爲了入樂而作的。

㈡由民間而發展的清商樂，以及由邊地鄰國所輸入的外來音樂，結合詩歌而成爲詞曲，這是一種新的文學。

㈢又有一種新的文學，乃是由民間俗講發展而成立的，名爲變文，或講唱文。是一種詩文合璧的體製，也可以用簡單的樂器配合奏唱的。

先就近體詩的形成加以說明：

近體詩包括兩體：一曰絕句——五言絕句與七言絕句（六言絕，唐人偶一爲之，不論）。二曰律詩——五言律、七言律、五七言排律。

五七言絕句，每首限四句，通首須協平仄（有平起、仄起，平韻、仄韻，二韻、三韻等式），按韻部用韻，不得通韻轉韻，不用重字。五七言律詩，每首限八句，通首須協平仄（亦有平起、仄起、平韻、仄韻、四韻、五韻等式），第二聯與第三聯必須對偶，按韻部用韻，不得通韻，轉韻，不用重字。五七言排律，亦稱長律，每首在八句以上，除首尾兩聯外，每聯皆須對偶，並按律詩之平仄重復用之。唐人何以製成近體詩？其成因有三：㈠五七言詩的發展，自齊梁以後，注重平仄，注重對偶，也逐漸趨向於四句或八句的短體，不過，沒有成爲一種固定的格律。唐人乃因勢利導而加以平仄對偶等等規定，遂成爲有格律的近體詩。㈡南朝至初唐，君臣之間，應制之詩風行，甚至評定優劣以給賞賜。五七言律，最適合於應制之作。（五言尤便，故多用五言）㈢高宗以後，進士科增試詩賦，爲了考試，必須有一標準，故律詩，排律（亦多用五言），乃應運而生。

但絕句與律詩的淵源，不盡相同。

絕句，乃淵源於樂府詩而來。漢樂府中，已有少數的五言四句詩，如上留田、枯魚過河泣等。（註三〇）到了兩晉南北朝的民間樂府，每首多數都只有五言四句。當時，因爲歌唱與合樂的關係，所以流行短體。以後士大夫文人，也效作四句短體，相習成風（亦稱小詩），且亦漸多七言四句。有的仍用樂府爲題，有的則純爲徒歌，連樂府題也不用了。此時的四句詩，也可以說是一種新體，只是沒有平仄等等的規定而已。（也有暗合於後世的平仄規定者，如江總的詩：「心逐南雲逝，形隨北雁來。故鄉籬下菊，今日幾花開？」又庾子山短詩，亦有合平仄者，但只是偶合，且屬少數。）

到了初唐，四句的短體，便漸有了平仄的規定（註三一），而成爲絕句。絕句的來源既然是樂府，因此，梨園教坊，除了由樂工撰寫的歌辭外，（教坊記中三百四十三曲中，五言四句者約二十三曲，七言四句者約二十四曲，其辭原多出自民間，或爲樂工所作。）又多採取文人的絕句來合樂歌唱。其實，作者不一定悟音樂，即使有些作品用樂府標題，也只是一種擬古的詩，仍然是徒歌性質。可是徒歌並非不可入樂，旣經採取入樂，便也就變成樂歌樂章了。

新唐書，王維傳：

寶應中，代宗語（王）縉曰：朕嘗於諸王座，聞維樂章。今傳幾何？遣中人王承華往取。縉裒集數十百篇上之。

全唐詩話：

祿山之亂，李龜年奔放江潭，曾於湘中採訪使筵上唱云：「紅豆生南國，春（秋）來發幾枝。勸君多採擷，此物最相思。」又：「秋風明月苦相思，蕩子從戎十載餘。征人去日慇懃囑，歸雁來時多附書。」此皆王維所製，而梨園唱焉。

按唐詩紀事引集異記載：王維善琵琶，擅歌唱，岐王令飾伶人，進新曲於太平公主第中。並出所爲文，爲公主所賞，由是得以解頭登第。惟新舊書皆不載此事，或有所疑，或有所諱。但記維曾爲太樂丞，又能辨別按樂爲霓裳第三疊最初拍事，則維之知樂律，當爲事實。

薛用弱，集異記：

開元中，詩人王昌齡、高適、王渙之齊名。時風塵未偶，而遊處略同。一日，天寒微雪，三詩人共詣旗亭，貰酒小飲。忽有梨園伶官十數人，登樓會讌。三詩人因避席隈。映擁爐火以觀焉。

俄有妙伎四輩，尋續而至，奢華艷曳，都冶頗極。旋則奏樂，皆當時之名部也。昌齡等私相約曰：「我輩各擅詩名，每不自定其甲乙。今者可以密觀；諸伶所謳，若詩入歌詞之多者，則爲優矣。」俄而一伶拊節而唱，乃曰：「寒雨連江夜入吳，平明送客楚山孤。洛陽親友如相問，一片冰心在玉壺。」昌齡則引手畫壁曰：「一絕句」。又一伶謳之曰：「開篋淚霑臆，見君前日書。夜臺何寂寞，猶是子雲居。」適則引手畫壁曰：「一絕句」。尋又一伶謳曰：「奉帚平明金殿開，強將團扇共徘徊。玉顏不及寒鴉色，猶帶昭陽日影來。」昌齡又引手畫壁曰：「二絕句。」渙之自以詩名已久，因謂諸人曰：「此輩皆潦倒樂官，所唱皆巴人下里之詞耳。豈陽春白雪之曲，俗物敢近哉？」因指諸伎之中最佳者曰：「待此子所唱，如非我詩，吾即終身不敢與子爭衡矣。脫是吾詩，子等當須列拜牀下，奉吾爲師。」因歡笑而俟之。須臾，次至雙鬟發聲，則曰：「黃河遠上白雲間，一片孤城萬仞山。羌笛何須怨楊柳，春風不度玉門關。」渙之即撇歈二子曰：「田舍奴？我豈妄哉？」因大諧笑。諸伶不喻其故，皆起詣曰：「不知諸郎君何此歡噱？」昌齡等因話其事。諸伶競拜曰：「俗眼不識神仙，乞降清重，俯就筵席。」三子從之，飲醉竟日。

按：這是一段非常有趣的故事。由這個故事，可以想像到當時詩人的生活和民間歌壇的一般情形，也可推想到這種風氣一定是由來已久，那些南北朝的民間樂府短歌，可能也是同樣情形，由歌伎在各處奏唱，只是那些詩人的姓名，遭歷史無情地埋沒而已。如果王昌齡等終身「風塵未偶」，下去，豈不也和那些無名詩人同一命運？（商女不知亡國恨，隔江猶唱後庭花。可知宮廷歌曲，亦奏唱於民間。）

丹鉛總錄：

唐人樂府，多唱詩人絕句。王少伯（昌齡）、李太白爲多，杜子美七言絕句近百，錦城妓女獨唱其贈花卿一首，所謂：「錦城絲管日紛紛，半入江風半入雲。此曲祇應天上有，人間那得幾回聞？」

新唐書、李賀傳：

……樂府數十篇，雲韶諸工，皆合之絃管。

新唐書，李益傳：

貞元末，名與宗人賀相埒。每一篇成，樂工爭以賂求取之，被聲歌，供奉天子。至征人早行等篇，天下皆施之圖繪。

唐語林：

李益詩名早著，征人歌一篇，好事者畫爲圖障，回樂峯前沙似雪，天下唱爲歌曲。

新唐書，元稹傳：

稹尤長於詩，與居易名相埒，天下傳誦，號元和體，往往播樂府。（按元白時，此風甚盛，樂天守杭州，微之贈詩云：「休遣玲瓏唱我詩，我詩多是別君辭」。自註：高玲瓏，樂人，能歌，歌余數十詩。又：樂天醉戲諸妓云：「席上爭飛使君酒，歌中多唱舍人詩。」又聞歌伎唱前郡守嚴郎中詩云：「已留舊政布中和，又付新詩與艷歌」。又微之見人詠韓舍人新律詩，戲贈云：「輕新便妓唱，凝妙入僧禪。」可見當時樂工妓女，皆愛唱詩人之詩。詩以絕句爲主，律詩亦偶入樂，教坊記中的樂曲，也有五言八句與七言八句多曲。（多用仄韻。）

根據以上所述，可知在元白以前，絕句入樂是很普遍的。此後，即少記載。因在元白以後，詞曲日益發展，如小秦王、紇那曲、羅貢曲、河滿子、楊柳枝、醉公子、拜新月、三臺、陽關、雨淋鈴、胡渭川、水調歌頭……等等，皆從絕句所改定，（還有加減或互用五七言絕句者，不勝舉，此皆非由近體所變，乃因襲六朝樂府而來，近體的絕句，便無採取入樂的必要了。

乙、律詩

其次說到律詩。律詩所包含的主要條件有四、一爲章句之規定，二爲平仄之規定，三爲對偶的規定，四爲用韻的規定。這四點，都存在於齊梁以後士大夫文人的詩中，不過沒有規定，尚不成爲一種格律。

以句數而言，南北朝詩人，比晉人的詩，較爲簡短。如宋顏延年的五君詠，五首皆五言八句，其他如秋胡詩九首，每首爲五言十句。謝惠連獻康樂詩五首，也是五言八句。鮑照奉詔所作白紵舞歌辭四首，乃七言八句。由此三例言之，可知詩人之作，漸重整齊一致。到了齊梁以後的詩，更多八句之作，幾乎成爲定式。故唐人律詩每首限用八句，並非創於唐，實因六朝的慣體。

以平仄而論，自永明詩人王融沈約等創四聲八病之說，所謂「五色相宣，八音協暢，由乎玄黃律呂，各適物宜，欲使宮羽相變，低昂舛節。若前有浮聲，則後須切響。一簡之內，音韻盡殊；兩句之中，輕重悉異。妙達此旨，始可言文。」（見宋書謝靈運傳論），於是，由古代詩歌的自然音響節奏，走向了人爲的四聲平仄的調協。也可說，由古代詩樂的配合，而轉向於詩句本身的音樂性的建設了。但齊梁以後的詩人，雖極力注意於四聲平仄的調協，可是還沒有形成爲固定的規律；只是在造句方面，或與句的對稱關係上，講求平仄的安排，以達到「浮聲」「切響」以及「低昂」「輕重」的妙旨；以全篇而言，所用的平仄，並不是一致的。因此，到了唐人便根據這種條件，選擇其中最流行而又最適合的一種八句體，全首加以規定，成爲格律。這便構成一種新體詩了。

又以對偶而言，自建安以來，駢字儷句，相習成風，詩人的才智，都向這一方面發展。賦成駢賦，文成駢文，詩歌樂府，無不競尚駢偶，以博聲華。故六朝的詩，沒有一首沒有對偶，而各種對偶，也都各逞才情，力求精妙。同時，對偶之間的平仄，也日趨和諧。永明所憧憬的美境，至唐人乃裁取六朝的精英，定爲格律，律詩的體製，便臻完美了。茲錄六朝詩數首，以逐步得到實現。

顏延之，五君詠：

阮公雖淪迹，識密鑒亦洞。沈醉似埋照，寓辭類託諷。長嘯若懷人，越禮自驚衆。物故不可論，途窮能無慟。

蕭綱，折楊柳：

楊柳亂成絲，攀折上春時。葉密鳥飛礙，風輕花落遲。城高短簫發，林空畫角悲。曲中無別意，
併是爲相思。

庾信，烏夜啼：

促柱繁絃非子夜，歌聲舞態異前溪。御史府中何處宿？洛陽城頭那得棲。彈琴蜀郡卓家女；織
錦秦川竇氏妻。詎不自驚長淚落，到頭啼烏恒夜啼。

試將以上三首詩加以分析研究，唐人五七言律詩的淵源，便可無待解釋了。

最後說到用韻的問題。按魏晉以後，聲韻之學日起。魏李登作聲類，晉呂靜作韻集，已開其端。
到了隋陸法言作切韻，唐孫緬重加刊定，改爲唐韻，審音精微，部類明切，聲韻的書，已臻完備。前
此古人作詩，完全按照古人聲韻，通轉自由，並無限制。以近體而言，旣然有別於古體，自然要改絃
易轍。古體用古韻，今體用今韻，使各切時宜，不相混淆。尤其是施之於科舉考試，更有因題限韻的
必要，因此，近體詩乃加多了一層格律，使詩人才士，更能增加其運思之美。

綜合以上四點來說——章句、平仄、對偶、用韻，這都是齊梁以來的文學特彩，也即是中國文字
的固有特質。將這種在文字上的特質所構成的文學特彩，充分的利用出來，構成爲一種詩的格律，這
在文學的發展上，是一種自然的趨勢，決非任何人所能獨創；也決非任何人所可阻止；完全是經過數
百年長期的歷史演進所形成的。所以唐代律詩的成立，乃是永明之花所結的果實。此後一千多年，歷
代詩人都用之不厭；因爲，它能保存着民族文學的面貌與血肉，而且也蘊涵着文字的音樂性與藝術性

等等優美的的因素在其中的。

九、詞的產生與詩樂舞的重新結合

詞，亦稱詩餘、近體樂府、樂章、琴趣、長短句、曲子、詞曲、或歌曲。這是詩歌與音樂再度結合的又一種新的體製；它是淵源於六朝民間樂府，經文人與樂人所改造發展而成立的。前文叙六朝樂府中已經說過，子夜歌等等的五言四句形式，烏棲曲的七言四句形式，壽陽樂的三句形式，月節折楊柳的六句形式，江南弄的七句形式，上雲樂的八句形式，這都是後世詞曲的淵源。除了子夜歌這種五言四句的形式，在六朝樂府中，幾乎佔有百分之八十的多數，無待引述說明外，其餘幾種，並類似詞曲形式者數種，分別引述如下：

西曲，壽陽樂。舞曲，宋南平穆王作。

可憐八公山。在壽陽，別後莫相忘。

按樂府詩集所錄共九首，除第六首脫二字外，餘皆同一形式，二三句成韻。

西曲，月節折楊柳歌：正月歌。

春風尚蕭條，去故來入新，苦心非一朝。折楊柳，愁思滿腹中，歷亂不可數。

按樂府詩集所錄共十三首（十二月加閏月），同一格式。未註作者姓名。第一句與第三句同韻（平韻），第四句與第六句同韻。（仄韻）

江南弄，梁武帝改西曲所製，共七曲。

衆花雜色滿上林，舒芳耀綠垂輕陰，連手蹀躞舞春心。舞春心，臨歲腴，中人望，獨踟躕。

按樂府詩集所錄，七曲之名不同，俱同一格式。一二三句同韻（平韻），五七句同韻（仄韻）。第四句，乃用第三句最後之三字成句。又昭明太子所作三首、沈約所作四首，也都同一格式。武帝七曲與昭明三曲，且均註有和辭，每曲不同。

上雲樂，梁武帝製，以代西曲，共七曲。

桐柏眞，昇帝賓，戲伊谷，遊洛濱。參差列鳳筦，容與起梁塵。望不可至，徘徊謝時人。（桐柏曲）

按樂府詩集所錄七曲，第二第三第五首，同一格式。二四六八句同韻。第一首少三字（少三言一句），第四首少二字（少三言一句，第六句多一字），第六首少五字（少五言一句），第六曲多六字（多三言兩句）。依第二第三第五首的作法及用韻而言，又依曲中所詠仙遊的意境而言，此外四首所少所多之字，顯爲傳鈔上的錯誤。

西曲，烏棲曲，梁簡文帝作。

芙蓉作舩絲作笮，北斗横天月將落。採蓮渡頭礙黃沙，郎今欲渡畏風波。

按此乃七言四句，因兩句一換韻，與絕句不同。簡文之作共四首，又元帝六首，蕭子顯、徐陵、陳後主三首，江總一首，及以後劉方平二首，王建、張籍皆有此作，全部同一格式。

又按簡文帝尚有雍州之曲，每曲皆五言八句。

沈約，六憶詩：

憶來時，灼灼上階墀。勤勤叙離別，慊慊道相思。相看常不足，相見乃忘饑。

按沈詩六首，逸三首，皆同一格式。隋煬帝倣此作夜飲朝眠曲，亦同格式。

徐陵，長相思：

長相思，好春節。夢裏恒啼悲不洩。帳中起，窗前咽。柳絮飛還聚，遊絲斷復結。欲見洛陽花，如君隴頭雪。

按蕭淳有和章，亦同一格式。

綜合以上幾種六朝樂府而言，都是在一種曲名下而形成了長短句或換韻的固定格式，所缺乏的，只是沒有平仄的規定而已（六朝樂府詩類似詞曲句法形式者尚多，但僅單獨一首而未能形成固定格式者不錄）。所以，可以肯定的說，這便是詞曲的淵源所在，也即是詞曲的最早雛形。

又，詞曲的形成，是與音樂相結合的。在詩歌的演變上，音樂的關係尤佔着主要的地位。漢樂府的成立，完全是民間的俗樂與外來音樂發展的關係。六朝樂府的改革，也是受了民間的俗樂與外來音樂的重大影響。六朝的民間的俗樂，前已言之，即南方清商樂中的吳聲與荊、郢、樊、鄧等地的西曲雜曲，及北方邊塞與河洛等地的鼓角橫吹樂。至於外來音樂，據諸書樂志所載，有以下多種。

舊唐書音樂志：

後魏有曹婆羅門受龜茲琵琶於商人，世傳其業。至孫妙達，尤爲北齊高洋所重，常自擊胡鼓和之。

又：

周武帝聘虜女爲后，西域諸國來媵，於是龜茲、疏勒、安國、康國之樂，大聚長安。胡兒令羯人白智通教習，頗雜以新聲。

又：

張重華時，天竺重譯貢樂伎。後其國王子爲沙門來遊，又傳其方音。

又：

宋世有高麗、百濟伎樂。魏平拓跋亦得之而未具。周師滅齊，二國獻其樂。

又：

西魏與高昌通，始有高昌伎。

又：

西涼樂，後魏平沮渠氏所得也。晉宋末，中原喪亂，張軌據有河西。苻秦通涼州，旋復隔絕，其樂具有鐘磬，蓋涼人所傳中國舊樂，而雜以羌胡之聲也。

隋書，音樂志：

西涼者……魏太武旣平河西，得之，謂之西涼樂。至魏周之際，遂謂之國伎。今曲項琵琶，豎篳篌之徒，並出自西域，非華夏舊器。楊澤新聲、神白馬之類，生於胡戎。胡戎歌，非漢魏遺曲。故其樂器聲調，悉與書史不同。

又：

先是周武帝時，有龜茲人曰蘇祗婆，從突厥皇后入國，善胡琵琶。聽其所奏，一均之中，間有七聲。因而問之。答云：「父在西域，稱爲知音，代相傳習，調有七種，以其七調，勘校七聲，冥若合符。……」

又：

（北齊）後主唯賞胡戎樂，耽愛無已……亦自能度曲，親執樂器，悅翫無倦，倚絃而歌。別採新聲，爲無愁曲，音韻窈窕，極於哀思……

據此，可知隋文七部樂與煬帝九部樂之由來。到了唐代，仍承隋代之風，胡樂盛行於朝野。舊唐書，音樂志：

高祖登極之後，享宴因隋舊制，用九部之樂。其後分爲立坐二部。今立部伎有安樂（周平齊舊樂）、太平樂（五方師子舞樂）、破陣樂（太宗造）、慶善樂（太宗造）、大定樂（出破陣樂）、上元樂（高宗造）、聖壽樂（高宗武后造）、光聖樂（玄宗造），凡八部。……自破陣樂以下，皆雷大鼓，雜以龜茲之樂，聲振百里，動蕩山谷。大定樂加金鉦。惟慶善舞獨用西涼樂，最爲閑雅。破陣、上元、慶善三舞，皆易其衣冠，合之鐘磬，以享郊廟。……坐部伎有讌樂（張文收所造，包括景雲樂、慶善樂、破陣樂、承天樂），長壽樂（武后造）、天授樂（武后造）、鳥歌萬歲樂（武后造）、龍池樂（玄宗造），破陣樂（玄宗造），凡六部。……自長壽以下，皆用龜茲樂，舞人皆著靴。惟龍池備用雅樂，而無鐘磬，舞人躡履。……

據此，當知外來音樂（包括跳舞）的勢力之盛。又據通典所載：「貞觀十六年十一月，宴百僚，奏十部。先是伐高昌，收其樂，付太常，增爲十部。」其後，又造「讌樂」而去「禮畢曲」（見樂府詩集）。是則十部之中，除清樂之外，其餘皆外來的新樂（到德宗十八年時，驃國又獻樂十二曲）。照舊的觀念來說，夷樂胡樂的盛行，這便是世衰道微政治敗壞的現象。如顏之推所云：「禮崩樂壞，其來已久。今太常雅樂，並用胡聲。請憑梁國舊事，考尋古典……」（見隋志）。這和漢成帝時宋曄的主張「放鄭近雅」，是一樣的論調（此類的論調甚多，不勝引述）。其實，雅俗不應分優劣，華夷更不關邪正。有了新的音樂，音樂才能發生新陳代謝的作用；有了新陳代謝的作用，音樂才能有進步。同時，音樂和詩歌是密切相關的。音樂有了進步，詩歌也會去陳更新。舊唐書樂志曰：「周隋以來，管絃雜曲將數百曲，多用西涼樂；鼓舞曲，多用龜茲樂；其曲度皆時俗所知也。」這正是說明詩歌和音樂都向新的方面發展。詞曲的產生，便亦淵源於此。（註三二）

音樂的進步發展，與六朝以來樂府漸漸演進成爲固定格式，這兩者的結合，唐代的新文學詞曲，便是在此種情形下產生的。

就文學演進的歷史與記載來說，唐初便已有了詞曲了。但是，初唐的詞曲記錄太少，最可能的原因：第一是失傳。試以十部讌樂而論，樂府詩集云：「凡讌樂諸曲，始於武德貞觀，盛於開元天寶。其著錄者十四調，二百二十二曲。」這些讌樂，也許多有歌辭，可是後世存者有幾？讌樂尚且如此，一般的詞曲便可想而知。第二是不被重視。因爲詞曲的初起，詞句不免粗淺，尤其是民間與樂工的詞曲，更爲野俗。在文人看來，這些不足以登大雅之堂的作品，自然不加抄錄；因此，最初只能口傳於民間。如新唐書宋務光傳，載神龍初，清源縣尉呂元泰，請禁民間演唱蘇幕遮而上書曰：「比見坊邑相率爲渾脫隊，駿馬胡服，名曰蘇幕遮。……安可以禮義之朝，法胡虜之俗？」即此，可見一斑。又如李白詩：「羌笛猶吹阿嚲廻」，張祜詩：「村笛猶吹阿濫堆」，可知民間樂歌的情形。到了後來，文人對此發生興趣，一面對民間的作品（很多是教坊樂工與市井間的賺人所作的。）加以潤色，一面本身也創作起來，交與教坊合樂歌唱。特別是在歌舞昇平的開元時代，玄宗懂音律，愛樂曲，於是詞曲有了地位，便也漸漸興盛起來了。

在清末的敦煌石室，曾發現過大量的唐代民間的詞曲寫本。見於彊邨遺書所錄的有雲謠集雜曲子三十首，羅振玉敦煌零拾所錄的七首，劉復敦煌掇瑣所錄的二首，日本橋川醉軒所傳的四首。還有大批未被抄錄而存在於倫敦博物院及巴黎圖書館所藏的那些敦煌文件之中。這些作品，都有不同的曲名，如南歌子、鵲踏枝、天仙子等等。詞句多數是白話，雜有方言俚語；但也有很文雅的句子，可見是經過文人加以潤色的。雲謠集更是由文人所搜集整編而成的。不過，這些詞曲，很多是長調（註三三），不可能是初唐的作品。其中有些短調，大約是作於中唐；至於那些類似北宋慢詞的長調，則可能出自於晚唐的民間。由文學演進的歷史來推想，晚唐既然有了長調，而那些疑似中唐的作品，又相當成熟，則初唐民間必然繼承六朝遺風，已經產生詞曲了。如劉禹錫的竹枝詞序云：「里中兒聯歌竹枝，吹短笛，擊鼓以赴節。歌者揚袂睢（起）舞，以曲多爲賢。聆其音，中黃鐘之羽，率章激訐如吳聲。雖傖儜不可分，而含思宛轉，有淇澳之艷。」據此，那些邊鄙鄉里的人，已經解唱竹枝，而且近於吳聲，可見流行普遍而又由來已久。同時，劉禹錫也就因此作了十幾首竹枝詞，由此也可證明文人的詞曲，却是受民間的影響而作的。

郭茂倩云：「凡樂府歌辭，有因聲而作歌者……有因歌而造聲者……有有聲有辭者……有有辭無聲者。」唐人的詞曲，應該屬於第一種，即因聲而作歌者。至於那些因歌而造聲者如王維李賀等人的詩被採入樂，及有聲有辭者如朝廷用於郊朝燕享的辭章，都不能置於詞曲之列。唐初承六朝隋代之風，音樂非常發達，前已言之。因此，那時曲調之多，可以想見。除了舊有曲調外，還不斷的有新曲調出現。如太宗時的黃驄疊曲、火鳳、眞火曲、穆護子，長孫無忌的傾盃曲，魏徵的樂社樂曲、打毬樂，虞世南的英雄樂曲，高宗時的春鶯囀、道調曲、祈僊曲，武后時的離別難（初名大郎神，亦名悲切子，怨回鶻），中宗時的石州、桃花行、合生歌等等，這些都是新樂曲。除離別難有辭，見於樂府詩集雜曲外，餘均無辭傳世。即使有辭，也可能是那些優人與樂工所塡。一般文人塡詞的風氣，這是還不普遍。

初唐的詞曲見於記載的，有以下的一段故事：

唐，孟棨，本事詩：

沈佺期以罪謫，遇恩，復官秩。朱紱未復，嘗內宴，羣臣皆歌廻波樂，撰詞起舞，因是多求遷擢。佺期詞曰：「廻波，爾時佺期，流向嶺外生歸。身名已蒙齒錄，袍笏未復牙緋。」中宗即以緋魚賜之。

又：

中宗朝，御史大夫裴談，崇奉釋氏。妻悍妒，談畏之如嚴君。……時韋庶人頗襲武氏之風軌，中宗漸畏之。內宴唱廻波詞，有優人詞曰：「廻波，爾時栲栳，怕婦也是大好。外邊只有裴談，內裏無過李老。」韋后意色自得，以束帛賜之。

唐，劉肅，大唐新語：

景龍中，中宗嘗遊興慶池，侍宴者遞起歌舞，並唱廻波詞，方便以求官爵。給事中李景伯亦起舞，歌曰：「廻波，爾時酒卮。微臣職在箴規。侍宴既過三爵，諠譁竊恐非儀。」於是宴罷。

（按第一句，原本作「廻波詞，持酒卮。」乃三言句，此據詞林記事所錄改）

根據這些記載，可知㈠廻波乃是一種舞曲。隋唐嘉話謂爲下兵詞，羯鼓錄作回婆樂。郭茂倩樂府詩集將李景伯一首，列於雜曲中，並云：「商調曲，中宗時造。蓋出於曲水引流泛觴也。」（這一解釋，或許是望文生義。我頗疑這乃是外來樂曲。北史爾朱榮傳載：榮「與左右連手踏地唱回波樂而去」。可證，又按朝野僉載楊廷玉一詞同，是此調已見於則天朝）。㈡廻波多行之內宴，亦可稱爲酒令詞。

優人與侍宴者均可隨時撰詞起舞。㈢在撰詞中，可以隨意發表意見，並藉此向帝王提出遷擢的要求。㈣歌辭已有一定的格式，羣臣所撰，都是依這種格式而撰的。只是第一句，顧亭林謂應作二四言讀；但廻波爾時四字，三首皆同，又似應作四二言讀。若以樂名論，作二四言讀爲是。萬氏詞律作六言讀似不妥。總之，最早的詞曲，只是先有了劃一的格式，至於平仄與句法，尚無嚴格的規定。故第一句的讀法，只要不妨礙音樂，可能是可以隨意變動的。

又本事詩尚有一則，也是詞曲的一種雛形。

崔日用爲御史中丞，賜紫。是時佩魚須有特恩（因見沈佺期得緋魚），亦因內宴，中宗命羣臣撰詞，日用曰：「臺中鼠子直須諳，信足跳梁上壁龕。倚翻燈脂污張五，還來齧帶報韓三。莫浪語，直王相。大家必若賜金龜，賣卻猫兒相賞。」中宗亦以緋魚賜之。

按崔日用所作，從格式、語調、換韻、長短句幾點來說，顯然也是一種詞曲。因爲在內宴，當時必然是依樂曲而作，可惜的是沒有標明樂曲的名稱而已。

到了明皇時代，文人塡詞之風，便已開始。原因是：上自帝王，下至民間，對於音樂的愛好，日盛一日。新的樂曲，不斷的增加。文人們，除了從事於正統文學的創作外，也以塡詞合樂爲樂事。尤其是古近體詩所不易表達的情事，可以藉詞的長短句表達出來。既自由，又輕鬆，更富有語趣，詩樂合一，雅俗共賞。

先從明皇談起。新唐書樂志云：「玄宗既知音律，又酷愛法曲。」據舊唐書樂志云：「玄宗在位多年，善樂音……又於聽政之暇，教太常樂工子弟三百人，爲絲竹之戲。音響齊發，有一聲誤，玄宗必覺而正之，號爲『皇帝弟子』，又云『梨園弟子』，以置院近於禁苑之梨園。太樂又有別教院，教供奉新曲。……又製新曲四十餘，又新製樂譜……。」（註三四）以皇帝之尊，而親自教導樂工子弟，足見他醉心音樂之深，在歷史上是罕見的。由於他的醉心音樂，於是也就促成了一種與音樂關係密切的新文學而由文人所創作的詞曲。唐代文人正式創作詞曲，當始於開元。（註三五）

新唐書李白傳：

帝（玄宗）坐沈香子亭，意有所感，欲得白爲樂章。召入，而白已醉，左右以水頮面，稍解。授筆成文，婉麗清切無留意。……

舊唐書李白傳：

玄宗嘗自度曲，欲造樂府新辭。亟召白。白已醉臥於酒肆，召入，以水灑面，即令秉筆。頃之，成十數章。

松窗錄：

開元中，禁中重木芍藥。會花方繁開，帝乘照夜白，太眞妃以步輦從。李龜年以歌，擅一時之名。帝曰：「賞名花，對妃子，焉用舊辭爲？」遂命李白作清平辭（調）三章，令梨園弟子，略撫絲竹以促歌，帝自調玉笛以倚曲。

雲想衣裳花想容，春風拂檻露華濃。若非羣玉山頭見，會向瑤臺月下逢。

一枝紅艷露凝香，雲雨巫山枉斷腸。借問漢宮誰得似，可憐飛燕倚新妝。

名花傾國兩相歡，長得君王帶笑看，解釋春風無限恨，沈香亭北倚闌干。

按這三首清平調，即是樂府，又是絕句，也就是最早的詞。主要的原因，是詩樂相結合的。也合於文學的演進原則，最早的詞，在句法上一定是近於詩的。教坊記中三百多詞曲中，有五十多首是五七言詩句構成的。（前已言之。）

宋黃玉林絕妙好詞，譽李白為百代詞曲之祖，並沒有錯，只是相傳的李白作品，有許多並非李白所作，則是事實。相傳為李白作品的有桂殿秋二首、連理枝二首、菩薩蠻三首、憶秦娥一首、清平樂五首。這些作品，經後人考證，大多認為都是偽託之作。只有菩薩蠻中平林漠漠煙如織一首與憶秦娥一首，仍多認為李白之作。雖筆叢據唐末蘇鶚的杜陽雜編，以為菩薩蠻起於大中初（宣宗），李白時不應有此調，但唐玄宗時崔令欽教坊記中，明明列有菩薩蠻之名。胡適之詞的起源中說是為後人所添入，這完全是臆斷，不能成定論。至於憶秦娥一首，根本沒有人懷疑為李白所作，只是筆叢說：「太白在當時直以風雅自任，即近體盛行七言律，鄙不肯為，寧屑此事？」這簡直不成為理由了。難道，凡作詞者便不以風雅自任？（按李白尚有奉詔所作之宮中行樂詞八首，實為工整的五言律體，當亦屬於樂歌，故樂府詩集列為曲辭。前引新舊唐書二則，想即指此八首樂章而言。）

其實，和李白先後同時的張志和、張松齡、顧況、戴叔倫、韋應物等人，都是以風雅自任的人，也都是最早的詞人。其餘如顏眞卿、陸羽、徐士衡、李成矩、柳宗元、南卓等名臣名流，都曾和張志和唱和過漁父詞。（註三六）可見詞的產生，應在開元之世；以李白爲首，並不錯誤。只以清平調三首而言，便已當之而無愧了。

至於另一批詞曲之祖，可惜都是些無名詞人。這些無名詞人，就是當時教坊樂部的那些優人樂工。據教坊記所錄，當時的曲名有三百二十四種之多（尚有別見之十九曲，共三百四十三曲）。這些樂曲，在奏唱的時候，當然有辭。舊唐書樂志：「開元以來，歌者雜用胡夷里巷之曲。（胡夷之曲，當係那些獻天花、憶漢月、臥沙堆、婆羅門、穆護子、南天竺、穿心蠻、龜茲樂、突厥三臺……等等。里巷之曲，當係漁父引、采蓮子、鵲踏枝、楊柳枝、河瀆神、竹枝子……等等）既然有歌者，當然有辭而無疑。如前引松窗記中，玄宗說：「賞名花，對妃子，焉用舊辭爲？」可爲明證。這些舊辭，可能是那些民間與優人樂工們所作的。可惜這些作品和作者姓名，沒有流傳下來，否則，也用不着後人爲此發生懷疑和爭論了。至於開元軼事載有玄宗春光好一闋，疑爲僞託，故不錄。

只是，這時的詞曲，格律還沒有完全固定。如李白的清平調三首，與張志和漁父詞五首，平仄都不一致。到了戴叔倫、韋應物、王建等的團扇令等作，平仄雖間有出入，但大體已趨一致。到了白居易、溫庭筠以後，可以說詞的格律眞正建立起來了。從此，詞由詩的附庸地位而漸漸蔚爲大邦。經五代到北宋，詞律更加嚴格，作法也眞正脫離詩而完全獨立。而且，在體製上更日趨擴展而完備。不但由小令而趨尚長調，如：引、近、慢曲、犯調、摘遍、雙調、三疊、四疊、序子、疊韻等等，更進而趨尚法曲、大曲、曲破、傳踏、鼓吹曲、諸宮調、賺詞、雜劇詞、聯章詞等等。

令——詞的最初體製稱令，或小令。

引——乃由小令引而長之，如千秋歲引，較千秋歲爲長。此外如梅花引、雲仙引、迷神引等等。都成長調。

近——乃與小令音調相近，更引而長之，如訴衷情近，較訴衷情爲長。其他如祝英臺近、荔枝香近，也都成長調。

慢曲——乃由小令或中調更引而長之，如浪淘沙慢，較浪淘沙多百餘字。其他如木蘭花慢、鼓笛慢、聲聲慢等等，都是長調。

犯調——犯調起於唐，如則天朝「劍氣入渾脫」，劍氣宮調，渾脫角調，此爲犯調之始。明皇時樂人孫處秀，善吹笛，好作犯聲，時人效之，因有犯調。如正宮之調，正犯黃鐘宮，旁犯越調，偏犯中呂宮，側犯越角之類，由一調可以犯他調之腔，至三犯、四犯，較原調爲長，類似於慢曲。如犯調江城梅花引、犯調江月晃重山、側犯、淒涼犯、三犯渡江雲、玲瓏四犯、四犯剪梅花等等。

雙調——由小令而多加一疊。如雙調伊州三臺，較三臺多一疊；雙調憶江南，較憶江南多一疊，類此甚多。

三疊、四疊、序子、疊韻詞——雙調更加一疊，如三疊三臺；如小梅花將梅花引兩段合併，再加一疊，字數加倍，等於四疊，亦稱疊韻詞。其他如梁州令疊韻，亦同。又如鶯啼序爲四疊，亦稱序子，爲慢詞中最長之一體。

摘遍——乃從大曲或法曲摘取一遍，成爲散詞，謂之摘遍。如薄媚摘遍，乃摘取薄媚大曲中入破第一之一遍。其他都類於此。

以上均爲散詞的體製。

法曲——法曲本起於隋唐，謂之法部。有破陣樂、一戎大定樂、長生樂、赤白桃李花，餘曲有堂堂、望瀛、霓裳羽衣、獻仙音、獻天花之類，總名爲法曲。

大遍、大曲——大曲爲舞曲，起於漢，曲前後有「艷」，有「趨」，有「亂」。至少在三解以上。到了唐代，以遍數多者爲大曲。碧雞漫志云：「凡大曲有散序、靸，排遍、攧、入破、虛催、實催、袞遍、歇拍、殺袞，始成一曲，謂之大遍。」沈括夢溪筆談云：「所謂大遍者，有序、引、歌、䎲、嗺、哨、催、攧、袞、破、行、中腔、踏歌之類，凡數十解。每解有數疊者，裁截用之，謂之摘遍，今之大曲，皆是裁用，非大遍也。」故後世所傳者有不及十遍者，可知乃詞人樂工所裁截。如樂府詩集所錄之涼州歌散序三遍，排遍二遍；伊州歌排遍五遍，入破五遍皆是。

曲破——起於唐五代，乃舞曲。亦稱劍舞，宋史樂志稱：「太宗曉音律，製曲破二十九。曲破以歌舞演故事，曲中有破，有徹，乃截大曲入破以後用之。」

傳踏——歌舞相兼者曰傳踏（見曾糙，樂府雅詞上），亦稱傳摭、轉踏（見碧雞漫志）、纏達（

見夢粱錄），以一曲連續歌舞。每一首詠一事，若干首便詠若干事。後亦合若干首詠一事。

鼓吹曲——合數曲以組成一樂，謂之鼓吹。宋大駕鼓吹，恒用導引、六州、十二時三曲。梓宮發引，則加祔陵歌；虞主回京，則加虞主歌；各爲四曲。南宋郊祀，則於前三曲外，加奉禋歌、降仙臺二曲，共爲五曲。

諸宮調——合若干宮調曲以說唱故事，謂之諸宮調。如碧雞漫志云：「熙寧、元豐間，澤州孔三傳，始創諸宮調古傳，士大夫皆能誦之。」夢粱錄云：「說唱諸宮調，汴京有孔三傳，編成傳奇靈怪，入曲說唱。」按今傳金董解元之西廂，即諸宮調，此可能亦受變文之影響。唐盛於詩，故變文用詩；宋盛於詞，故此用詞。

賺詞——合一宮調若干曲以成一體，稱賺詞，亦稱賺鼓詞，以鼓板說唱。似爲變文的別體，今不傳。

雜劇詞——用大曲、法曲、諸宮調、或普通詞調組成，以演唱故事。至元遂爲雜劇。

聯章詞——多詞相聯詠一題。如樂府雅詞之九張機，九首相聯。或十首相聯詠一事，如趙令時之十首蝶戀花詞，合演崔鶯鶯張生故事。（亦即鼓詞，見後），亦有分題聯章者，如宋人之八首或十二首調笑轉踏，每首演一美人事迹。聯章與轉踏同。

以上乃由多數散詞組成爲一體之成套詞。

由各種體製而言，可以知道兩宋三百年間的詞的進步以及詞與樂舞的關係之密切，是文學史上的一大特色。若再以詞的境界而論，更給詩歌文學表現了另一種異彩。

詞的境界，最初只是描繪景物，發抒感慨；漸漸的便偏重在以刻劃男女愛情爲主。因爲漢魏以來的詩人，除了那些爲人所不滿的宮體詩人外，很少描寫男女愛情，尤其是關於本人的愛情私生活，幾乎沒有人肯寫在自己的詩中。即使要寫，也是躲躲閃閃的用含蓄寄託的方法，暗示出來。可是到了詞曲產生了，詩人們似乎得到了一個自由歌詠的新天地。五代十國的詩人，穠詞艷句，多數是寫愛情。到了宋代，風流浪漫的柳永、秦觀、周美成等等，固不必說；即剛直嚴正的名臣如晏同叔、歐陽修、范仲淹等，也都有不少廻腸盪氣的艷曲。特別是自蘇東坡時代開始，詞的境界便廣濶了。言情之外，感時、弔古、懷人、詠物、遊覽、贈答、諷刺、議論……無所不包。直可以與古近體詩，分庭抗禮，並駕齊驅。其後，不但與詩並駕齊驅，而且還由散詞進步到成套的詞以歌詠故事，這樣，更加走向詩的前頭以發展成爲元代的散曲與劇曲。加以，兩宋的詩人，無不能詞，並且有的詞人，以詞爲主，成爲專家。自帝王以下，文臣武將、販夫走卒、或作或唱，相習成風。詞調增加到八百七十餘調，一千六百七十餘體，（此根據詞律所錄。至歷代詩餘所載爲一千五百四十調，欽定詞譜所載爲二千三百二十六體）可以說是洋洋大觀了。

又後世的詞，有的是爲了合樂而作的。所以詞一作成，便付與教坊樂工或倡伎奏唱。但有的並不是爲了合樂而作，只是紙面上的詞，而非管絃上的詞。因此，宋以前的詞，大半還眞正可以合樂；到了宋以後，劇曲起而代之，詞便與音樂脫離關係，與古近體詩同一性質了。

十、唐宋民間新文學之產生及其發展

唐代另一種略與音樂有關的新文學，乃是產生於民間的變文。變文當時亦稱俗講，後亦稱佛曲、俗文、或講唱文。它的來源很早，乃是爲宣傳佛教而產生的。

佛教在後漢時便傳入中國。經兩晉南北朝而日盛一日。最初注重於佛經的翻譯工作，到了唐代，幾乎所有重要的佛經，都有了譯本。既然有了佛經，則宣傳佛經的工作，當然也同等重要。佛經中，有的是用詩歌的體裁寫出的，如馬鳴所作的佛所行讚經，便是一種韻文。這種韻文，自然也是爲了方便於宣傳而寫的。同時，也許當時印度還有一種專爲宣傳佛經而用的文體，以講解與歌唱並行的方法，以吸引聽衆，廣播佛音。這種文體，移用到中國來，便成了唐代民間所盛行的變文。

變文的組織是先舉一段經文或一段佛的故事，再用散文或駢文來解釋經文或講解故事，最後又用歌唱的韻文來闡明經文或叙述故事。也有先歌唱後講解；也有歌唱與講解交相爲用。散文或駢文都很淺顯易懂，詩歌則以七言句爲主，也夾雜着三五言或六言，都力求通俗。所以稱爲變文，或係根據文心雕龍通變篇所謂「變文之數無方……文辭氣力，通變則文……通變無方，數必酌於新聲」一詞而來，或係表示在正統文體外的一種變體，如子夜變、觀聞變之類。

這種變文，可能起於六朝而盛行於唐。因爲其中駢散文並用，可爲證明。又最初是專爲宣傳佛教經文與故事而用，後來却擴大到非佛教的歷史故事或民間故事，也用變文來講唱。這種改變，或許是起於唐代，因爲唐代小說開始發達，所以變文也受到這種影響。

變文埋沒了一千多年，直到六十多年前，發現敦煌石室，才重現於世。最初發現的是匈牙利人斯坦因，後來法國人伯希和也追跡而至。所以大部份重要文獻，都給他們運走。其中變文的大部分，也多分藏在倫敦博物院與法國圖書館。有一部分保存在北平圖書館及私人收藏家。經許多學者的傳鈔理整，先後發表印行的有數十篇之多。羅振玉的敦煌零拾、劉復的敦煌掇輯、陳垣的敦煌刦餘錄等書中，各有一部分。最近，並有敦煌變文的單行本發行。說經或宣講佛經故事的有維摩詰變文、阿彌陀佛變文、地獄變文、父母恩重經變文、八相成道變文、目蓮變文等等。非佛經故事的有伍子胥變文、王昭君變文、舜子至孝變文、張義潮變文等等。

這種變文，在當時是由講唱人，一面講一面唱的。在他唱的時候，有簡單的樂器如鼓板之類，幫助節奏，有沒有管絃伴奏則不得而知，若以它所演變於後世的話本、寶卷、鼓詞、彈詞、道情等等而言，則或許也用弦索的。這在民間，確可稱爲詩樂結合的一種新文學。

茲將變文所演變的幾種民間文學，分別簡述於後：

㈠話本　宋代有一種專門講說故事的人，名爲「說話人」，他講說故事的底本，稱爲話本。也稱爲平話、評話、詞話、詩話等等。這便是由「講唱人」講唱佛經故事或民間故事所演變而成的。這些話本，在開始或結尾，一定有詩或詞；故事的中間，到了最精彩的時候，也穿插一些詩或詞。這便是變文的進步形式。在當時，詩詞的部分，可能也是歌唱的。以後，這些話本進步到元明的章回小說，如三國志、水滸傳、西遊記……等等，依然附有詩詞，可見這仍是由變文而一貫遺傳下來的。

㈡寶卷　變文到了宋代以後則改名爲寶卷，內容大體相同，還是偏重於宗教性質，許多家庭或善男信女的團體，定時舉行「宣卷」，也即是講唱寶卷。宣卷的時候，是用木魚作節奏，也有鈴、鼓、琵琶（近代改用月琴或洋琴）等音樂伴奏的。現存的寶卷，如銷釋眞空寶卷、香山寶卷、目連救母寶卷等，都是佛教的故事。此外如孟姜女寶卷、白蛇寶卷等，則是民間故事。二十年前各地坊間，尚有這些印本發售，現在則已無從買到了。

㈢鼓詞　最早叫鼓子詞，也是變文演進下的民間文學。講唱人以鼓來作節奏，同時也間用管絃樂器。鼓詞多是講歷史故事和民間故事，已脫離了宗教意味。性質上和話本相近，不過話本以講說爲主，鼓詞則又講又唱。

最早的鼓詞是元微之崔鶯鶯商調蝶戀花詞，乃宋代趙德麟所作。到了明代，更爲盛行，有大明興隆傳、亂柴溝、平妖傳、三國誌、忠義水滸傳、珍珠塔等等，文詞比變文寶卷爲雅潔。

㈣彈詞　鼓詞盛行於北方（寶卷亦同），彈詞則盛行於南方，兩者的性賞相同。所不同的，鼓詞以鼓爲節奏，彈詞則用琵琶伴奏（以後改用三弦）。至於各地的彈詞，名稱也不一樣。如在福建則叫作評語，在廣東則另名木魚書。（用古箏、琵琶、或三弦伴奏）彈詞是唱詞多於說詞。最著名的書有楊愼所作的二十一史彈詞。還有長至六百七十四回的安邦、空圓、鳳凰山等彈詞。與西漢、東漢、北史彈詞等，都是唱歷史故事。至於民間故事的彈詞，則有三笑姻緣、玉蜻蜓、珍珠塔、白蛇傳、綉香囊等等。

又彈詞與鼓詞，到清代演進爲大鼓書，盛行於北方。有京音大鼓、梨花大鼓（山東）、奉天大鼓等。也是唱時多，說時少。此外，如南方民間的道情與花鼓詞，如鳳陽花鼓之類，也是由鼓詞與彈詞演進的。

十一、元代散曲，劇曲及其演變

根據文學發展的歷史來看，每一種新的文學產生，尤其是詩與音樂相結合的新文體，最初的醞釀時期，必然是在民間；到了士大夫文人的手裏，才逐漸的發展，逐漸的成熟。同時，這種詩樂相結合的新文體，最初也特別注重音樂，聲辭兼顧；但到了後來，便力求紙面上的詞藻華麗，呈現着作者的才情巧思，對於音樂，也就無形中棄之如遺了。風雅如此，楚辭如此，漢樂府如此，宋詞亦如此。詞，本產生於音樂，詩樂相結合才是詞的本體。可是宋代的詞人中，有的是懂音樂的，有的並精於音樂而能自度曲的。所以他們的詞，乃是爲了合樂而作，詞一作成，便付與教坊樂工或倡優奏唱。但有的詞人却不懂音樂，不憎詞律，只是依譜塡詞，成爲紙面上的詞而非管弦上的詞。因此，當詞正盛行的時候，另一種詞樂相合的散曲與劇曲，也又從民間醞釀而產生了。

曲，亦稱樂府、詞餘、葉兒。分爲兩種：一爲散曲，一爲劇曲。散曲分兩種：一爲小令，一爲套散曲，與詞的形式大體一致，完全是由散詞所演變出來的。㈠曲的宮調（北十四，南十三）即詞的宮調（十七宮調）。㈡曲的調名（曲牌）多同詞的調名（詞牌）。（曲牌北曲約四百五十調，南曲約一千三百五十調）。㈢詞的散詞，成爲曲的小令。㈣詞的犯調等，成爲曲的帶過曲與集曲。㈤詞的聯章等，成爲曲的重頭。㈥詞的摘遍成爲曲的摘調。㈦詞有大遍、諸宮調、賺詞等等，亦即演成爲曲的套數（亦稱爲套曲或散套。也稱爲大令）。㈧詞的大遍，無論法曲大曲，都有散序歌頭；演成套數，其中也有散板引子。㈨詞的大曲有殺袞，演成套曲亦有尾聲。㈩詞的諸宮調一宮多調，其後諸宮調可以聯套即變爲曲。再進而可以借宮，可以聯合南北曲成套。凡此，都是相因相循的。

至於不同之點當然也不少。這是因爲世移時易，一切都有變遷。詞既演變而爲曲，自然便形成了曲的特質。主要的變遷，第一是音樂。因爲金元的音樂與宋樂不同。王世貞詞評說：「曲者，詞之變。自金元入中國所用胡樂，嘈雜淒緊，緩急之間，詞不能按，乃更爲新聲以媚之。」王驥德曲律云：「元時北虜達達所用樂器如箏、蓁、琵琶、胡琴，渾不似之類，其所彈之曲，亦與漢人不同。」可知曲雖用詞調詞牌，而曲的音樂則不同於詞的音樂；曲譜與詞譜，顯然有別了。何況當時的胡曲，不斷輸入，如大曲中的哈八兒圖、口溫、蒙口搖落四……等；小曲的哈兒火失哈赤、洞洞伯……等；回回曲的伉俚、清泉當當……等。（見輟耕錄）這和漢曲自然都格格不相入。於是，在這種情形下，必然產生新的音樂。第二是語辭之不同。詞的用語用辭，已不同於詩，曲的用語用辭，亦不同於詞。宋詞中本已雜用俚語方言，朝野溝通，詞風普及。後來的詞，一味堆砌辭藻，雕琢粉飾，反而失去詞的本色。到了元曲，則儘量的利用俚語方言，務使市井通行。而且，曲調雖同詞調，但句法字數，不必盡同。句首句中，可增加襯字。不但更爲接近音樂；在情意的表達上，尤爲明朗暢達，增加妙趣。又，曲比詞的作法，較爲活潑自由。所以，詞雖較詩更善於描寫，但是還嫌過於含蓄，過於文雅；在曲中則不然。無論什麼題材，都可以痛快淋漓，暢所欲言；尤其關於人情愛慾的描寫，更爲詩詞之所不能達。第三，詞律分陰陽平、上、去、入，五聲；曲則北曲分陰陽平、上、去，四聲，南曲分平上去入四聲，並各分陰陽。又詞韻分十九部，平上去聲共十四部，入聲五部；曲則分二十部，平上去聲只十二部，入聲八部。這些，都是與音律歌唱相關的。再者，詞有二疊三疊四疊，曲的小令則可略而不疊，故詞可長至二百餘字，而小令則大多不滿百字，較爲輕鬆。

總之，曲乃脫胎於詞。最初，聲音容貌，還多少近似於詞；其後愈變愈遠，便完全脫離詞而獨立了。這種情形，和詞的脫離樂府詩而獨立是相同的，還有一點也相同。就是曲的本體，原是和詞一樣，乃是與音樂相結合的。但後來散曲的作者，也漸漸走向重辭義而不重聲音的道路，故名爲曲而實等於徒歌。因此，散曲雖曾盛極一時，後來也只徒具形式。而眞正保持詩樂或舞的結合而不可分解的，只有劇曲。

劇曲當時名雜劇，乃是包括詩歌、音樂、舞蹈、動作、語言，並結合小說與歷史故事而表演於舞台上的一種綜合性的文學。它的淵源是兩方面合起來的：一方面是詩詞曲的發展所促成，一方面是由歷代的倡優表演的進步而促成的。

在周代，有晉之優施，楚之優孟等，到漢代，有常從倡、黃門倡、象人，都是歌舞演唱的人員。漢武帝時有角抵戲，即後世所謂百戲，乃是一種雜技與歌舞表演。後漢到晉初，有參軍戲（配角爲蒼鶻），乃是一種滑稽喜劇。到了北齊，歌舞與故事的表演合一，如代面（如蘭陵王入陣曲，即化裝的歌舞表演）與踏搖娘（扮演故事的歌舞表演），以及所謂撥頭戲。（一名鉢頭，傳自西域。故事表演）這可以說是戲劇形式的開始。隋唐五代時，參軍戲特別盛行，以表演歷史故事爲主。此外尚有傀儡劇、影劇、三教、打夜胡、訝鼓、舞隊、假婦人、弄賈大獵兒、排闥戲等等。到宋代，大多承於前代，有滑稽戲、歌舞戲、講唱戲等等，都是包括着故事的歌舞演奏的。這是戲劇的演進的簡單經過。

另一面，由於宋代詞的發展，由散詞演進爲轉踏、聯章、大遍、鼓吹曲、諸宮調與賺詞等等成套詞，最後成爲雜劇詞（註三七）。在金代便產生一種院本，與宋雜劇詞同一性質。到了元代，散曲既然發達，加以宋雜劇與金院本，於是詞曲與戲劇的傳統正式結合起來，便成爲元代的雜劇——劇曲了。

雜劇的組織，最初限於四折，即每一套數，成爲一折，限用一宮調，一韻到底，但在劇首或劇中，可以加一楔子，等於五折（亦有二楔子的，這是例外）。劇中除曲詞外，尚有「賓」「白」（兩人相說曰賓，一人自說曰白）。又有表示動作的名詞叫做「科」「介」。演劇時所用的物件叫做「砌末。」劇中的角色，有「末」有「旦」（常爲主角。末有正副、外末、冲末、二末、小末等；旦有正副，老旦、大旦、小旦、色旦、搽旦、外旦、貼旦等）。有「凈」有「丑」。又，每一劇本的最後，有一散場的題目正名，標明劇本的內容，作爲閉幕的告白。這是每一完全劇曲所必需的。

雜劇每折只由一人獨唱，甚至四折由一人獨唱到底，其餘演員，只有對白。但楔子中或曲尾中，亦偶有其他演員歌唱的，這是例外。

雜劇原產於北方，後來傳移到南方，稱爲南曲（舊的稱爲北曲）。南方本有南劇，在南宋時便已流行，由民間小曲俚歌雜合而成，是一種很自由的大衆化戲劇。元代中期，還是存在。及中原的北曲南移，南戲受了很大的影響，於是不能不調和南北，加以改良。改良後的南曲劇本，不限定齣數（即折數），長短可以自由。每齣也不限於一定的宮調，並可以換韻。同一齣中，每個角色可以分唱或合唱。這樣，便從北曲的種種限制中解放多了。又南北曲所用的樂器樂譜，都不一樣；曲的音調，自然也各異。至於南北民情風俗不同，歌曲的精神亦顯然異趣。魏良輔曲律云：「北主勁切雄麗，南主清峭柔遠。北字多而調促，促處見筋；南字少而調緩，緩處見眼。北則辭情多而聲情少；南則辭情少而聲情多。北力在弦；南力在板。北宜和歌，南宜獨奏。北氣易和，南氣易弱。」這些分析，如非精於南北曲者，不易審辨。但遠從詩經與楚辭以及南北朝的樂府而論，南北文學各有其特性，則是毫無疑義的。

此後，南曲較北曲更爲流行，發展到明代，便成爲傳奇。傳奇盛行之後，雜劇便無形淹沒。但傳奇在文人手裏，漸漸又在詞藻上用功夫，重文言，尚駢儷，只遷就了少數人的口味，於是便離民衆日遠。在這種情形之下，傳奇又不能不變了。

當南戲盛行的時候，曾因地域的不同，產生了各種不同的地方腔。據徐渭南詞叙錄說：「今唱家稱弋陽腔者，則出江西；兩京、湖南、閩、廣用之。稱餘姚腔者，出會稽；常、潤、池、太、揚、徐用之。稱海鹽腔者；嘉、湖、溫、台用之。惟崑山腔，止行於吳中。」可知淮河以南，地方戲劇的腔調之多。後來，魏良輔與志同道合的許多有音樂興趣而亦精於音律的朋友，用了十年以上的苦功，改良崑腔（包括音樂與曲詞），加以梁辰魚自翻新調作浣紗諸曲，於是各地的腔調都被壓倒；南方各地便都盛行崑腔了。

崑腔由明到清，盛行了將近三百年。不過，在清乾嘉以後，同時也有各種地方腔調並行。如高腔、亂彈腔、秦腔、徽調、漢調、衞調、京腔、以及巫娘腔、鎖吶腔、囉囉腔等，門類繁多，不一而足。這些地方腔調，也統稱爲花部劇或亂彈。可是到了同治以後，另一種融合漢調、徽調，與梆子腔的皮黃戲（亦稱二黃）產生了，各種腔調，又都被壓倒。就連雅部劇的崑劇，也黯然失色了。這種皮黃戲，最初多土音俗語，劇詞拙劣。後來參用京音，並改善劇詞，被稱爲京劇。比典雅的崑腔較爲通俗，比粗野的地方劇又較爲文雅，所以才獲得大衆的欣賞。不過就文學的觀點來說，一般的京劇，究竟文學水準過低，與時代性極有距離。近年以來，也就日趨沒落了。

可是，現代代之而起的流行歌曲、古典歌曲、電影歌舞劇、以及軍歌、兒童歌曲等等，也相當流行。還有許多改良的地方劇如京劇、越劇、桂劇、粵劇、潮州劇、豫劇、秦劇、及黃梅調等等，在音樂方面來說，有的全部西化，有的中西合璧，有的仍用中樂，不能說不進步。可是創造性少，模仿性多，還不能建立起一種眞正的新聲。尤其是舊的詩詞不能入樂，新的詩歌未臻成熟；那些入樂的歌詞仍出之於音樂人員之手，不能與文人詩人相聯繫。因此，詩與音樂，似乎都處在一種陌生的地位而彼此不相瞭解。這與我們的國運多災多難有關，不僅是詩樂本身的問題。但是，如果以周、漢、唐、宋的歷史前例來說，現在全世界的音樂，都在融滙交流之中，比過去任何時代，都要精美豐富。相信新的詩樂舞的結合，應爲期不遠了。

× × × × ×

綜合全文所論，自詩歌的產生以至發展演變，其與樂舞的關係，或合或離，或疏或密，可以說都有因果可稽，有脈絡可尋的。茲列一表如后，（用虛點者，表示部分相關），以結束此文。

【附註】

註一：參閱拙著文學概論第五章文學的起源及其流變（民國四十五年『一九五六』七月香港自由出版社出版）。西方學者，在論文學的進化，或藝術的起源，或人類文化學等等著作中，根據歷史記載及野蠻民族生活的考查報告等等資料，都證實原始民族的詩、樂、舞三者，是互相結合而三位一體的。

註二：如葛天氏之八闋，見呂氏春秋仲春紀。伏羲氏作駕辯之曲，見楚辭大招及註。作網罟之歌，見元結補樂歌。伊耆氏蜡辭，見禮記郊特牲。黃帝時，有吳越春秋所載之斷竹歌，古今注所稱之短簫鐃歌，帝王世紀所稱之渡漳之歌，以及漢志所著錄之箴、銘、與大戴記所載之丹書之言等。至堯之世，尚有擊壤歌見帝王世紀與高士傳；堯戒見淮

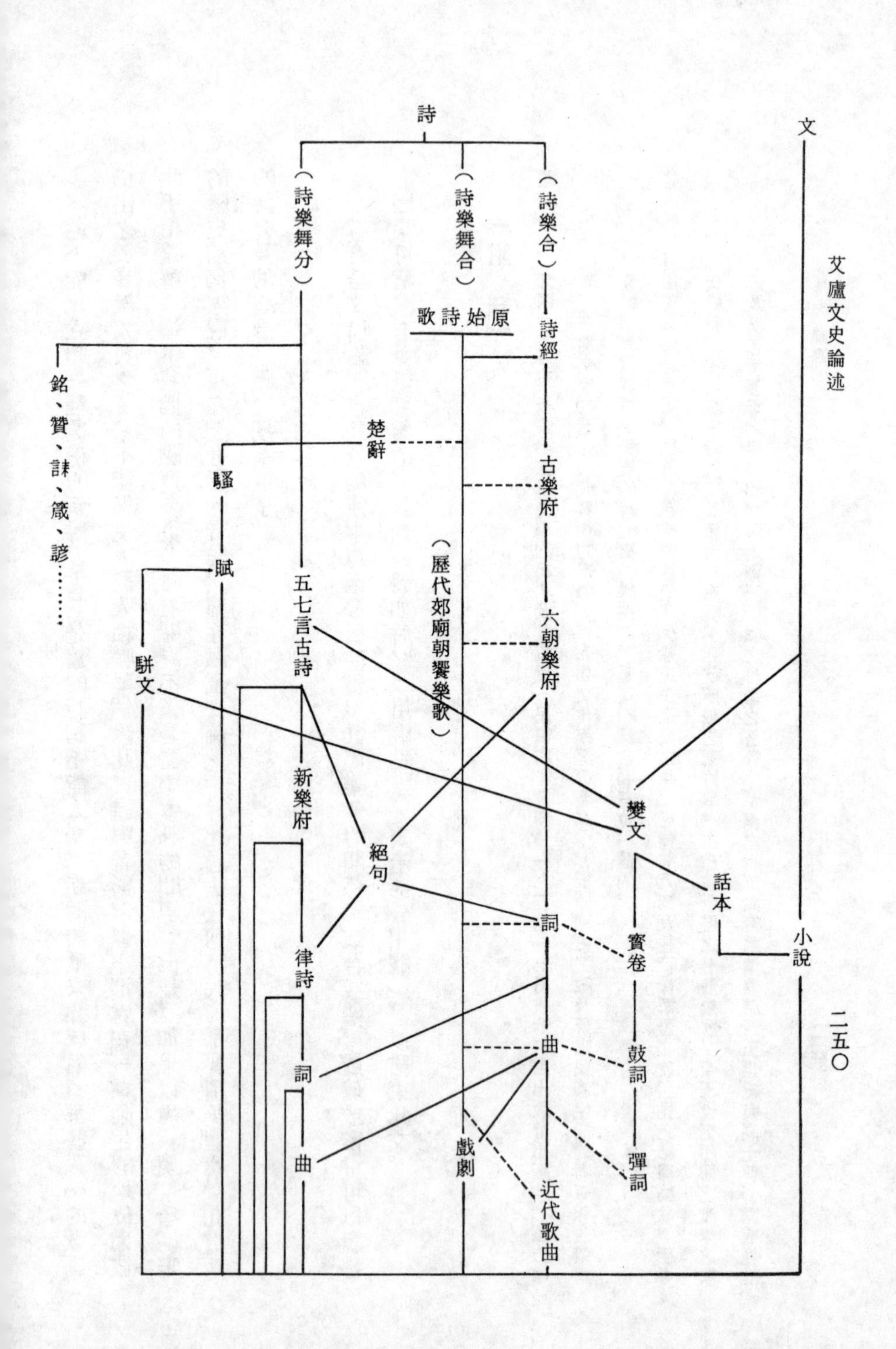

詩
文
（詩樂舞分）
（詩樂舞合）
（詩樂合）
原始詩歌
詩經
銘、贊、誄、箴、諺……
楚辭
騷
古樂府
賦
五七言古詩
（歷代郊廟朝饗樂歌）
六朝樂府
駢文
新樂府
變文
絕句
話本
詞
寶卷
小說
律詩
曲
鼓詞
詞
曲
戲劇
彈詞
近代歌曲

南人間訓。舜之世，尙有尙書大傳之卿雲歌、八伯歌與帝賡歌，及樂記與家語所載之南風歌等。

註三：如圖拉蒙（Drummond ）在他所著的（Ascent of Man ）一書中即如此主張。他稱這個時代的人類爲「無言人類」（Homealaluo）

註四：據考古學與人類學家研究，對「北京人」與「爪哇人」及其他早期化石原人的顱骨，發現其中「語言中心」（speech center ）已經發達，證明這些原人在生時已有了語言。

註五：窩星頓·斯密氏（Worthington Smith）對於極原始時代人類傳意的方法，有如下的描寫：「他們是用啁晰噪叫，吶喊呼號，雜嚷着單音字，有時並用半音樂式的音調等交換意見。同時還有一法，便是以臉相（grimace ）擬勢輔助表示意見。他們有很充足的聲音與擬勢以供需要。例如報告有險，則以手指或摹仿獅子的吼聲或熊聲等。」以上三註，均見林惠祥著文化人類學第七篇所引。

註六：據菩阿斯（Boas ）所蒐集的愛斯基摩人的一部分詩。他說：「這些詩歌的本文，祇是一種完全沒有意義的感歎詞之節奏的反覆堆砌而已。」見所著：Annual Report of the Burean of Ethnology.又彭德（Louise Pound）說：「最古的詩歌是抒情的，不是叙事的。那時最重要的是聲，是曲調，不是義，不是辭句。古歌裏的字極少，且常無意義，實是可有可無的。」（見所著詩的起源與叙事詩（Poetic Origins and the Ballad ）她也是根據許多初民社會的詩歌資料而得此結論的。

註七：這段話，自孔傳鄭馬以至孫星衍諸家，歷代有各種不同的註釋。大體說來，一則對於詩與歌兩字，分爲兩個不同的名詞；其實，詩乃指歌的內涵，歌乃指詩的形式。虞書所謂「歌永言」的歌字，卽樂記所謂「歌詠其聲也」。而樂記所謂「歌之爲言也，長言之也」，正是「詠其聲」的解釋。以此參照，自可貫通。再則，兩個言字，兩個永字，在句中的位置不同，自然也有意義上的不同（我國文字是以在句中所處的地位來分別詞性的）。如果糾纏在一起，必然使這段話的意義混淆不清。更主要的是他們被後世的詩歌形式所約束，所以在解釋上都夾雜着語言文字的意義在其中。這裏不一一徵引，可參閱孫星衍尚書今古文注疏及其他尚書注疏。

註八：如菩托庫多人（Botocudo 乃巴西的一種落後民族，過着最原始的生活）的頌揚酋長之歌，祗有以下一句：「酋長是不知道害怕的呀」！他們却按着節奏，反覆歌唱不已。又有一種兩句的歌，也同樣情形：「年輕的女郎不偷東西，我，我也不偷東西。」其他類此的歌很多，各落後民族大體相同。（見挨楞李希 Ehrenreich 所著之 Zeitsch Fur Ethnol。

又如南非土人溫德部落，每年舉行的蛇舞會，全體男女，既歌且舞，隆重熱烈，狂歡達旦。但他們所唱的歌辭祗有一句：「蛇是不會疲倦的。」反覆唱數小時不絕。此種蛇舞會曾實地拍攝電影記錄，在各地放映。

至於我國所傳錄之最古歌辭，如黃帝時斷竹歌、夏禹時塗山氏女之候人猗兮等等，亦皆簡短僅一二句，當亦係最早詩歌之普遍形式。

註九：如格累（Gearge Grey）在所著 Journals of two Expeditions of Discovery in Northwest and Western Australia 一書中引到澳洲土人在準備戰鬥時的歌謠：「戳他的額，刺他的胸膛；戳他的肝，刺他的心臟；戳他的腰，刺他的肩膀；戳他的腹，刺他的肋膀……」這樣一直唱下去，將敵人身體的各部門都說到爲止，然後又再重複唱下去。這種的例，在原始詩歌中最多。

註一〇：原始詩歌以聲爲主，意義在其次。如哥羅斯 Ernst Grosse 所著的「藝術的起源」（The Beginings of Art）第九章詩歌中，曾引到好幾部論原始詩歌的著作中，有以下的敘述：「在澳洲，好些歌謠都能風行全洲，而且能保守到幾代之久，……這些著名歌謠，甚至在不懂他們的語言的部落裏也有人愛唱……我們可以得到這個問題的全部解答：就是原始羣衆對歌謠的形式（指聲樂）分明比對歌謠的意義還重要得多。……對於詩的作者，詩歌的辭句雖則有它自身的意義，然而對於其他的人們，在很多地方都以爲辭句不過是曲調的負荷而已。在事實上，我們通常也是不惜犧牲詩歌的意義來成全詩歌的形式的。」埃爾（Eyre）說：「許多澳洲人不能解釋他自家鄉所唱的許多歌謠的意義……因爲他們對於歌的節拍和音段，比歌的意義還看得重要些。」又巴洛 Barlow 引用一位著名作家的考察報告說：「在一切科羅薄利舞的歌曲中，爲了要變更和維持節奏，他們甚至將辭句重複轉變到毫無意義。」（見所著 Journal of the Anthropological Institute）又曼恩（Man）說：「明科彼人（Min-copy 居安達曼島）他們主要的努力就是嚴格的遵循節拍。在他們的詩歌中，一切的東西——甚至意義——都要遷就節奏。」所以哥羅斯說：「我們不得不下一種結論，就是最低級文明的抒情詩，其主要的性質是音樂的，詩的意義祇不過佔着次要的地位而已。」

註一一：關於落後民族的音樂與舞蹈，在哥羅斯書中，也有許多考察的報告。如書中說：「人類最初的樂器，無疑的就是嗓音（voice）。」這句話，可以一語破的，其他許多的說明都是不必要的。關於舞蹈，他敘述過澳洲人的科羅薄利舞及袋鼠舞惡魔舞等、明科彼人的跳舞、安達曼島人的跳舞、布須曼人的跳舞、愛斯基摩人的跳舞、華昌地（Wachandi）族的卡羅（Kaaro）舞、勞屯（Loddon）土人舞……等。其中有許多描寫——「拍子是令人吃驚的準確，音調和動作也都非常和諧……他們取着各種可能的姿勢……緊張到了最高點時，舞者高呼着，頓脚舞躍着，婦女們（全裸）發狂似地打着拍子，盡力引吭高歌。」「導演者，同時是詩歌和舞曲的製作者。」「舞者始終歌唱着，和他的動作相合拍……到最後，爲困難動作所疲勞，他就蹲伏在地下喘一喘氣，然而他還是繼續着歌唱，並且轉動着身體與觀衆的歌聲相協調。……他們（參加儀式的全體人員）重覆不斷的喊着『歐烏』『歐烏』（Ae-o Aeo ）這在他們並沒有什麽意義。在發『烏』字音的時候，兩手相拍，舞者也發出華、華、刻（wa-wa-kuh ）的綴音。」（布須曼土人舞）「摹擬跳舞的主旨，是根據人生兩件大事——愛情與戰爭。」——「文學史家舍累爾（Scherer ）在這種跳舞（指男女性愛的卞羅舞）裏發現了『詩的原始胚胎』。」以上這是極簡單的節錄。根據斯賓塞（Spencer）說，每一比較強烈的感情的興奮，都由身體的節奏動作表現出來。所以我們也可以這樣說：由感情所發作出來的有節奏的動作即是舞。

註一二：猶即搖，身體動搖，辟即拍或拊搏，拍胸撫心。

註一三：六律六同，即六律呂，十二律呂。五聲，指宮商角徵羽，八音指匏木革土石金絲竹。六舞即雲門等六代舞。示，即神祇，此示字衍。動物，即後文所述之羽、鱗、蠃、毛、介、象等，乃與人類生活有關之動物。

註一四：巫、說文：「巫、祝也。女能事無形以舞降神者也。」據商書：「恒舞於宮，酣歌於室，時謂巫風。」又據國語，楚語：「古者民神不雜，民之精爽不攜貳者，而又能齊肅衷正……則明神降之。在男曰覡，在女曰巫……及少皥之衰，九黎亂德，民神雜糅，不可方物，夫人作享，家爲巫史。」

祭祀之詩樂舞，由來已久。一切舞蹈起於宗教祭祀之說，固非確論。但有祭祀之初即有舞蹈，徵諸記載，確屬可信。如尚書大傳虞夏傳，所述元祀、中祀、秋祀、冬祀之禮；又洪範五行傳，迎春、迎夏、迎秋、迎冬之禮；皆合詩、樂、舞以爲祀。又後漢書祭祀志所記立春、立夏、立秋、立冬之祭，皆仿於古。

註一五：參閱拙著「詩與政教」（南洋大學中國語文學報第一期），又禮記月令，有樂正等四時習舞之記載，不錄。

註一六：按左傳襄公二十九年吳季札觀周樂於魯，魯爲之歌風、雅、頌。風分列國，雅分大小雅，而頌則未分周魯商。據季札之詞，只對周頌而言，可知當時只歌周頌，並無魯頌與商頌。魯頌成於魯，商頌乃孔子先人正考父所校。（見國語魯語。又史記孔子世家以爲乃正考父所作。）故後此之魯頌商頌，皆可能爲孔子所增入。惟正考父時，商頌爲十二篇，據鄭玄說，後失去七篇，故孔子時，只有五篇。

註一七：又按前條所引風分列國，左傳之次第爲周南、召南、邶、鄘、衛、王、鄭、齊、豳、秦、魏、唐、陳、鄶、曹。而後此之詩經，秦移唐後，豳移檜下。此或爲孔子編訂之次序。又按：檜風豳風與曹風下泉等篇，出於魯襄之後，可能亦爲孔子所增入。

註一八：孔子刪詩之說，歷代學者，討論詳盡，多不置信。卽以左襄二十九年歌詩一事而論，可知當時已有定本，而孔子尚在童年。況三千之詩，在古代尚用簡冊之時，孔子何從得而刪之？此乃漢武尊孔崇經之後，當時學者，必以六經皆附會於孔子爲能事，故刪書，贊易與春秋微言大義之說，相繼產生。此實不可不辯。至孔子與詩樂的關係，說見後文。

註一九：周南、召南，接近楚國，達於江漢，仍屬於周。有認爲卽楚歌，實誤。

註二〇：詳說見拙作「詩與政教」。

註二一：屢舞僊僊，見小雅賓之初筵。

註二二：見小雅伐木。

註二三：陳風，宛丘篇第二章，坎其擊鼓。宛丘之下，無冬無夏，值其鷺羽。第三章：坎其擊缶，宛丘之道。無冬無夏，值其鷺翿。

又陳風，東門之枌，第一章：東門之枌，宛丘之栩。子仲之子，婆娑其下。第二章：穀旦于差，南方之原。不績其廡，市也婆娑。

註二四：如左傳所錄祭公謀父所作之祈招、懿氏所卜之繇辭、正考父鼎銘、虞箴等等，以及宋城者謳、魯文時童謠、築者謳、子產時輿人之誦等等，與國語所錄暇豫等，均與詩經不甚相類。

註二五：見兩周金文辭大系考釋第三冊。

註二六：王逸漁父章句第七，前云：「漁父者，屈原之所作也。」後又云：「屈原放逐於江湘之間……漁父……遇屈原川澤之域，怪而問之，遂相應答，楚人思念屈原，因叙其辭，以相傳焉。」則漁父又實非屈原所自作。王逸何以如此矛盾？或王逸之原意，辭為屈原之原辭，不過為後人之所追叙，故仍認為屈原之作也。按屈原之思想，最明顯的抒寫，莫過於此兩篇，縱為後人追叙，亦不失為屈原之言論，絕非偽造。故存為屈原之作品，主因在此。

註二七：近人有認九歌乃楚國民間祭歌，非屈原所作。所持理由皆不充分，可置勿論。

註二八：此樂曲四篇，一、予渝本歌曲。二、安弩渝本歌曲。三、安臺本歌曲。四、行辭本歌曲。到三國魏時，王粲奉命改制其辭，問巴渝帥李管種玉，始得其本意。乃改名舞俞兒舞。文帝改曰昭武舞，晉改稱宣武舞。又古今樂錄、隋書樂志、鄭樵通志，均以巴渝舞即鞞舞。然樂府詩集以為漢魏二篇歌辭各異，顯係兩舞。因梁陳於鞞舞前作巴渝弄，遂以為一舞二名，實乃二舞合作，亦猶巾舞以白紵送，而巾舞與白紵，亦實二舞也。

註二九：樂舞的普遍，在歐西的情形，恍惚和我們古代相似。他們在任何歡樂的場合，可以載歌載舞，上下成風。可以想見古代「蹲蹲舞我」與「市也婆娑」的情況。

註三〇：上留田行：「田中有啼兒，似類親父子。回車問啼兒，慷慨不可止。」枯魚過河泣行：「枯魚過河泣，何時悔復及！作書與魴鱮，相教慎出入。」

註三一：絕句的平仄規定，究竟起於何時，很不易確定。在太宗時，如李義府的詩，王無功的詩，很多合乎平仄，但也不一定全部都叶。到高宗以後的詩人，便趨於一致了。

註三二：詞的產生，說法很多。有藥園閑話的詞出於詩經之說，有徐釚的詞出於六朝雜言詩之說，（以上皆見詞苑叢談）有方成培香研居詞塵的詞出於唐代近體詩之說，有詞學集成引徐巨源的詞出於樂府之說，有宋翔鳳樂府餘論的詞出於唐人絕句之說，有朱子語類的詩添泛聲乃成爲曲之說，有沈括夢溪筆談的詩外有和聲謂之曲之說，……以上各說，或似是而非，或言之不得肯要，故都略而不引。

註三三：有一百十一字的傾杯樂、一百零四字的內家嬌、八十六字的拜新月、八十四字的鳳歸雲。其餘亦多五十字以上的曲調。

註三四：新唐書樂志：隋有法曲，其音清而近雅。其器有鐃、鈸、鐘、磬、幢簫、琵琶。琵琶圓體脩頸而小，號曰秦漢子，蓋絃兆鼓之遺製，出於胡中，傳爲秦漢所作。其聲金石絲竹以次作……」

註三五：舊有詞起於隋煬帝望江南之說，乃據韓渥海山記而言。段安節樂府雜錄，謂望江南爲李德裕作。萬樹詞律謂楊廣詞乃僞作。近人魯迅更謂海山記爲僞書，故絕不可信。

註三六：詞林紀事引西吳記云：「湖州磁湖鎮道士磯，卽張志和所謂西塞山前也。志和有漁父詞，刺史顏眞卿與陸鴻漸、徐士衡、李成短，遞相唱和。」又曹元忠鈔本金匳集跋，謂卷末列張志和漁父詞十五首，而張志和漁父詞只有五首附李德裕集中，其後尊前集所選亦本於此，何得多十首？嗣後參閱元眞子漁歌碑傳集錄，始知其餘十首皆唱和諸賢之詞與南卓、柳宗元所賦者。

註三七：據武林舊事所載官本雜劇有二百八十本，用普通詞調者三十五，用大曲者一百零三，用法曲者四，用諸宮調者二。

此外有稱爲「爨」者四十三本，稱爲「孤」者十七本，稱爲「酸」者五本，又稱爲打調、三教、訝鼓者十數本。所用大曲、法曲，諸宮調與普通詞調者，皆歌舞與講說並行戲。稱爲爨、孤等本，乃滑稽雜伎劇。

論孔子言語之教

我國傳統文教，對於言語一門，非常重視。近世以來，學校教育，多不及此。故撰此文，藉以匡正教育之不足，亦期引起社會之注意。本文承據，全出於論語一書。因論語所記，皆聖人聖門之言，至於其他經籍，亦多載錄孔子言詞，雖不盡可信，要亦儒家後學所述，當俟他日再補充之。

孔子爲萬世師，其學說亦爲萬世法。孔子教弟子，分德行、言語、政事、文學四科。論語先進篇云：「子曰：從我於陳蔡者，皆不及門也。德行：顏淵、閔子騫、伯牛、仲弓；言語：宰我、子貢；政事：冉有、季路；文學：子游、子夏。」可知孔子教訓弟子，以此四科爲主。又述而篇云：「子以四教：文、行、忠、信。」此四教，實可包括在四科之中。（以下引論語，皆書篇名）

孔子列言語於四科，與德行、政事並列，其重視言語可知。蓋言語之用，輕則有關於立身處世，重則有關於興國喪邦。子路篇云：「定公問一言而可以興邦，有諸？孔子對曰：言不可若是其幾也。人之言曰：爲君難，爲臣不易。如知爲君之難也，不幾乎一言而興邦乎？曰：一言而喪邦，有諸？孔子對曰：言之不可以若是其幾也。人之言曰：予無樂乎爲君，惟其言而莫予違也。如其善而莫之違也，不亦善乎。如不善而莫之違也，不幾乎一言而喪邦乎？」又陽貨篇：「惡紫之奪朱也，惡鄭聲之亂雅樂也，惡利口之覆邦家者。」按多言少實爲利口，其害足以覆邦家。據諸歷史，其例甚多，足證孔子之重視言語也。茲分別列述其義於後：

一、孔子重視雅言

述而篇云：「子所雅言，詩書執禮，皆雅言也。」孔註：「雅言，正言也。」劉寶楠正義，以雅之爲言夏，夏、雅古字通，言孔子生長於魯，不能不魯語。惟誦詩書執禮，必正言其意，所以重先王之政典，謹末學之流失。故爾雅之雅、風雅之雅，皆以正言而言，此說極是。按一國之語言極多，但誦詩書，行禮樂，必須正其音；若以方言俗語行之，則無法溝通普及。我國文字聲訓，至今能統一，可謂孔子之功。蓋以雅言正言爲中心，而方言俗語從之。後人有就經籍以究魯語非魯語，藉以辨論語爲魯語，而證左傳非魯人左丘明所著；咸贊爲考證之新法。如高本漢以論語中用「於」字爲魯語，左傳多用「于」字爲非魯語。故證明非魯人左丘明所作。殊不知春秋經文中，皆用「于」而不用「於」，豈春秋亦非魯史？實則古人，自孔子後，多遵雅言。著書立說，力避方言與俗言，其同義或協音之字，隨習用之則不免，亦多涉及名物成語，今皆可以訓詁明之。不能以某地某人即用其地之言爲準，即楚辭之用楚語，亦不過極少數爲「羌」「傺」「嫈」「些」等等，其餘，皆雅言正言也。故吾人今日尚能讀二千年之書，正雅言正言之力。否則，如何可傳之久遠？

二、孔子主正名，毋苟言

孔子主正言，尤重正名。由於正名，則必須愼言而毋苟言。子路篇云：「子路曰：待子而爲政，子恃奚先？子曰：必也正名乎。子路曰：有是哉？子之迂也！奚其正？子曰：野哉由也！君子於其所不知，盖闕如也。名不正，則言不順；言不順，則事不成；事不成，則禮樂不興；禮樂不興，則刑罰不中；刑罰不中，則民無所措手足。故君子，名之必可言也，言之必可行也。君子於其言，無所苟而已。」此本是爲政之大道理。所謂正名，注釋家多以爲正文字，實則重在正名分，如君君，臣臣，父父，子子。此外，亦即辨別眞僞、虛實、同異、是非，故由名不正而言不順，而說到名之必可言也，言之必可行也，而歸納到君子於其言，無所苟而已。此亦是言語之基本道理。因言語必須有所本。而正名爲首要，否則便爲苟言，故孔子責「羣居終日，言不及義」者，（見衞靈公篇）又戒顏淵以「非禮勿言」（見顏淵篇），此皆戒苟言之訓。

又子罕篇云：「子曰：法語之言，能無說乎？改之爲貴。巽與之言，能無說乎？繹之爲貴。說而不繹，從而不改，吾未如之何也已矣。」法語爲法定正道之言，巽與爲恭敬世道之言，雖說雖悅，而貴在能改能繹。此又言語在正言中之又一要道。

三、孔子重謹言，言必信，信行必一致

孔子既云言之必可行也，故極重言行一致。爲政篇云：「子貢問君子。子曰：先行其言，而後從之。」又公冶長篇：「子曰：始吾於人也，聽其言而信其行；今吾於人也，聽其言而觀其行。」此指不輕於聽其言而信其行，必須觀其言行是否一致。里仁篇云：「子曰：古者言之不出，耻躬之不逮也。」又：「君子欲訥於言而敏於行。」此又指如不篤行，則寧不出言；或寧遲鈍而不善言。故爲政篇云：「子張學干祿。子曰：多聞闕疑，愼言其餘，則寡尤；……言寡尤，行寡悔，祿在其中矣。」此言爲政不在多言而在力行。多言易招致錯誤或發生過失，故不可不愼言。又學而篇云：「子曰：君子食無求飽，居無求安，敏於事而愼於言，就有道而正焉，可謂爲學也矣。」此亦言愼言之要。

又子路篇云：「子貢問曰：何如斯可謂士矣。子曰：行己有耻，……曰：敢問其次。曰：言必信，行必果……」孔子之所以重信，正欲言行之必須一致。故學而篇云：「……與朋友交，言而有信，雖曰未學，吾必謂之學矣。」又：「子曰：君子食無求飽，居無求安，敏於事而愼於言，就有道而正焉，可謂好學也已。」又憲問篇云：「君子耻其言而過其行。」又：「子曰：其言之不怍，則爲之也難。」凡此，皆謹言愼行之教。故鄉黨篇云：「孔子於鄉黨，恂恂如也，似不能言者。其在宗廟朝廷，便便言，惟謹爾。」此是孔子以身作則以教弟子。

四、孔子惡巧言

按學而篇云：「巧言令色鮮矣仁。」又陽貨篇云：「子曰：巧言令色鮮矣仁。」又公冶長篇云：

「子曰：巧言，令色，足恭，左丘明耻之，丘亦耻之。」又衛靈公篇云：「子曰：巧言亂德。」巧言一詞，在論語中四見，謂爲鮮仁，謂爲無耻，謂爲亂德，可知孔子惡之極矣。按逸周書宮人篇云：「業廢而誣，巧言令色，皆以無爲有者也。」武紀篇亦云：「幣帛之間有巧言令色，事不成；車甲之間有巧言令色，事不捷。」可見不僅孔子惡之。證以歷史所紀，奸臣小人，多以小人令色以取富貴，亦以巧言令色而亂邦家，更可使巧言令色以廢人倫道德。故衛靈公篇云：「子曰：君子不以言舉人，亦不以人廢言。」必須加以分辨。子夏曰：「小人之道必文。」即取巧也。

按巧言，亦有訓爲好言者，如詩雨無止：「巧言如流。」似善言，美言，實不然。書臯陶謨云：「何畏乎巧言令色，孔壬。」孔、訓爲甚；壬訓爲佞。則指巧言爲甚佞。言而佞，其言可知。（說詳後）又禮記表記云：「子曰：情欲信，辭欲巧。」與論語所記者不合，疑爲後儒所託或誤傳，亦有釋爲文辭之巧指其美，與立言不同。但據衛靈篇云：「辭達而已矣。」孔注：「凡事莫過於實，辭達則足矣，不煩文艷之辭。」可謂得其正解。曾子有「出辭氣，遠鄙倍」之言，（見泰伯篇）亦可證辭巧之說之不可信。此附帶言之。

五、孔子惡佞、惡訕、惡訐、惡侵潤之譖

孔子旣惡巧言，尤惡佞、訐、訕，更惡浸潤之譖。因巧言之害，在取悅於人而已。至於佞人佞言與訕言訐言與浸潤之譖，則在攻擊人，傷害人，陷害人，其害甚毒。陽貨篇云：「子貢曰：君子亦有

惡乎？子曰：有惡。惡稱人之惡，惡在下流而訕上者，惡勇而無禮者，惡果敢而窒者。曰：賜也亦有惡乎？惡徼以爲知者，惡不孫以爲勇者，惡訐以爲直者。」凡此，皆不僅爲惡言，且兼惡行。其所謂訕，指謗毀而言；所謂訐，指攻人之陰私而言，這都是違反道德之言語，亦孔子之最厭惡者。

又先進篇云：「子路使子羔爲費宰。子曰：賊夫人之子。子路曰：有民人焉，有社稷焉，何必讀書，然後爲學？子曰：是故惡乎佞者。」按：佞乃禦人於口給，指口才而言。換言之，即不讀書，而完全仗口語應付而不切實際，且不利於人而只知利己，這是社會上一般人的一種通病。衞靈公篇云：「顏淵問爲邦。子曰：行夏之時……放鄭聲，遠佞人；鄭聲淫，佞人殆。」可見佞人可以危國亂邦。又公冶長篇：「或曰……雍也仁而不佞。子曰：焉用佞？禦人以口給，屢憎於人，不知其仁，焉用佞。」故仁者不以口給禦人，即不專憑口舌。故雍也篇云：「子曰：不有祝鮀之佞，而有宋朝之美，難乎免於今之世矣。」孔子所以慨歎。故憲問篇載：「微生畝謂孔子曰：丘何爲是栖栖者與？無乃爲佞乎？孔子曰：非敢爲佞也，疾固也。」以致微生畝亦主孔子仗口才以干諸侯而求仕，而不知孔子之痛世固陋而欲行道以化天下。

又孔子不但惡佞，而且以爲「剛毅木訥近仁。」（見子路篇）木，指質樸；訥，指遲鈍而不善言辭；而孔子却以爲近仁。又顏淵篇云：「司馬牛問仁。子曰：仁者，其言也訒。」訒，有不忍言之義，亦有不輕易言之義。可知，仁者不在多言善言也。

又：顏淵篇云：「子張問明。子曰：浸潤之譖，膚受之愬，不行焉，可謂明也已矣。浸潤之譖，膚受之愬不行焉，可謂達也已矣。」按浸潤之譖，是暗中以譖言讒言不斷地攻擊人，如水般不斷浸潤；膚受是公開造謠，以誣言譏語攻擊人，意即指內外明暗以進讒或造謠，使人暗受冤枉而不知，或橫遭毀謗而無法辯白，這是歷來小人奸臣所慣用的最惡毒的手段，孔子當極恨之。故孔子以為此者不行則政治清明長遠矣。如憲問篇云：「子曰：賢者辟世，其次辟地，其次辟色，其次辟言。」辟言者，即辟譏讒譖謗之言，孔子列為四辟，其意可知矣。

六、孔子主因時地因人而為言

言語與德行、政事，本密切相關的，故不能不慎重。有因時而為言者，有因地而為言者，有因人而為言者，此皆言語之要道。如憲問篇云：「公明賈對曰……夫子時而後言，人不厭其言……子曰：其然，豈其然乎？」此言實確。試覩孔子之言態禮貌，實足為弟子法。鄉黨篇云：「孔子於鄉黨，恂恂如也，似不能言者。」又：「其在宗廟朝廷，便便言，唯謹爾。」又：「朝，與下大夫言，侃侃如也；與上大夫言，誾誾如也，君在，踧踖如也，與與如也。君召使擯，色勃如也。……其言似不足者。」又：「食不言，寢不語。」又：「執綏車中，不內顧，不疾言。」就此所引數則，可以想見孔子之言行，直足以為萬世表率，絕不似近代人之放言無忌，不知自律。

又衞靈公篇云：「子曰：可與言而不與之言，失人；不可與言而與之言，失言。知者不失人，亦不失言。」此種失言失人之訓，亦即知人與知音之別，實是為後人法。如堯曰篇云：「孔子曰……不知言，無以知人也。」如季氏篇云：「孔子曰：侍於君子有三愆。言未及之而言，謂之躁；言及之而不言，謂之隱；未見顏色而言，謂之瞽。」此三者，如無儒學教養，最易犯之。

更有進者，憲問篇云：「子曰：邦有道，危言危行；邦無道，危行言遜。」又：「有德者，必有言。」按危，厲也，亦訓正也，高也。遜，順也。故邦有道，可以厲行高尚其言以行其志；若邦無道，則須正行而順言以遠害。又衞靈公篇云：「子曰：言忠信，行篤敬，雖蠻貊之邦行矣。言不忠信，行不篤敬，雖州里行乎哉？」此合德行言之，而亦因地言之。

陽貨篇云：「予欲無言。子貢曰：子如不言，則小子何述焉？子曰：天何言哉！四時行焉，百物生焉，天何言哉！」此則言天道合於人道，天人之道通，其義更高。故孔子之言語之教，直無微不至，無遠弗屆。余感於今世之士，不諳儒教，不重言語，巧佞橫行，亂倫敗德，因簡述此文，庶謊言讕語不作，諂言媚語不行，狂言淫語不開，庸言鄙語不求，胡言亂語不發，倘亦有益於時。願我同學諸子共勉之。

說文轉注說定論

六書之說，以轉注說最爲分歧，漢以後小學家幾乎人各一說，迄無定論。主要原因，是許慎在說文解字自序中給予六書所下的定義，每條只有押韻之四言兩句，附舉二字爲例，過於簡單。因此，後人加以解釋，不易恰如原義。如轉注說，許氏云：「轉注者，建類一首，同意相受，考老也是。」在這一條中，何謂「轉」？何謂「注」？何謂「建類」？何謂「一首」？何謂「同意相受」？各家的解釋，多不一致。所以，對於「考老」二字的擧例，也說法不同。甚至如朱駿聲在所著的說文通訓定聲中，因爲解釋不通，根本將許氏的定義推翻而另給一個定義爲「轉注者，體不改造，引意相受，令長是也。」這種情形，實在是古人舞文弄墨之過；也是我國文字含義過多，不容易肯定地加以詮釋。現在我們讀古人書，往往爲文字所困，類皆如此。

其實，六書是我國文字的創造到了相當發展的階段，（假定是周初），文字研究者或文字教育家，將全部文字歸納起來，分爲六類；一則以說明文字的構造和應用，一則以便於小學生的識字。所以，六書在文字中，各有領域，界域分明。如果全盤的加以衡量，並細心的予以分析，則每一書均有其特點而不相混淆，分別加以解釋，並不困難。同時，對於許氏之說，仍應視爲準則，因爲他是惟一對六書下過定義的（戴震謂其必有師承）。不過，對許氏之說，也只應領悟其大旨，不宜從文句中去加以曲解和苛求。因爲許氏之說，大旨是不會錯的，但是否在四言二句中便能包括每一書的全體，這便很成問題。後人對許氏之書，批評很多，要皆都是一些小節，而無關於大旨。我們對於六書之說，也應作如是觀。（攻擊許氏說文最力者爲鄭樵六書略與樓鑰班馬字類叙。王柏、程端禮、戴侗、周伯琦等皆附和，然無傷於說文。）

現在，我將歷代小學家有關轉注之說，擇要的加以叙述，然後再將各家的學說，加以批評和折中，並參以本人的研究，作成定論；再將轉注字，加以分類，以肯定轉注字之性質與範圍。

一、各家轉注說要旨

歷代小學家有關轉注之說，大體可分爲四類。一爲主形轉者，二爲主聲轉者，三爲主義轉者，四爲不屬於以上三者而別立一說者。至於主形而亦主聲，或主聲而亦主義者，均歸於前三類中，不另舉。又其說而無肯定顯著之主旨者，則從略。

（甲）主形轉之說

形轉之說，始於唐裴務齊。其言曰：「考字左回，老字右轉。」（據孫愐切韻）宋陳彭年亦沿其說。今本重修廣韻末附六書說，即以「左轉爲考，右轉爲老」，以說明轉注。

元戴侗六書故、周伯琦六書正譌，均主形轉之說，戴氏曰：「何謂轉注？因文而轉之。側山爲阜，反人爲匕，反欠爲旡，反子爲𠫓之類是也。」周氏曰：「轉注者，聲有不可窮，則因形體而轉注焉。帀乏是也。」（按反㞢爲帀，反正爲乏）。

有近於形轉而不完全主形轉者，爲宋鄭樵之說。其六書略分轉注爲四類。一曰建類主義，二曰建類主聲，三曰互體別聲，四曰互體別義。其後二類主互體，以一字之結體，或左右易形，或上下易位，各自有義，謂之轉注。如杲東杳，本禾朱，古叶、叨召……愿愿、懰慂、旻旼……等字爲轉注。此可爲右回左轉說之引申說。

有近於形轉而另創省形之說者，如曾國藩與朱太學書云：「不佞竊不自揆，謬立一說，篤守許氏考老之恉，以謂老者，會意字也；考者，轉注字也，部首之可指數者，如犛部、㸚部、畫部、眉部……皆轉注之部也。凡形聲字，大抵以左體爲母，以右體之得聲者爲子。而母字從無省畫者。凡轉注之字，大抵以會意字爲母，亦以得聲者爲子，而母字從無不省畫者。省畫則母字之形不全，何以知子之所從來？惟好學深思，精心研究，則形雖不全，而意可相受。如老字雖省去匕字，則可知考耋等字之意從老來……其曰建類一首者，母字之形模尚具也；其曰同意相受者，母字之省畫而意存也。……」按曾氏之說，孫詒讓及當時王子莊等皆是之。孫氏有「以形著義爲轉注，以聲通讀爲假借」之說。又謂「形聲駢合文，無不兼轉注」。可知其雖是曾說，亦另有見解。

又有近於形轉，類於省形，而另創改形之說者，如近代汪榮寶轉注說。其言曰：「轉注者，以改字爲造字者也。試先從考老論之。老從人毛匕，會意，此字之先起特造者也。老字既成，則凡言語之義近於老者，更不必爲之特創一體，而即以老字爲根本，略變其體以別之。故取老爲首，存人毛而去匕，施丂則爲考，考亦老也。施子則爲孝，孝者，善事老之稱也。施至則爲耋，施旨則爲耆，施𠷎則爲壽，施句則爲耇，皆老之異名也。夫是之謂建類一首，同意相受。譬之大川之水，別爲衆流，而還相灌輸，夫是之謂轉注。故轉注者，乃取一合體之字，削其一體，而代之以他體，以爲新字，而其義則仍與原字之義相通或相承者也。……以畫爲首，省其中形之田，而代之以日，則爲晝。畫者田之界，晝者日與夜之界，晝爲畫之轉注也。以殺爲首，省其右形之殳，而代之以式，則爲弑，弑爲殺之轉注也。……轉注者，即減筆之形聲會意……。」

（乙）主聲轉之說

聲轉之說，始於宋蕭楚張有。張有復古編云：「轉注者，展轉其聲，注釋他字之用也。如其、無、少、長之類。」又曰：「轉注者，轉其聲，注其義。」

宋毛晃增注禮部韻略、明趙古則六書本義，皆同張有之說，以轉聲爲轉注。趙氏之說較詳，其言曰：「轉注者，展轉其聲而注釋爲他字之用者也。有因其意義而轉者，有但轉其聲而無意義者，有再轉爲三聲用者，有三轉爲四聲用者，至於八九轉者亦有之。其轉之之法，則與造諧聲相類。有轉同聲者，有轉旁聲者，有轉正音者，有轉旁音者，有惟取其音而轉者。……」趙氏並分轉注字爲五類：一爲因義轉注者，二爲無義轉注者，三爲因轉而轉者，四爲雙聲並義不爲轉注者，五爲兼用曰假借而轉注者，又云：「若夫衺有四音，齊有五音，不有六音，從有七音，差有八音，射有九音，辟有十一音之類；或主意義，或無意義，然轉聲而無意義者多矣，學者引伸觸類而通其餘可也。自許叔重以來，以同意相受考老字爲轉注，康成以之而解經，漁仲以之而成略，遂失轉注之本旨。蕭楚謂一字轉其聲而讀之是爲轉注，近世程端禮有轉注爲轉聲，假借爲借聲之說，惜通不能立例，論無攸定，余故不得不爲之詳辨也。」

又明楊愼亦主轉聲之說，所著有六書索隱與轉注古音略。其言曰：「六書當分六體……六書以十分計之，象形居其一，象事居其二，象意居其三，象聲居其四。假借，借此四者也；轉注，注此四者也。四象以爲經，假借轉注以爲緯。四象之書有限，假借轉注無窮也。」又曰：「轉注者，轉音而注義。如敦本敦大之敦：旣轉音頓，而爲爾雅敦北之敦；又轉音對，而爲周禮玉敦之敦；所謂一字數音也。……轉注如注水行地，爲浦爲溆，各有名字矣。」

此外，尚有多家皆主聲轉之說，大抵贊同張毛趙楊之說而復有所補充。茲簡引如後：

陸深云：「轉注者，轉其音以注爲別字，令長之類是也。」

王應電云：「轉注者，聲出於天，或有餘焉，或不足焉。聲之有餘也，一義而合爲一聲，不能聲爲之制字也。故以一字而轉爲數聲轉注之，謂之轉注。」

朱謀㙔云：「轉注因諧以廣音，南北殊聲，平仄異讀，謨轉慕莫之類。」

張位云：「轉注謂一字數義，展轉注釋，可通用也。」

吳元滿云：「轉注者，假借不足，故轉聲以演義，因形事意聲四體，展轉聲音，注釋爲他義之用，故曰轉注……其正生者四種：一曰轉聲注義，二曰轉聲叶韻，三曰本音注義，四曰轉音注義。其變生者四種：一曰別音注意，二曰別音叶韻，三曰轉而復轉，四曰雙聲並轉。其兼生者一種：曰因轉復轉。以此九類推測，而轉注之義盡矣。」

焦竑云：「轉注爲六書之變，而雙音並義，旁音協音，又轉注之變也。」按趙古則以雙音並義不爲轉注，旁音協音不在轉注例，故爲之補充。

甘雨云：「假借非本字也，轉注非本音也。古韻某字轉音某，自本音而翻得之，即轉注之義。或本韻一字有二三出者，轉音不同，取義亦別，故不厭重覆。」

趙宧光云：「轉注者，聲意共用也。取其字，就其聲，注以他字，而義始顯。」又曰：「同聲者爲轉注，轉聲者爲諸聲，非聲者爲會意。」按趙氏以諸聲之不轉聲者，即同聲者爲轉注，與前數家說法又略異。

按轉聲之說，尚有方以智、潘耒、邵長衡諸家，與張趙之說，亦略有出入，茲不具引。其最受人重視者，即顧炎武之音論，亦主聲轉之說。其言曰：「凡上去入之字，各有二聲或三聲四聲，可遞轉而上同以至於平，古人謂之轉注。」潘次耕邵長衡皆從之。曹仁虎作轉注古義考，遍論各家之說，用力至勤，但仍以字音相近爲轉注。近世章炳麟本顧氏說，亦以轉注爲聲轉。其言曰：「字者，孳乳而寖多，字之未造，語言先之矣。以文字代語言，各循其聲，方語有殊，名義一也。其音或雙聲相轉，或叠韻相迆，則爲更制一字，此所謂轉注也。孳乳日繁，即又爲之節制，故有意相引申、音相切合者，義雖少變，則不爲更制一字，此所謂假借也。何謂建類一首？類即聲類，首即今所謂語基。是故明轉注者，經以同訓，緯以聲音，而不緯以部居形體。又轉注者，繁而不殺，恣文字之孳乳者也。」又曰：「轉注不空取同訓，又必聲韵相依，如考老，本叠韻變語也。」

（丙）主義轉之說

義轉之說，始於南唐徐鍇之說文解字繫傳。雖晉衞恒四體書勢曾云：「轉注，考老是也。以老爲壽考也。」此語似指義轉，但其言不明。又唐賈公彥云：「左右相注，故名轉注。」而亦未詳其所指，故仍以徐鍇之說爲主。其言曰：「轉注者，建類一首，同意相受，謂老之別名，有耆，有耋，有壽，有耄，又孝子養老是也。一首者，謂此孝等諸字，皆取類於老，則皆從老，若松柏等皆木之別名，皆同受意於木，故皆從木，後皆象此。轉注之言，若水之出源，分歧別派，爲江爲漢。各受其名，而本同主於一水也。」又曰：「屬類成字，而復於偏旁加訓，博喻近譬，故爲轉注。人毛匕爲老。壽耆耋亦老，故以老字注之，受意於老，轉相傳注。故謂之轉注。義近形聲，而有異焉。形聲江河不同，灘溼各異；轉注，考老實同，妙好無隔，此其分也。」又曰：「故散言之曰形聲，總言之曰轉注。謂耆耋耄皆老也。……轉注則形事之別，然立字之始，類於形聲，而訓釋之義，與假借爲對。假借則一字數用……轉注則一義數文……」

按徐氏之說，其中包括三部分：第一以形聲字爲轉注字之本，第二以同一部首之字爲轉注，第三以義轉爲轉注。由於有此三點，前有其說或後世因襲其說者，遂亦各有偏重而演成爲三派之說。即：
(1)主形聲之說。(2)主部首之說。(3)主義訓之說。分別簡述其說如下：

(1)主形聲之說　以形聲字爲轉注字，鄭樵六書略，可以爲此說之代表。前文已述其互體別聲與互體別義二者，以其近於形轉。但鄭氏實以形聲字（鄭氏稱諧聲）爲本而以義轉爲主。因形聲字乃以形聲合體而成義，故不免牽涉形轉，即以聲轉而言，亦不免發生連帶關係。

鄭氏曰：「諧聲、轉注，一也。役它爲諧聲，役己爲轉注。轉注也者，正其大而轉其小，正其正而轉其偏者也。」據此，鄭氏分轉注爲四類，即建類主義轉注、建類主聲轉注，互體別聲轉注、互體別義轉注。

按以形聲字爲轉注，前所引聲轉之說中，亦多以形聲字爲本。其非專指形聲字者，茲不贅。

(2)主部首之說　以轉注字必須同一部首，使完全合於許氏之說。江聲六書說，可爲此說之代表。其言曰：「轉注統于意。——轉注之說曰：同意相受。則轉注者，轉其意也。蓋合兩字以成一誼者爲會意，取一意以概數字者爲轉注。……轉注，則由是（會意字）而轉焉。如挹彼注茲之注。即如考老之字，老屬會意也……立老以爲部首，所謂建類一首。考與老同意，故受老字而從老省，考字之外，如耆耋壽耇之類，凡與老同意者，皆從老省而屬老。是取一字之意以概數字，所謂同意相受。……由此推之，說文解字一書，凡分五百四十部，其始一終亥。五百四十部之首，即所謂一首也；下云：凡某之屬皆從某，即同意相受也。此皆轉注之說也。」

江氏之說，頗為一時學者所景從。如許宗彥轉注說、張行孚論轉注及所著說文發疑、夏炘六書轉注說、孔廣居說文疑疑等皆從之。

(3)主義訓之說　以訓詁之說說明轉注，戴震互訓之說，可為此說之代表。其與江慎修論小學書曰：

「……震謂考老二字屬諧聲會意者字之體，引之曰轉注者字之用。轉注之云，古人以其語言立為名類，通以今人語言，猶曰互訓云爾。轉相為注，互相為訓，古今語也。說文於考字訓之曰老也，於老字訓之曰考也，是以敘中論轉注舉之。爾雅釋詁，有多至四十字共一義，其六書轉注之法歟。別俗異言，古雅殊語，轉注而可知。故曰建類一首，同意相受。大致造字之始，無所憑依，宇宙間，事與形兩大端而已。指其事之實曰指事，二二上下是也。象其形之大體曰象形，日月水火是也。文字既立，則聲寄於字，而字有可調之聲；意寄於字，而字有可通之意；是文字之兩大端也。因而博衍之，取乎聲諧曰諧聲，聲不諧而會合其意曰會意。四者，書之體止此矣。由是而之於用，數字共一用者，如初哉首基之皆為始；卬吾台予之皆為我；其義轉相為注曰轉注。一字具數用者依於義，以引伸依於聲而旁寄，假此以施於彼曰假借。所以用文字者，斯其兩大端也。」

戴氏之說，亦為一時學者所景從，段玉裁（說文注）、王筠（說文釋例）、許瀚（轉注舉例），孫星衍（與段大令書）、劉師培（轉注說）、鈕玉樹、胡蘊玉、胡琨諸家皆從之。

（丁）別立其說者

別立一說以言轉注者，以朱駿聲說文通訓定聲之說最為顯著。其言曰：「竊以轉注者即一字而推廣其意，非合數字而雷同其訓。……轉注一法，許實誤解，正有不必爲前賢諱者。……余故曰：轉注者，體不改造，引意相受，令長是也。叚借者，本無其意，依聲託字，朋來是也。凡一意之貫注，因其可通而通之，爲轉注；一聲之近似，非其所有而有之，爲叚借。就本字本訓，而因以展轉引申爲他訓者，曰轉注；無展轉引申而別有本字本訓可指名者，曰叚借。依形作字覩其體而申其義者轉注也；連綴成文，讀其音而知其意者叚借也。叚借不易聲而役異形之字，可以悟古人之音語；轉注不易字而有無形之字，可以省後世之俗書。叚借數字供一字之用，而必有本字；轉注一字具數字之用，而不煩造字。轉者，旋也，爲發軔之後，愈轉而愈遠；轉者，還也，如軌轍之一，雖轉而同歸。」又曰：「轉者，轉移遷徙之謂；注者，挹彼注茲之謂。」

朱氏之說，與各家皆不相同，可稱爲獨立一說。然在朱之前，亦尚有數家別自爲說者，雖無朱氏之獨特，亦有其不同之見解。如元楊桓六書統曰：「轉注者，象形會意之文，不足以備其文章言語變通之用，故必須二文三文四文，轉相註釋，以成一字，使人繹之而自曉其所用之義，故謂之轉注。」其後楊泰亦云：「轉注者，指事之外，意有不能盡者，則取其文字轉相附註，以足其意。」

此外，饒炯之文字存眞，對於轉注立六例，有加形，加聲，並有取篆形茂密而繁縟其文之說。又許篤仁之轉注淺說，襲楊桓之說而以爲字書中無轉注，乃聯合二字之用，在文章中屬於轉注。近代廖平亦同其說，以連綿字爲轉注。又陳衍有部首與部首轉注等例。皆爲新說。其他，有修正江聲之說者，有修正戴震之說者，議論紛紛，莫衷一是，不加引述。

二、各家學說之檢討

各家學說之大旨，已如上述。比較之下，清代各家，較之前代各家之說，雖更爲精進，也更爲紛歧。在檢討各家學說之前，有幾點共同的問題，也是先決的問題，必須先加以檢討：

㈠所謂六書，前文已說過，乃是後人根據全部文字所歸納出來的六類。由於班固漢志說：六書乃造字之本；因此後世之人，皆認爲六書純屬於創造。其實，造字之本，乃指造字之原則或造字之方法而言。根據此種原則與方法，創造新字固可謂之造字；然改造、改進，或利用舊字以作新用，亦未嘗不可謂之造字。

以六書而言，象形與指事，在當初當然都是新字而純屬於創造；然而，其後不但象形與指事字有所改造，並且利用象形與指事字，加以組合，成爲會意與形聲的新字，這也是屬於創造，但也是由改造或改進而來。同時，由於人事日繁，文物日多，語言日新，文字不勝其創造，於是假借舊字而賦予新義，稱爲假借字，這種假借字雖非新字而有新義，說它是文字之利用可，說它是一種造字的原則與方法，也未嘗不可。至於轉注字，它也有新字，它也有利用舊字而賦予新義字，（也可稱爲假借的假借字或假借的轉注字，說見後。）可以稱爲造字，也可以稱爲文字之利用。

所以，六書即可以稱爲造字之本，也可以分別將象形、指事、會意、形聲稱爲字之體（都是新字），假借、轉注，稱爲字之用（不造新字）。造字之說既不是絕對的創造，體用之說也不是絕對的分野。

因此，如果一定要肯定此一說爲眞理，彼一說爲荒謬，都是不正確的。

㈡六書之稱，最早見於周禮。六書之名，最早見於班固漢書藝文志及周禮鄭玄注引鄭衆之說。但班固稱象形、象事、象意、象聲、轉注、假借。鄭衆稱象形、會意、轉注、處事、假借、諧聲。六書之定義，惟一見於許愼說文解字自序。名稱則爲指事、象形、形聲、會意、轉注、假借。三者的名稱與次序，均不一致。從這一點，已證明在東漢時對於六書的認識，已不一致；因而許愼的六書定義是否爲金科玉律，當亦値得懷疑。不過，除了許愼以外，沒有第二個人給六書下過定義，如果不遵循許愼的定義，則將毫無依據。所以，論六書，必須要以許愼的定義爲準。不過，我前文已經說過，許愼的六書的定義，每一書都只有押韻之四言二句，而且每一書也只擧二字爲例，實在過於形式化詩歌化。因此，這四言二句是否能完善精確，毫無疏漏之處，確也値得研究。何況，許氏在釋文中，除了偶有象形指事之注明外，其餘均未註明六書之所屬。我們除了依據許氏的定義與釋文用字的慣例去察考，如對假借字的認識外，別無途徑可以分辨六書。可是，後世研究文字學的人，奉許氏之說爲聖經，一定要在押韻的四言二句及擧例二字中去鑽求，但不鑽求他的意旨，而只鑽求他的文字，以望文生義爲能事。甚至穿鑿附會，削足適履，巧立義例以惑亂世人。所以，研究六書，特別是討論轉注之說，對於那些無關大旨而只在文句上鑽求的一些議論，是不宜據此去判別是非的。

以上兩點，是各家學說中互相論辯指責而各以爲是的糾紛之因，所以凡是牽涉到了這一類的議論，都不必去加以重視。現在，試將各家的學說，就其大旨，予以檢討而不更引其原文。

、

㈠關於形轉之說，多數小學家對孫愐裴務齊說，指爲誤解。因左回右轉，不僅不能解釋轉注，即考老二字，其分別亦不由左回右轉。（考乃老省而丂聲）至於側山爲阜，反人爲匕等說，均屬於象形指事，與建類一首既無關，與同意相受之說尤不合。至於鄭樵之說，諸家評其爲妄立名目，實非過當。（鄭樵通志略，有極精到之處，亦有極粗疏之處，六書略實多謬誤之說。）其他如省形、改形之說，似是而非，皆就會意形聲字而強爲之例。以之解釋形聲會意，尚有可取，以之解釋轉注，則不免附會。

㈡關於聲轉之說，各家所論，可謂對轉注更爲接近。因考老二字爲同韻，因而推之，所謂轉注，必爲聲韻之轉。所以張有說，轉注者，轉其聲，注其義，此說尚屬合理。惟轉其聲則可，何以注其義，則不得確解。尤其舉其、無、少、長四字爲例，又以一字而異聲別義者爲轉注，同聲別義爲假借，則與考老之例既不合，於轉注之義更無涉。張氏因說文有箕字而無其字（篆文之作箕在古文作𠀠，籀文作𠔿）以其簸揚未定，故借爲其然之詞。又說文無字本上聲（篆文作橆，說文曰：豐也）即尚書庶草繁廡之廡。（說文引書本作無）若有無之無，（篆文作𣠮，說文曰：亡也）屬平聲者，下從亡字。自李斯書碑，諱亡，故借豐義之無爲有無之有。又少字爲多之對，本上聲，借爲去聲老少之少。長字爲短之對，本平聲，借爲上聲長幼之長。即就此四字而論，顯然爲借字，其解釋亦曰「借爲某」，何得謂爲轉注字？

由於張氏之以假借爲轉注，沿誤至於近代各家，凡以聲音立說者，無不步入歧途。如清代胡琨著六書叚借轉注說，其論假借甚精，其論轉注立例凡十二則，除第一則外，餘均爲訓詁假借說，與轉注無涉。顧炎武等，實論聲韻，非關六書。可見主聲轉之說，大抵如此。如章太炎乃近代文字音韻學之權威，故其言轉注亦主聲轉。但凡主聲轉者，於建類一首，同意相受二語，往往不能自圓其說，章氏於是以聲類爲建類，語基爲一首以切合許說。試想，漢代許氏時何來聲類？稱今之語基爲許氏之一首，更何所據？準此，當知其說之不可信。但因文字乃代替語言，語言組成於聲音，聲音有變化，文字亦隨之可能發生變化。轉注雖爲文字六書之一類，與語言聲音不無相當之關係，故轉注字中，以考老爲例，不可謂與語言聲音無關係。不過其關係乃係間接的而非直接的，只涉及轉注字之成因而非轉注字之成果。直接之關係仍在於文字而非以聲音爲其主。所以論轉注者，對於聲轉一事，不能完全疏忽，而也不能根據聲轉以爲說。

㈢關於義轉之說，其中錯雜若干不同之見解，可以說是各有是非的。因有錯雜不同之見解，不能不分別言之。

⑴各家之說雖不同，但有一相同之點，即皆以義轉（意轉同）爲主，這可說是轉注字的基本要素。徐鍇的轉相傳註之說與戴震的轉相爲注一語，可以說是轉注二字之正解。

⑵至於徐鍇說，散言之曰形聲，總言之曰轉注。鄭樵說：諧聲，轉注一也。是完全將形聲混於轉注，則六書可減爲五書，轉注可附庸於形聲。此種理論，當然不能成立。但轉注字以考老二字而論，一爲會意，一爲形聲，可知轉注字之成立，不是獨有一種創造之原則或方法，只是利用會意字或形聲字的原則與方法而製字，不過其性質，則屬於轉注而已（以會意字爲轉注字，江聲與王鳴盛皆有是說）。

同時，轉注字也可借用假借字而不必另造新字，而假借字中也有象形指事會意形聲字，是轉注與其他五書，都有關係，而不僅爲形聲字。故徐鄭二氏之說不能成立，但轉注字與其他五書有關聯，則爲事實。

(3)江聲的轉注之說，也就是強調部首之說，對於許氏定義，可以說是極盡切合之能事的。所以有很多小學家附從其說。但是也有許多反對者。如謂立老以爲部首，即建類一首，五百四十部，始一終亥，即所謂一首（也即五百四十首），這與許說尚屬切合，若謂「凡某之屬皆從某」即同意相受，這却未免泛濫而勉強了。就老部而言，還可說得過去；就五百四十部而言，難道都和老部相同？果如此，則全部皆爲不同部首之轉注字，豈可令人信服？所以部首之說，只能解釋一首，其餘的說法，都欠正確。

(4)檢討各家之說，當然戴震之說比較正確。

第一、戴氏指轉注爲轉相爲注，互相爲訓，而引說文之字訓曰：考者老也，老者考也爲例，這與許說可謂非常切合的。

第二、戴氏謂建類一首，以類爲名類（亦可稱義類或事類，與會意之比類合誼之類相同），至於一首，當亦指部首而言（戴氏未明言，但段玉裁有「分立其義之類而一其首」，及「同意相受而歸於一首」之言，顯係指部首。）這也與許說相當切合的。

第三、戴氏對同意相受的解釋，除了舉考老轉注互訓之例而外，又舉爾雅釋詁中有多至四十字皆用一義為言，是以訓詁立論，這也可說與許氏說並不違背的。雖然這一說法，受到江聲、許宗彥、魏默深及近代葉德輝等多人的批評反對，認為轉注在造字之始，訓詁則出於後世，不應以後世之說釋上古之名。王鳴盛亦以文字與訓詁，各專一家，不能混合。殊不知此種論難，實為似是而非之說。因自班固漢志，將文字之書，分為二類：以爾雅、小爾雅、古今字等書，列於「孝經家」；而以史籀、八體六技、蒼頡、凡將、急就、元尚、訓纂、別字、蒼頡傳、蒼頡訓纂、蒼頡故等書，列於「小學家」；這一分類，顯屬不當。其後隋書經籍志，將爾雅等書改列「論語類」，仍為相沿之誤。至四庫書目，乃將全部均納入小學類，不過分為訓詁（爾雅等），字書（急就，說文等），韻書（廣韻等）為三目。於是小學之書始統一。但由於有三目之分，又不免使小學家發生錯覺，以為三者各不相涉，故有王鳴盛與江聲等之誤解。其實，文字之形聲義，雖可分類研究，然亦密相關聯。以六書而言，尤統括形音義而不能偏廢。六書為造字之方法，訓詁實亦包括在其方法之中。若論六書之名與訓詁之名則同屬後起，不分先後，若論六書之法與訓詁之法，均可謂在造字之初即已有之，更無先後之可言。況爾雅之書，先於說文，以爾雅之書印證說文，正為論說文者必不可少之知識。故戴氏以訓詁解轉注假借，可謂極為精當而超越於各家之上。而江聲等反非之，此乃偏見，於戴說無傷。

以上三點，戴氏皆言之成理，且均切合許氏之說，當然是比較正確。

第四、戴氏又提出了一項重要意見，以象形、指事、形聲，會意為字之體，假借、轉注為字之用。這對於六書的性質，分析得更為精切。段玉裁、王筠、朱駿聲等，皆遵其說，可是一般小學家却多不以爲然。他們以爲六書皆造字之本，不應分爲體用。前文說過，所謂造字之本，亦即造字之原則與方法。戴氏的分體用，並不是否定造字之原則與方法，而只是將造字之原則與方法，分別爲兩種，一種是創造新字，一種是利用舊字賦以新義，一樣是造字，不過方法不同而已。何得根據班固的一句籠統的話而堅持其說以非議戴氏？不過，戴氏也有一點錯誤，如以字之用說明假借，則完全恰當；若以說明轉注，則只一半是對的。因爲轉注字中，用假借字爲轉注字，可以說是用，但有一部分是新造字，則不能說是字之用。如考、壽、耆、耄、耋、等字，仍是新造字，其他類似的轉注字，也很多如此。如果將戴氏之言修正爲：象形指事會意形聲爲字之體（屬於新造字），假借爲字之用（利用舊字給以新義），轉注則兼體與用而有之（即有新造字，也有利用舊字給以新義），則可謂完善無缺點了。

第五、戴氏又有一重要之說，即數字共一用者爲轉注，一字具數用者爲假借。這一說本起徐鍇之「假借則一字數用，轉注則一義數文。」（見前文）後世小學家，段玉裁、桂馥等多遵其說，可謂爲假借轉注二書之正解。戴氏因強調假借轉注爲字之用，故稱數字一用與一字數用。其實，不如徐說之精確。

以上兩點，亦戴氏論轉注要義，雖有小疵，但較同時各家之說爲勝。

㈣關於別立其說者，當以朱駿聲說最爲特出。朱氏之說，不但攻訐許氏，改變其轉注之定義；亦不同意各家之言，獨以一字具數用爲轉注，數字供一字用爲假借。是將轉注假借顚倒解釋。又其六書爻列舉革、朋、來、韋、能、州、西七字爲例。而又按曰：「此七字許意皆以爲假借，愚謂韋、州、西三字，正六書之轉注也。餘四字，乃假借而非許之所謂假借。」是將假借字混入於轉注，而七字中又只有三字爲轉注，其餘四字却仍爲假借。據此，眞不知自命爲「定千秋之業，集小學之大成」之朱氏，何以竟有此荒謬矛盾之說，無怪後世小學家絕無完全同意其說者。

其他，如楊桓、饒炯、許篤仁、廖平，與前所引曾國藩、汪榮寶等，雖有獨特之見，皆屬皮相之論，去許氏之說甚遠，故從略而不論。

總之，各家之說，以義轉爲轉注之正解。義轉之說，江戴兩家，各有所長，而戴氏之說，又爲義轉之正解。

三、轉注說之定論及其分類

戴震之說，爲轉注義轉說之正解。前已言之，但戴氏之說，仍有極大之疏漏，必須加以補充修正，才能成爲轉注說之定論。茲分別言之如下：

㈠戴氏六書體用說，應修正爲：「象形、指事、會意、形聲者，乃字之體；假借者乃字之用；轉注者則兼體用而有之。」字之體乃指創造之新字，字之用乃指利用舊字，借用或略變其音而賦予新義者。此定論之一。

㈡戴氏曰：「數字共一用者爲轉注，一字具數用者爲假借。」應根據徐鍇及若干小學家之說，修正爲：「數字同一義者爲轉注，數義同一字者爲假借。」此定論之二。

㈢戴氏之說中，有「古今語也」與「別俗異言，古雅殊語」以解釋轉注，此爲最重要之創見，乃轉注字產生之基本原因。但語焉不詳，缺乏條理。茲爲補充加以說明。

六書中何以要有轉注字？轉注字之產生，其最大原因有以下幾點：

(1)古今語　文字以代語言，在時間上，有古今。今古語言常不同，因此，同一義，由於古今語之不同，便不能不有二字三字甚至數十字以代表之。其中有代表古語者，有代表今語者。如經籍中，名字爲古今字，周禮鄭注：古曰名，今曰字。余予爲古今字，禮記曲禮鄭注：古文作余，今文作予。惟維爲古今字，古文作惟，今文作維，若以金文論，古文作佳，而今文作維惟唯。此皆在時間上分古今，而文字皆同義轉注。此類字，爾雅中有多至四十字者，而甲骨文金文中更屬屢見。蓋由於時代之推移，古中更有古，今後更有今，故亦愈衍而愈多。在爾雅中，如「夏曰歲，商曰祀，周曰年，唐虞曰載。」孟子曰：「夏曰校，殷曰序，周曰庠。」此均古今名也。在說文中，凡引用詩書而有註者，皆今古文轉注字。如惴，憂也。引詩曰惴惴其慄。怛，憯也，一作悬。引詩曰信誓旦旦。怲，憂也。引詩曰憂心怲怲。惔，憂也。引詩曰，憂心如惔。忿，忽也。引孟子曰：孝子之心不若是忿。諸如此類之例甚多，不勝枚舉。是惴、惔、怲與憂，乃古今字。忿與忽，乃古今字，怛、憯與悬、旦，乃古今字，而旦早於悬，悬早於怛、怛又早於憯。（凡爾雅、說文、及金文、甲骨文，皆有專書詳註。因一字常引證數十或數百字以上。不加徵引，下文同。讀者請查閱其原書。至古今字，則略舉若干字於後。見註一）

(2) 地方字　我國地域廣濶，各處方言不同，同一物，名稱不同（專論一字之名，其有二字以上所構成之詞則不論。下同。字與詞，詞與詞，亦多轉注。因文繁，故從略。）同一事，同一意，各處之方言亦不同（連綿詞等皆不論，下同。）因各處方言不同，根據方言所創造之新字或假用舊字以賦予新義之字，當然皆不同。但字雖不同，而義則相同，故往往有若干字皆同一義，凡此等字，皆可以轉相爲注之字，故皆轉注字。

在爾雅釋詁中，如卬、吾、台、予、朕、身、甫、余、言，我也。我爲通稱，爲文今，其前九字，則或爲古今字，或爲地方字。其他各節均同。以每個字而論，多屬假借字，如以各個字皆同屬一義的關係而言，則皆爲轉注字。此最大之分別，爲治文字學者所最不可忽略之處，否則，便全盤混亂矣。（如考老二字，就每個字而言，則考爲形聲字，老爲會意字，若就考老二字之關係言，則考老爲轉注字也。轉注字，乃數字同一義，故至少就兩個字而言。）前人往往混爲一談，故不免迷惑。

又就說文略擧數例。（先就其同一部首，亦即所謂建類一首同意相受者）如：口部：咺：朝鮮謂兒泣不止曰咺。喨：秦晉謂兒泣不止曰喨。咷，楚謂兒泣不止曰噭咷。喑，宋齊謂兒泣不止曰喑。就此四字而言，皆同一兒泣不止之義，故咺、喨、咷、噭、喑，皆轉注字也。何以一義而製四五字？蓋根據朝鮮、秦、晉、楚、宋、齊等地之方言不同也。（方言：咺、唏、忄勺、怛，痛也。凡哀泣而不止曰咺。哀而不泣曰唏。於方則楚哀曰唏。燕之外鄙，朝鮮洌水之間，少兒泣而不止曰咺。自關而西，秦晉之間，凡大人少兒泣不止謂之喨。哭極音絕亦謂之喨，平原謂啼極無聲謂之喨㖧。楚謂之噭咷。

齊宋之間謂之喑，或謂之惄。）此類轉注字極多，一查說文便可知，亦可參證方言。又就目前之粵語舉例。作者不諳粵語，只略知一二。如看、望，此通用字，而粵語不曰看而呼爲睇。按睇字，說文注曰：「目小視也，南楚謂眄爲睇。」可知睇爲看之轉注字，地方語也。惟睇未指看而用眄字，何能謂爲轉注？因說文：「看：睎也。」。「睎：望也，海岱之間謂眄曰睎。臣鍇曰：班固西都賦曰：睎秦嶺，大凡睎望字皆當如此。」又：「眄：目偏合也，一曰衺視也。秦語。」又：「略：眄也。」合此數語，可知看、望、睎、眄、略諸字，都可以轉相爲注，地方語也。更證以揚雄方言曰：「瞯、睇、睎、略，眄也。陳楚之間南楚之外曰睇，東齊青徐之間曰睎，吳揚江淮之間或曰瞯，或曰略，自關而西、秦晉之間曰眄。」據此，可知地方語爲轉注之主要成因也。（說文另有眙字，直視也。）方言亦另有一條曰：「䏁、眙、逗也。南楚謂之䏁，西秦謂之眙，逗其通語也。」按眙乃注視之意，讀作怡，與前條不合。）即此一例，可以概見其餘。近人研究粵方言與古音古字之論文，甚多佳作，可參考。

(3)雅俗字　近世本戴氏以說轉注者，知有古今字，有地方字，而不知尚有雅俗字。故近人胡樸安作六書淺說，其論轉注，有曰：「郭璞謂爾雅所以釋古今之異言，通方俗之殊語，即轉注之確解。」其實尚有未足。蓋文字創造之初，皆以代語言之用。其後，隨文化之發展，及學術之盛興，加以文學之力趨優美，辭令之務求典雅。孔子重雅言，有文學與語言之科；諸子百家之書，均重文言而避俚俗。自此，文言與俗語，遂日漸疏遠而不一致。於是文言有文言之用字，俗語有俗語之措詞。由是若干文字乃根據文學而創造，而假借，亦多用轉注之字。在文言皆爲雅語。（宥寐匪禎之譏，即由於此）至於語言，則各隨時代地域之發展，語言之隔閡，所謂邈如秦越，各不相通。其中有若干語言，遂以假借字爲其代表，如爾雅、方言、說文所錄者是也。但亦有根本有音無字者，因其與文言無涉也。此種情形，在文字方面，遂演成語文之分、文野之分，亦即雅俗之分。如爾雅：「父爲考，母爲妣。」文言用之，語言中決無呼父爲考呼母爲妣者。俗語中，皆呼父爲爸、或爹；呼母爲媽，而文言中決無稱吾爸吾爹吾媽者。若以轉注而言，則父與爸，父與爹，母與媽，皆同義轉注也。宋以後，白話小說漸興，詩文亦常不避俚言俗語。但同時仍尊尚文言，文字中仍有專用於文學中之雅字，而語言則尚多不入文學之俗字。如文言用「之」而不用「的」，語言用「的」而不用「之」。文言稱含飴之樂，決不說含糖之樂，語言中曰吃糖，決不說吃飴。近世提倡白話文，當然已不分俗雅。但亦很少不稱妻與夫而稱老婆老公者。至徘徊、徬徨、滂湲、澎湃、亦很少見於語言者。（但亦可用於語體文中）由是言之，可知轉注字尚有雅俗字一種，其原因乃根據雅正而別於俗語之原則，創造若干新字。此種新字與若干俗字，實爲同義轉注之字。雖然現在之字典中，大多已屬淘汰之列，除了作古典文駢儷文而尚可一用外，幾乎都成爲死文字。但研究文字學者決不可放棄不論。

(4)除以上古今字、地方字、與雅俗字，乃轉注字產生之直接之因及其果外，惟尚有一事實則不可不知。蓋一切文字，皆非一時一地一人所任意創造，乃爲不同的時間、不同的地域、不同的人而根據種種不同的需要所創造。此時此地此人造一字，彼時彼地彼人也造一字，字越造越多。於是產生了同一形事聲意而有很多不同形體的重複字。這些字，象形字最多（見金文甲骨文及說文古籀文），指事、會意、形聲的也不少。在以上這些文字，便產生了許多轉注字。至於假借字，情形相同，此時此地此人爲了某一聲義而借某一字，彼時彼地彼人又爲了某一聲義而借另一字，於是同一聲義的假借字也產生了許多。這些字，經過了倉頡以至秦始皇時代統一文字，象形指事會意形聲，尚可以刪繁就簡，去異留同，但轉注字與假借字，則不能不並存而難廢。故爾雅、方言、說文尚保存了許多假借轉注，即後此玉篇、廣韻、集韻等等文字書中，尚復繼續孳生。但轉注字，旣不可淘汰，亦無法阻其孳生，如「梅者枏也，枏者梅也」，後世稱梅不稱枏。「鴻者鴻鵠也，鵠者鴻鵠也」，後世連稱鴻鵠，或稱鴻而亦稱鵠。「鴛者鴛鴦也，鴦者鴛鴦也」，後世連稱鴛鴦，不單稱鴛或鴦，（文學中偶有單稱鴛夢，孤鴛諸詞者而不單稱鴦，語言則皆不單稱）。以上所述，乃說明文字創造之一般情形，也即說明古今語、地方語、雅俗語及轉注字之所由來。

總之，轉注字乃不同的時地人所產生之同義而不同形體之文字，其字聲則或同或近或異，包括古今字、地域字、雅俗字。此定論之三。

㈣戴氏之「轉相爲注，互相爲訓」說，乃其論轉注之精華。但互訓之說，並不能包括訓詁之全部，所謂轉相爲注，亦不限於互訓。故戴說亦自相矛盾，仍有極大疏漏之處。蓋互訓只限於考者老也與老者考也一種，亦即「甲者乙也與乙者甲也」之一式。若推而至於「甲者乙也，丙者乙也，丁者乙也，」則甲丙丁同訓乙，是甲、乙、丙、丁，均等於同訓也。四字同訓，即轉注字。此類字在說文中最多，俞曲園疑此等同訓字原爲一字，殊不知此正古今字地方字之轉注字。見俞氏湖海樓筆說。（註二）此其一。又再推而至於「甲者乙也，乙者丙也，丙者丁也。」則甲、乙、丙、丁，是又等於同訓也。四字同訓，亦轉注字。此其二。以上二式，可以說都屬於轉相爲訓。故轉注之式，不限於互訓，應包括第二第三兩式。爲此，戴氏既可主互訓，亦可以主訓詁，始稱完善。余以爲第一式爲互訓，第二式爲同訓，第三式爲轉訓（即轉展爲訓）。茲先就同一部首者各舉二例如下：

第一式——互訓

說文：老部：老者考也、考者老也。（耋：年八十曰耋。耄：年九十曰耄。耇：老人面凍黎若垢。𦒷：老人面如點也。𦒸：老人行才相遠。耂：久也。孝：善事父母者。以上各字，均爲從老（省作耂）之形聲字，並非完全同義，故非轉注字，各家之說皆誤）

說文：言部：諷、誦也——誦：諷也。諷誦爲轉注字

第二式——同訓

說文：老部：耆：老也。考：老也。

耆、考、老，爲轉注字。

說文：言部：誥：告也。詔：告也。諭：告也。訴：告也。

誥、詔、諭、訴、告，皆轉注字。

第三式——轉訓（轉展爲訓）

說文：言部：論：議也。　議：語也。　語：論也。　談：語也。

論、議、語、談，皆轉注字。

說文：木部：橑，椽也。桷：榱也，椽方曰桷。椽：榱也。榱，秦名爲屋椽，周謂之榱，魯齊謂之桷。

橑、椽、桷、榱，皆轉注字，地方語也。

根據以上所述，則凡互訓、同訓、轉訓之同義字，皆轉注字，此定論之四。

㈤戴氏對於建類一首，僅言「古人以其語言立其名類」，而未明言一首。段玉裁則曰：「建類一首，謂分立其義類，而一其首。同意相受，謂諸字意恉略同，義可互受相灌注，而歸於一首，其于義或近或違，皆可互相訓釋是也。」較戴說爲詳，分立其義類尤當，但其餘則略欠明確。至於其他各家，則尤不及段。余以爲綜合戴段之意，而兼江聲之說，並兼取前項修正補充之說，究不如曰：「建立義類於一部首中，（一部首中不必同一義類，如艸部菜爲一類，花爲一類，草爲一類，藥爲一種等。其他各部均同此）其中凡可以互訓、同訓、轉訓之同一義類之字，而轉相爲注同意相受者，爲轉注字。」以此解釋許說，可謂完滿。此定論之五。

㈥許氏說文，分五百四十部，乃屬文字書之創舉，予後世立一規範，自較以前四言或七言之倉頡諸書爲勝，以現代語言之，實合乎科學之方法。惟在草創之初，當難免沒有缺點。如其分部之繁複，其中不應分部者甚多。後世小學家多尊重許書，故甚少詳盡之批評，但以康熙字典竟縮至二百一十四部，即可反映對許書分首之修正矣。此一點，不擬加以檢討。余所注意者，若干轉注而又互訓同訓之字，甚多不同部首。同時，不同部首之部首，從義類而言，又大體相同。故段玉裁亦有隔部轉注之說，而劉師培亦指爲轉注之變例。但變例之中，變有兩種不同之情況。㈠部首雖不同，但有若干部首，根據義類相同之原則，似有若干部首亦可以視同一部首。若止部、走部、步部、此部、正部、是部、辵部、足部、疋部、㱆部，均從止。止爲足之象形，古作𣥂，後省作𣥃；說文云：「下基也，象草木出有止。」實則此語乃爲取譬，部中無草木字，而皆與行走有關。其他各部皆如此。從義類言，則實相同。又如彳部、彡部、行部，亦以言步行事，與前義類相同。又如口部、只部、言部、欠部，皆從口，或訓口氣，義類又相同，又如乙部、燕部，本一類。又如大部、介部，皆象人。又如鳥部、隹部，隹部多訓「鳥也」，鳥部亦有以屬隹之字爲訓，實亦同一義類。又如攴部、手部、殳部，均從手，同義類。即以此數部而論，可知雖不同部而同義類。吾姑名之曰通部，亦可勉視同一首。因建類相同而又可勉視爲一首，故仍可屬於正例。（通部之說，乃屬始創，不限於以上各部。）至於在其他各不相同之部首中之轉注字則屬之變例。

綜合言之，轉注字不限於同一部首。其部首中，有若干義類相通者，名之曰通部，在通部中之轉注字，另立一例曰通部轉注字。至於其他不通義類之部首中之轉注字，皆歸之變例，名之曰異部轉注字。此定論之六。

根據以上六點定論，可以獲得轉注中若干問題的正解，也便解決了歷代以來轉注說之糾紛。玆分轉注字爲以下五類：

㈣同部互訓轉注字
㈤同部同訓轉注字
㈥同部轉訓轉注字
㈦通部互訓、同訓、轉訓轉注字
㈧異部互訓、同訓、轉訓轉注字

四、轉注字舉例

根據前章之分類，均據說文分別擇要舉例如下。

㈣同部互訓轉注字

因互訓之文字略有不同，又分爲四種，不加名稱。又前文已引者，除考老二字外，不再引。因節省篇幅，每部引一二例，至多引四例，並擇常見字。

(1)老部：考：老也——考：老也

言部：誠：信也——信：誠也　讙：譁也——譁：讙也

　　　譸：詶也——詶：譸也　諫：証也——証：諫也

艸部：茅：菅也——菅：茅也　蘿：莪也——莪：蘿也

　　　蕪：薉也——薉：蕪也　蓋：苫也——苫：蓋也

木部　棟：極也——極：棟也　柱：楹也——楹：柱也

　　　梓：楸也——楸：梓也　棧：棚也——棚：棧也

口部　咽：嗌也——嗌：咽也　噓：吹也——吹：噓也

　　　呻：吟也——吟：呻也　噴：吒也——吒：噴也

足部　蹎：跆也——跆：蹎也　蹲：踞也——踞：蹲也

食部　飢：餓也——餓：飢也

人部　倚：依也——依：倚也

穴部　竅：空也——空：竅也

欠部　歔：欷也——欷：歔也

火部　火：燬也——燬：火也

水部　汜：濫也——濫：汜也

心部　志：意也——意：志也　恐：懼也——懼：恐也

攴部　改：更也——更：改也

(2)山部　嶸：崝也——嶸：崝嶸也

手部　搯：捾也——捾：搯捾也

艸部　薪：蕘也——蕘：艸薪也

木部　橋：水梁也——梁：水橋也

巾部　常：下帬也——帬：下常

糸部　紂：馬緧也——緧：馬紂

(3)鳥部　鴝：鴝鵒也——鵒：鴝鵒也

駿：駿鸃也——鸃：駿鸃也

艸部　芙：芙蓉也——蓉：芙蓉也

薢：薢茩也——茩：薢茩也（按此類，以字言爲互訓，實一名分訓，亦可置之乙項同訓也。）

(4)艸部　蔆：芰也——芰：蔆也。楚謂之芰，秦謂之薢茩

蘸：楚謂之蘺，晋謂之蘸，齊謂之茝。

女部　娣：女弟也——媦：楚人謂女弟曰媦

（按此類字，可參考方言。惟方言只標方音爲字，不完全屬轉注字。）

(乙)同部同訓轉注字

言部　誠：信也——諒：信也——訦：燕代東齊謂信訦。

訊：問也——諭：問也

讘：多言也——詍：多言也

謑：恥也——詬：謑詬，恥也

木部　栟：栟櫚也——椶：栟櫚也

　　　檵：枸杞也——杞：枸杞也

辵部　遭：遇也——遘：遇也——逢：遇也（爾雅：遘、逢、遇也。）

　　　逋：亡也——遺：亡也——遂：亡也——逃：亡也

人部　侳：醉舞皃——僛：醉舞皃。

女部　姝：女弟也——娣：女弟也。

　　　妿：女師也——娒：女師也。

　　　[illegible]：好也——姣：好也——嬽：好也——嫙：好也——婜：好也——姝：好也。娥：帝堯之女舜妻娥皇字也。秦晉謂好曰娙娥——嫷：南楚之外謂曰嫷——娧：好也

附：（媌：目裏好也——嫿：靜好也——娙：長好也——鑽：白好也——娃：圜深目貌。或曰吳楚之間，謂好曰娃——媄：好貌。）

（又附方言：娥、㜲、好也。秦曰娥，宋魏之間謂之㜲。秦晉之間凡好而輕者謂之娥，自關而東河濟之間謂之媌。或謂之姣。趙魏燕代之間曰姝。或曰妦。自關而西秦晉之故都曰妍。好，其通語也。又：娃、嫷、窕、艶、美也。吳楚衡淮之間曰娃，南楚外曰嫷，宋衞晉鄭之間曰艶，陳楚周南之間曰窕，自關而西秦晉之間，凡美色，或謂之好，或謂之窕。故吳有館娃之宮，秦有榛娥之臺，秦晉之間，美貌謂之娥，美狀爲窕，美色爲艶，美心爲窈。）

忦、恙、惄、慼、患、怲、惔、惙、慯、愁、悠、悄、悴、慁、忏、忡，以上十六字，均訓憂也。

又惄：楚潁之間謂憂曰惄。

(丙)同部轉訓轉注字

辵部　逆：迎也——迎：逢也——逢：遇也——遭：遇也——遘：遇也：——遇：逢也——迓：迎也（迓亦從言）。（說文注：關東曰逆，關西曰迎。又爾雅：遘、逢、遇，逆也。又方言：迓：迎也）

木部　楣：秦名屋櫋聯也。齊謂之檐，楚謂之梠——梠：楣也。梍：梠也。櫋：屋櫋聯也。

玉部　珥：瑱也——瑱：以玉充耳也。

口部　唸：呎也——呎：唸呎呻也。

卜部　卜：灼剝龜也，象炙龜之形。一曰，象龜兆之縱橫也——兆：灼龜坼也。

水部　滿：盈溢也——溢：器滿也。

泣：無聲出涕曰泣——涕：泣也

羽部　翱：翔也——翔：回飛也。

貝部　賄：財也——貨：財也——財：人所寶也。

賚：賜也——賜：予也——貺：賜也

貿：易財也——賣：貿也。

言部　譀：誕也——誇：譀也——誕：詞誕也——譪：譀也

人部　佴：佽也——倢：佽也——佽：便利也。

衣部　卒：隸人給事者衣爲卒，卒衣有題識者——褚：卒也。

心部　悃：愊也——愊：誠志也——志：意也

志：意也——意：志也——恉：意也

怨：恚也——怒：恚也——憝：怨也——慍：怨也——恨：怨也——懟：怨也——恚：怨也。

(丁)通部互訓、同訓、轉訓轉注字

言部——欠部　詠：歌也——歌：詠也

口部——言部　咏：謌也——謌：咏也

吪：訶也——訶：大言而怒也

問：訊也——訊：問也

言部——欠部　詐：欺也——欺：詐欺也

辵部——足部　踰：越也——𨒅：踰也——逾：𨒅進也

廴部——彳部　𢌱：正行也——𢌱或從彳作征：正行也

走部——足部　趞：僵也——踣：僵也

辵部——彳部　迋：往也——徂亦作徂、往也。（迋、㞷之省，亦作往）
（爾雅：如、適、之、嫁、徂、逝，往也）
適：之也。啻聲爲宋魯語——徃：之也（徃亦往）
述：循也——循：順行也——遵：循也。
還：復也——復：復也
攴部——殳部　改：敍改大剛卯以逐鬼也。——敍：敍改大剛卯也，以逐精鬼。
止部——足部　歱：跟也——跟：足踵也（跟或從止作跟）
峙：躇也——躇：峙躇不前也。
燕部——乙部　燕：玄鳥也——乙：玄鳥也，齊魯謂之乙，取其鳴自呼。
辵部——足部　路：道也——道：所行道也。
殳部——手部——攴部　𣪠：相擊中也——擊：攴也——𢻫：擊也——攻：擊也——敄：擊也——
敂：擊也。（殳部凡二十字，十二字與擊字之義訓有關）
迒：獸迹也——迒或從足作䟘、獸迹也
火部——炙部　炮：火炙肉也——炙：炮肉也
(戊)異部互訓、同訓、轉訓轉注字
隶部　隶：及也。辵部　逮：唐逮及也——又部　及：逮也（說文：隶、通作隸，及也。引詩：隸天之未陰雨。今詩隸作迨。方言：迨，及也，東齊曰迨。）

邑部　邦：國也——囗部　國：邦也

衣部　裼：但也——人部　但：裼也

殳部　殺：戮也——戈部　戮：殺也

心部　懋：勉也——力部　劭：懋也

　　息：喘也——口部　呬：東夷謂息爲呬

　　愼：謹也——言部　謹：愼也

口部　局：促也。一曰博，所以行棊——竹部：簙：局戲也。六著十二棊也。

貝部　貪：欲也——心部　惏：河內之北謂貪爲惏

人部　全：完也——宀部　完：全也

　　俾：益也——衣部　裨：接益也——土部　埤：增也——增：益也

　　儇：慧也——心部　慧：儇也

八部　分：別也——冎部　𠛱：分解也，𩪑：別也——刀部　削：分解也。

肉部　肩：髆也——骨部　髆：肩甲也

　　膺：胷也——勹部　匈：膺也

血部　盇：覆也——襾部　覆：覂也，一曰蓋也

足部　蹇：跛也——尣部　尲：蹇也

上部　下：底也——广部　底：山居也，一曰下也

牛部　牴：觸也——角部　觸：牴也

木部　札：牒也——片部　牒：札也

明部　明：照也——火部　照：明也

食部　餟：祭酹也——酉部　酹：餟祭也

宀部　寧：安也。定：安也。宓：安也。宴：安也——安：靜也——⿱宀契：靜也（青部）

穴部　竂：穿也。⿱穴夬。穿也——穿：通也（乑部）

土部　垽：澱也——水部　澱：滓也——滓：澱也——涅：黑土在水中也——黑部　⿰黑展：⿰黑展謂之

垽。垽：滓也。從黑殿省聲。

（按爾雅　澱謂之垽。注：滓澱也。今東江呼垽。廣雅：澱謂之滓。釋名：淄：滓也。泥之黑者曰滓。

以上六字皆轉展爲注）

【附註】

註一　轉注字中，孰爲古今字，孰爲地方字，孰爲雅俗字，須詳加引證，始能分別。爾雅、方言、釋名、廣雅、羣經音辨、

埤雅、一切經音義及說文有關諸書，皆可參證。郝懿行爾雅義疏、段玉裁說文注尤詳。茲引古今字一段，以供讀者

參考，不全關轉注字也。張行孚有涉及說文中重文與古今文一篇，省略引之如下：「說文中有古今文而未疊爲重文者：如儿古文，人爲今文。𦣻爲古文，百爲今文。䰜爲古文，鬲爲今文。兆爲古文，別爲今文……白、自爲古文，鼻爲今文。屮爲古文，艸爲今文。丂爲古文，巧爲今文……許君所未言者：辛：辠也，愆過也，音切同，此辛古文而愆今文也。右：助也。祐，助也。從示右聲，音切同，此右古文，而祐今文也。（按甲骨文中佑祐皆作右）誩：競言也，讀若競競，彊語也，從言，從二人。音切同。此誩古文而競今文也。启：開也。啓：教也。從攴，启聲。此启古文而啓今文也……匕古文而化今文也……从古文而從今文也……辡古文而辨辯今文也……制古文而製今文也……吅古文而讙今文也……」（按凡同義同音而又同屬一事且皆孳乳相生者，古今字也，若另屬一事一義則爲假借字）

註　二　兪樾曰：「許君……有實係重文而誤收兩部，學者但觀其音義之同，可知其本爲一字。如：椓、擊也，豛、擊也。則改椓一字也。」下更擧庰：蔽也，屛，蔽也。後：迹也，衜：迹也。睍：衺視也，䫄：旁視也。親：至也，𡪔：至也。晏：安也，晏：安也。慣：習也，遺：習也。遺：媟也，嬻：媟讀也。譎。權詐也，憰：權詐也。踣：僵也，踣：僵也。逴：遠也，逴：遠也。勍：彊也，倞：彊也。嘌：疾也，慓：疾也，嫖：輕也，僄：輕也。寶：塞也，塡：塞也。諝：知也，惰：知也。滄：寒也，滄：寒也。賏：頸飾也，嬰：頸飾也。粈：襍飯也，鈕：襍飯也。䢘：行皃，躍：行皃也。以上所擧四十字，兪氏皆以爲「雖居兩部，實是一文」乃許君之「偶不照耳」。殊不知此正余所謂通部或異部同訓之轉注字，非許氏之失也。起兪君語之，亦必啞然失笑矣。

天命史觀

一、前　言

神話，在歷史之先；神學，在哲學之先；宗教，為神學與哲學的混合體。任何民族，其原始之歷史，必然充滿神話。由神話，漸漸進而為神學。至神學不足以完全解釋實際生活要求時，必然產生哲學。但哲學並不能推翻神學，且幫助神學而演進成為宗教。故在人類上古之歷史中，一定包括神話、神學、哲學、宗教，這四大因素，而神學與哲學，更成為歷史演進中的主要因素。

人類的生活與智慧，是由極幼稚的本能而隨時增益而獲得進步的。這種進步便表現成為文化。到了由神話、而神學、而哲學、而宗教時，文化已經由舊石器時代，而遞進至新石器時代、銅器時代、鐵器時代。而經濟生活也由採拾、而漁獵、而畜牧、而到了農業時代；精神生活並由語言、而結繩、而圖畫、而書契，而產生文字的時代了。

於是，由口傳的一切史事而到了有文字記載時，已不知經歷了若干年代，失去了多少人物，歷史家將它寫成歷史，不得不放棄許多邈遠迷茫的口傳的故事；又不得不採取許多近於事實，或爲大衆所取信的口傳史蹟；於是，歷史中就不能不包含一部分的神話以及一部分神學的觀點，這便產生我所要論的天命歷史觀了。

歷史觀這個名詞，是始自於西方的。在西方，也是近代以來才有這種研究和學說。文藝復興以後，多數哲學家和歷史學家，都著重在人類歷史演進中，去研求歷史演進的動力和主要因素；而科學家們，也不斷的去追尋人類文化進展的理論與實蹟。於是對於人類歷史便產生了種種不同的解釋，也就形成了種種不同的歷史觀。如神意史觀（宗教史觀）、理性史觀（惟心史觀）、實證史觀（科學史觀）、惟物史觀（經濟史觀）以及調和論、相對論、循環論等等學說。

我國近代以來，研究歷史的學者，對於史觀這個問題，不太注重，只把它納入哲學的範圍。而一般受異端政治思想染汚的歷史學者，盲目的信奉馬列主義和惟物史觀，並沒有潛心去研究中國歷史，便將中國歷史放進了馬克思學說的框框中去，以訛傳訛的來解釋中國歷史。比較超然的歷史家，卻多嚮往理性論或實證論，甚或成爲歷史懷疑派。從史學的立場來說，這是一大缺點，也是値得慨歎的。

我所論的歷史觀，是從古代歷史中，去探求一種重要的歷史解釋與歷史評論。我肯定天命論是解釋歷史與歷史評論的重要理論之一，所以定名爲天命史觀。這一史觀，在我國史籍中佔有很重要的地位，甚至從古代史而一直影響到歷代史，並影響到歷史評論家。所以，我不能不寫出來以供研究史學者參考。

天，這個名辭，在應用上有幾種不同的意義。第一是自然之天，與地對稱。如天文、天時。第二是主宰之天，即所謂皇天上帝、最高之神。或稱天帝、上帝。第三是義理之天，即一種哲理，如天性、天理。除以上三義外，或另立物質之天與運命之天二義。實則前者應即自然之天，而後者則可附之於主宰之天，屬於天命。（亦或言氣數、曆數、氣運。）

無論自然之天、主宰之天、義理之天，在人類的生存生活上，都是密切相關的。而在先民的觀念中，自然之天與義理之天，皆掌之於主宰之天。故國家之興亡、帝王之成敗、人民之禍福、政治之治亂、文化之盛衰，以至個人之貴賤、貧富、窮達、壽夭，以及一切事業，無不決定於主宰之天。通常，稱之爲天命。這種觀念，應該說是屬於迷信，無足輕重。但數千年來，在文化最盛的時代中，最高智慧的聖賢碩彥文人學者，甚至傑出的科學家，他們一樣的信仰天帝，參加宗教。至於亂世人民，當更不待說了。因此我們對於迷信的觀念不能不另有一種認識。

據我的解釋，分析爲幾點：一、古代人民生活於洪荒之世，覩日月星辰，電霆風雨，以及千變萬化之種種現象，自然相信天地背後必有主宰，此實受時代限制的合理信念，未可以今釋古，謂之爲迷信。二、我以爲古代是一個強凌弱的時代，由氏族到有國家，小而酋長，大而侯王，都是屬於強者。這些強者，即是獨裁者，生殺予奪，魚肉人民，任意胡爲，毫無約束。因此，智慧最高的賢哲們，便有意的強調天命之可畏，他們的目的，是要使王侯獨裁者知有所懼。名義上奉之爲天子，實則使知其上尚有天父天命而不可違抗。故重視封禪郊祀，尊崇禮制教典，其目的都是爲了抑強保弱。故最早的學說，如儒的釋爲柔也優也，老子重以弱制強，以柔克剛，墨子的天志明鬼，可以爲證。三、古先聖哲們，非迷信天帝天命，因無反證以證天帝天命之不存，故寧相信其存在以使強梁邪惡者知所戒懼，甚至以神道施教，與民爲善，比無信仰爲有益於民生。四、也可說，天地間確實存在着一種超自然的神秘力量，在人事上有許多現象不可解釋的時候，而只能歸之於這種不可思議的神秘力量。這種意念，不可謂之迷信。五、另一方面，人類生存於世，辛勞困苦，艱險重重。在意念中，眞正的希望，或眞正的相信，有一個公正慈愛而無所不能的上帝的存在，可以懲惡佑善，抑強扶弱，以保障人生。於是信奉宗教，心安理得。即使不信奉宗教，仍一心一意的聽天由命，以盡人事。也可說，這是一種普遍的心理。也是我們現在的世界，科學到了原子時代，人類已可登上月球，遨遊太空，而信奉各種宗教的人士，仍有若干億萬之多，這確是不可否認的事實。以上這五點，都不一定是迷信，只可說是一種理念、信念。這種理念、信念，我們可以一一從歷史中得到證明。所以我們對於天命史觀，不認爲是迷信而是一種理念信念的詮釋。至於眞正的迷信，只是張角和義和團這一類的行爲而已。

二、經籍古史中之天命觀

我國歷史，向稱五千年，若以地下所發現的史料而論，可上溯五萬年，十五萬年，以至五十萬年。以史籍而言，文字史籍時間之早，史籍體製之完備，史籍與史料之多，可說說冠於其他各國家民族。

我國最早之歷史文獻爲尚書，始於堯舜。最早之編年史爲春秋，屬於魯史。兩者皆列於經籍。其他經籍如易、詩、禮，所述皆有關歷史與史料。故後世稱六經皆史（樂不存）。又諸子與集部，皆與歷史相溝通，故亦稱爲歷史之支流。至於史部，以正史爲經，以編年史、國別史、紀事本末史、雜史、覇史……等等爲緯，範圍至廣，綱紀條目，完密無遺。我研求天命史觀之說，首經籍，次諸子，次史部，次史學論著。

先求諸尚書。尚書五十九篇，今文三十三篇，僞古文二十五篇，僞序一篇。僞書不論，僅就今文虞、夏、商、周四書次第言之。（惟僞古文中，間有抄自古書中者，亦略引之。」

虞書堯典、舜典、皐陶、益稷，（原爲堯典、皐陶謨二篇）此爲經籍中的最早史文。舜典曰：「肆類于上帝。」這是上帝一詞最早見於經典。孔注：「堯不聽舜讓，使之攝位，舜察天文，考齊七政，而當天心，故行其事。肆，遂也；類，謂攝位事類，遂以攝告天及五帝。」王肅云：「上帝，天也。」這是說舜之攝位是聽命於天。故舜之告禹曰：「天之歷數在汝躬。」（見大禹謨、孟子引）註：「天道在汝身，汝終當升爲天子。」這是說明舜、禹之踐帝位，皆授于天。這也是天字的最早見於經典。

皐陶謨：「天叙有典……天秩有禮……天命有德……天討有罪……」這是說明典、禮、服、刑、皆勑自天。益稷：「以昭受上帝，天其申命用休。」註：「非但人應之，又乃明受天之報施，天又重命用美。」這是說天受之嘉命。

試以「天討有罪」這一點說，凡是古史中的征伐之事，無不是藉天之名以行罰。如甘誓：啓伐有扈……「有扈氏，威侮五行，怠棄三正，天用勦絕其命。今予惟恭行天之罰。」湯誓、湯伐桀：「…

…有夏多罪，天命殛之。……予畏上帝，不敢不正……。夏德若茲，今朕必往……致天之罰。」牧誓，武王伐紂：「……今予發，惟恭行天之罰……。」（泰誓，亦武王伐商文，因屬僞傳，不引），故後世征伐之事，亦常用受天行罰之文。見於史文者甚多，幾乎成爲一種定義。

至於其他各篇，天命之文，多不勝引。略擧其要：盤庚上：「……先王恪謹天命……今不承于古，罔知天之斷命……天其永我命茲新邑……」大誥：「……天降割于我家不少……其有能格知天命……予不敢閉于天降威用……予惟小子，不敢替上帝命，天休于寧王，與我小邦周……爾亦不知天命不易。予永念曰：天惟喪殷……天命不僭。」（文中尚多稱天之文，省。）康誥：「……聞于上帝，帝休，天乃大命文王，殪戎殷……用康保民，弘于天……應保殷民，亦惟助王宅天命，作新民……爽惟天其罰殛我，我其不怨……王曰：肆爾小子封，惟命不于常，汝念哉，無我殄……」酒誥：「……祀茲酒，惟天降命，肇我民惟元祀。天降威，我民用大亂喪德，亦罔非酒惟行……」召誥：「……嗚呼，皇天上帝，改厥元子。……天既遐終大邦殷之命。茲殷多先哲王在天，越厥後王後民……天亦哀於四方民……王來紹上帝……我不敢知曰，有夏服天命，惟有歷年，我不敢知曰，不其延，惟不敬厥德，乃早墜厥命。我不敢知曰：有殷受天命，惟有歷年，我不敢知曰：不其延。惟不敬厥德，乃早墜厥命。今王嗣受厥命……今天其命哲，命吉凶，命歷年……王其德之用，祈天永命……其曰我受天命，丕若有夏歷年，式勿替有殷歷年，欲王以小民受天永命，拜手稽首曰……能祈天永命……」上引這幾篇，都很明顯的，將國家的生存，完全倚靠於天命。此外，如洛誥、多士、君奭、多方、立政、康王之誥、呂刑諸篇，更多演述尊敬上帝與天命之論。不繁引。

以上簡引尚書之文，除強調天命爲帝王國家成敗興亡之所繫外，有兩點是值得注意的。第一、天命是與民意相關的。皐陶謨曰：「天聰明自我民聰明，天明威自我民明威。」又孟子引古泰誓曰：「天視自我民視，天聽自我民聽。」原來人民的耳目即是上帝的耳目，上帝的威力也出自於人民。上帝根據人民的所見所聞來行天命，發揮人民的力量來表現天的力量。所以左傳與孟子所引古泰誓之文曰：「民之所欲，天必從之。」（以上左孟所引泰誓，僞古文均引入之）這是天人相與論的一種重要論證。第二、「天命有德」之文前已言之。天何以禍福其人其國，均視修德喪德以爲準。修德者福之興之祐之；喪德者禍之亡之亂之。前引召誥之文可證。其他各篇，亦多言之，實爲論天命觀所不可忽視之要點。此民意與修德兩者，亦可以構成爲重要史觀，我將另文論之，附此先行說明。

又逸周書七十一篇，亦周之歷史文獻，同尚書。其天命觀，亦同尚書。可參閱其命訓，大明武、商誓諸篇，茲不贅引。

× × × × ×

論史，尚書之外，眞正的歷史，便是春秋。春秋是編年的魯史，只是一種大事記。因爲孟子有「孔子作春秋」之文，又有「其事，則齊桓晉文；其文則史；其義則丘竊取之矣。」之文。故春秋特別値得重視。而治春秋者，分爲兩派。一派爲左氏傳，以敍史事爲主，間及史義。一派爲公羊、穀梁，以史義爲主、重在闡釋微言大義，少及史事。後世今文經學重公羊穀梁，而古文經學與治史者則重左傳。

左傳叙史，天命史觀特別顯著。在許多歷史重要人物的言談中，多以天命以判治亂興亡。茲擇要引證於後：

隱公十一年，「秋七月，公會齊侯鄭伯伐許……鄭伯使許大夫百里，奉許叔以居許東偏。曰：天禍許國，鬼神實不逞于許君，而假手于我寡人……吾子其奉許叔，以撫柔此民也，吾將使獲也佐吾子。若寡人得沒于地，天其以禮悔禍于許，無寧茲許公，復奉其社稷……夫許，大岳之胤也。天而既厭周德矣，吾其能與許爭乎？……」

桓公六年：「楚武王侵隨……少師歸，請追楚師，隨侯將許之，季梁止之曰：天方授楚，楚之羸，其誘我也……」

莊公十四年：「……臣無二心，天之制也……」

閔公元年：「晉侯作二軍，公將上軍，太子申生將下軍……士蔿曰：太子不得立矣，分之都城而位以卿，先爲之極，又焉得立？不如逃之，無使罪至。爲吳大伯，不亦可乎？猶有令名，與其及也。且諺曰：心苟無瑕，何恤乎無家？天若祚天子，其無晉乎？卜偃曰：畢萬之後必大。萬，盈數也，魏，大名也。以是始賞，天啓之矣。……」

僖公二年：「虢公敗戎于桑田，晉卜偃曰：虢必亡矣。亡下陽不懼，而又有功，是天奪之鑒，而益其疾也，必易晉而不撫其民矣，不可以五稔。」

僖公十五年：「……晉大夫三拜稽首曰：君履后土而戴皇天，皇天后土，實聞君之言，羣臣敢在下風……上天降災，使我兩君，匪以玉帛相見而以興戎……重怒難任，背天不祥，必歸晉君……」

僖公二十三年，「（重耳）過衞，衞公不禮焉。出於五鹿，乞食於野人。野人與之塊，公子怒，欲鞭之。子犯曰：天賜也。稽首受而戴之……及鄭，鄭文公亦不禮焉。叔詹諫曰：臣聞天之所啓，人弗及也。晉公子有三焉，天其或者將建諸？君其禮焉……晉鄭同儕，其過子弟，固將禮焉，況天之所啓乎？……及楚，楚子饗之……吾聞姬姓唐叔之後，其後衰者也。其將由晉公子乎？天將興之，誰能廢之？違天必有大咎。……」

僖公二十四年：「晉侯賞從亡者，介之推不言祿，祿亦弗及。推曰：獻公之子九人，惟君在矣，惠懷無親，外內棄之。天未絕晉，必將有主。主晉祀者，非君而誰？天實置之，而二三子以爲己力，不亦誣乎？竊人之財，猶謂之盜，況貪天之功以爲己力乎？……」

僖公二十八年：「晉侯圍曹……楚子入居于申，使申叔去穀，使子玉去宋，曰：無從晉師。晉侯在外，十九年矣，而果得晉國。險阻艱難，備嘗之矣。民之情僞，盡知之矣。天假之年，而除其害。天之所置，其可廢乎？……」

又：「六月，晉人復衞侯，甯武子與衞人盟于宛濮，曰：天禍衞國，君臣不協，以及此憂也。今天誘其衷，使皆降心以相從也，不有居者，誰守社稷？不有行者，誰扞牧圉？不協之故，用昭乞盟于爾大神，以誘天衷……」

僖公三十三年：「晉原軫曰：秦違蹇叔而以貪勤民，天奉我也。奉不可失，敵不可縱；縱敵患生，違天不祥；必伐秦師。……」

文公十五年：「齊侯侵我西鄙……季文子曰：齊侯其不免乎？已則無禮，而討於有禮者，曰：女何故行禮？禮以順天，天之道也。已則反天，而又以討人，難以免矣。詩曰：胡不相畏，不畏於天。君子之不虐幼賤，畏于天也。在周頌曰：畏天之威，于時保之；不畏于天，將何能保？……」

宣公十五年：「宋人使樂嬰告急於晉，晉侯欲救之。伯宗曰：不可。古人有言曰：雖鞭之長，不及馬腹；天方授楚，未可與爭。雖晉之強，能違天乎？……」

成公十六年：「六月，晉楚遇于鄢陵，范匄子不欲戰……范匄趨進曰：塞井夷竈，陳於軍中而疏行首，晉楚唯天所授，何患焉？文子執戈逐之曰：國之存亡，天也。童子何知焉。……王曰：天敗楚也夫！余不可以待。乃宵遁。晉入楚軍……」

成公十八年：「……周子曰：孤始願不及此，雖及此，豈非天乎？……」

襄公二十三年：「晉將嫁女于吳，齊侯使析歸父媵之，以藩載欒盈，及其士，納諸曲沃。欒盈夜見胥午而告之。對曰：不可，天之所廢，誰能興之，子必不免。吾非愛死也，知不及也。盈曰：雖然，因子而死，吾無悔矣。我實不天，子無咎焉。」

襄公二十四年：「范宣子爲政……子產寓書于子西，以告宣子曰……夫上帝臨女，無貳爾心，有令名也……」

襄公二十八年。「……子服惠伯謂叔孫曰：天殆富淫人，慶封又富矣。穆子曰：善人富謂之賞，淫人富謂之殃。天其殃之也，其將聚而殲旃。」

襄公二十九年：「……鄭大夫盟于伯有氏……裨諶曰：善之代不善，天命也，其焉辟？子產舉不踰等，則位班也；擇善而舉，則世隆也。天又除之，奪伯有魄。子西即世，將焉辟之？天禍鄭久矣，其必使子產息之，乃猶可以戾。不然，將亡矣。」

襄公三十一年：「吳子使屈狐庸聘于晉，通路也。趙文子問焉。曰：延州來季子，其果立乎？巢隕諸樊，閽戕戴吳。天似啓之，何如？對曰：不立，是二王之命也，非啓季子也，若天所啓，其在今嗣君乎！甚德而度，德不失民，度不失事，民親而事有序，其天所啓也。……」

昭公四年：「……（楚請盟於晉）晉侯欲勿許。司馬侯曰：不可，楚王方移，天或者欲逞其心，以厚其毒而降之罰，未可知也。其使能終，亦未可知也。晉楚唯天，所相不可與爭，君其許之，而修德以待其歸。若歸於德，吾猶將事之，況諸侯乎？」

昭公十一年：「……韓宣子問於叔向曰：楚其克乎？對曰：克哉。蔡侯獲罪於其君，而不能其民，天將假手於楚以斃之，何故不克？……桀克有緡，以喪其國；紂克東夷，而隕其身。楚小位下，而亟暴於二王，能無咎乎？天之假助不善，非祚之也，厚其凶惡，而降之罰也。……」

又：「秋，會于厥慭，謀救蔡也。鄭子皮將行。子產曰：行不遠，不能救蔡也。蔡小而不順，楚大而不德，天將棄蔡以壅楚，盈而罰之，蔡必亡矣。……」

昭公十九年：「……子產不待而對客曰：鄭國不天，寡君之二三臣，札瘥夭昏。今又喪我先大夫偃……寡君與其二三老曰：抑天實剝亂，是吾何知焉。諺曰：無過亂門。民有亂兵，猶憚過之，而況敢知天之所亂？」

昭公二十六年：「……王子朝告于諸侯曰：昔武王克殷，成王靖四方……至於幽王。天不吊周，王昏不若，用愆厥位……至於惠王，天不靖周，生頹禍心……若我一二兄弟甥舅獎順天法，無助狡猾以從先王之命，毋速天罰，赦圖不穀，則所願也。」

又：「齊有彗星，齊侯使禳之。晏子曰：無益也，祇取誣焉。天道不謟，不貳其命，若之何禳之？……」

昭公二十七年：「……季子至曰……哀死事生，以待天命。非我生亂，立者從之，先人之道也……」

又：「秋，會于扈……范獻子取貨於季孫，謂司城子梁與北宮貞子曰：季孫未知其罪……季氏之復，天救之也。……季氏甚得其民……有天之贊，有民之助……孟懿子陽虎伐鄆，鄆人將戰，子家子曰：天命不慆久矣！使君亡者，必此衆也。天既禍之，而自福也，不亦難乎？……」

昭公二十八年：「春，公如晉……晉人曰：天禍魯國，君淹恤在外……」

定公四年：「……鄖公辛之弟懷，將弒王曰：平王殺吾父，我殺其子，不亦可乎？辛曰：君討臣，誰敢讎之？君命天也，若死天命，將誰讎？……鬥辛與其弟巢，以王奔隨，吳人從之。謂隨人曰：周之子孫，在漢川者，楚實盡之。天誘其衷，致罰於楚，而君又竄之，周室何罪？君若顧報周室，施及寡人，以獎天衷，君之惠也……」

哀公七年：「……景伯曰：吳將亡矣，棄天而背本，不與，必棄疾於我……」

哀公十五年：「……芋尹蓋對曰：寡君聞楚爲不道，荐伐吳國，滅厥民人，寡君使蓋備使，弔君之下吏，無祿，使人逢天之慼，大命隕隊……苟我寡君之命達于君所，雖隕于深淵，則天命也。非君與涉人之過也。吳人內之。」

哀公十六年：「夏，四月，己丑，孔丘卒。公誄之曰：旻天不弔，不憖遺一老，俾屏余一人以在位，煢煢余在疚。嗚呼哀哉！」

以上節錄左傳若干條，可以知天命史觀，乃流行深入於春秋時代列國賢達與卿士大夫之間，成爲一種無可懷疑的鐵則與定理。再以國語證之。

周語下：「……自幽王而天奪之明，使迷亂棄德，而即慆淫，以亡其百姓，其壞之也久矣，而又將補之，殆不可矣。水火之所犯，猶不可救，而況天乎？」

晉語三：「晉饑，乞糴於秦。丕豹曰：晉君無禮於君，衆莫不知。往年有難，今又存饑，已失人，又失天，其有殃也多矣。君其伐之，勿予糴。公曰：寡人其君是惡，其民何罪？天殃流行，國家代有，補乏薦饑，道也。不可以廢道於天下。謂公孫枝曰：予之乎？公孫枝曰：君有施于晉君，晉君無施於其衆，今旱而聽君，其天道也。君若勿予，而天予之。苟衆不說其君之不報也，則有辭矣，不若予之，以說其衆。衆說，必咎於其君，其君不聽，然後誅焉，雖欲禦我，誰與？……」

晉語四：「……楚成王以周禮享之，九獻，庭實旅百，公子欲辭，子犯曰：天命也！君其饗之。亡人而國薦之，非敵而君設之，非天，誰啓之心？……三材侍之，天福之矣。天之所興，誰能廢之？」（按重耳之事，同見左傳）

晉語五：「宋人弑昭公，趙宣子請師於靈公以伐宋。公曰：非晉國之急也。對曰：大者天地，其次君臣，所以爲明訓也。今宋人弑其君，是反天地而逆民則也，天必誅焉。晉爲盟主而不修天罰，將懼及焉。公許之。」

晉語六：「鄢之役，荊壓晉軍。軍吏患之，將謀。范匄自公族趨過之，曰：夷竈堙井，非退如何？范文子執戈逐之，曰：國之存亡，天命也，童子何知焉。且不及而言，姦也，必爲戮。苗賁皇曰：善逃難哉。既退荊師於鄢，將穀，范文子立於戎馬之前，曰，君幼弱，諸臣不佞，吾何福以及此。吾聞之，天道無親，唯德是授，吾庸知天之不授晉，且以勸楚乎？……」（此節亦見於左傳，略異）

晉語七：「……公言於諸大夫曰：孤始願不及此，孤之及此，天也。」

晉語八：「……良臣不生，天命不祐……」

鄭語：「……天之所啓，十世不替……」

又：「……有童謠曰：檿弧箕服，實亡周國。於是宣王聞之，有夫婦鬻是器者，王使執而戮之。府之小妾生女，而非王子也，懼而棄之，此人也，收以奔襃。天之命此久矣，其又何可爲乎？」

吳語：「吳王夫差旣許越成，乃大戒師徒，將以伐齊。申胥進諫曰：昔天以越賜吳，而王弗受，夫天命有反。今越王勾踐恐懼而改其謀……」

又：「越王曰：昔天以越賜吳，而吳不受；今天以吳賜越，孤敢不聽天之命而聽君之令乎？乃不許成。……夫差辭曰：天旣降禍於吳國……遂自殺。」

越語下：「（范蠡）曰：昔者上天降禍於越，委制於吳，而吳不受，今將反此義以報此禍。吾王敢無聽天之命，而聽君王之命乎？王孫雒曰：子范子，先人有言曰：無助天爲虐，天助爲虐者不祥。今吳稻蟹不遺種，子將助天爲虐，不忌其不祥乎？……」

從國語的所述，與左傳的觀念一致。茲又以吳越春秋以證左國所述吳越之事，觀點亦一致。

吳越春秋卷二：「九年，吳王謂子胥、孫武曰：始子言郢不可入，今果如何？（按吳已入郢）二將曰：夫戰借勝以成其威，非常勝之道。吳王曰：何謂也？二將曰：楚之爲兵，天下彊敵也。今臣與之爭鋒，十亡一存。而王入郢者，天也，臣不敢必。」

又吳越春秋卷三，紀越破吳事，與國語同，不贅錄。又越絕書，與吳越春秋皆漢人作，議論已略異於左傳國語。如敘孔子令子貢救魯事，子貢說齊，說吳，說越，開縱橫家之先聲。至戰國之世，戰國策所紀各國史事，烱然與左國不同。春秋之所謂史義，至此已蕩然改觀。因此時重富國強兵，互用詐詭，實違天理，幸儒墨諸子，尚能矯之。至於諸子，俟於後文言之。

× × × ×

經籍的另一部分是易、禮、詩三經，不是史籍，但其涉及於歷史與天命觀念的記述，還是不少。

周易是卜筮書，其中亦引用不少史事。如帝乙歸妹，高宗伐鬼方，箕子之明夷，及王用享于岐山諸事。舉史事所以明卦義，最重要者為革卦。「象曰……革而信之，文明以說，大亨以正。革而當，其悔乃亡。天地革，而四時成。湯武革命，順乎天而應乎人，革之時義大矣哉。」這可說，給天命史觀提出了一個定義。所謂「順乎天而應乎人」，即是「上順天命，下應人心」。所以，以後歷史家敘論朝代的改革、帝王的興起與成功，都以「順天應人」為眞理與論據。

革之外，如大有、豫、臨、萃、兌卦等，均與天道之說有關。如大有卦有「順天休命」與「自天祐之」之說，豫卦有「殷薦之上帝，以配祖考」之說，臨卦有「天道」之說，萃卦有「利有攸往，順天命也」之說，兌卦有「是以順乎天而應乎人，說以先民，民忘其勞，說以犯難，民忘其死，說之大，民勸矣哉」之說。至於繫辭諸篇，皆為後人之說，其中引孔子之言，雖未必可據，但亦不能遽加否定。又其中天地對稱之言，有屬於義理，有屬於自然。其餘如稱天道等，仍屬於上帝義，惟與天命說不甚相同。如：易曰：「自天祐之，吉無不利。子曰：祐者、助也，天之所助者順也，人之所助者信也。履信思乎順，又以尚賢也。是以自天祐之，吉無不利也。」這是解釋天祐，與順天與天命之說稍異。故易經中與歷史意義有關之說，仍重在革卦。

其次是三禮。周禮與儀禮，屬於制度儀則，在歷史範圍之內。禮記，則除一部分有關禮樂之說外，多孔子及弟子論政論學的言論。大學、中庸、禮運、儒行等篇，尤為儒家的重要經典。至於論史的言論不多，有關天命之說亦少。較重要的，爲禮運之論大同小康，倒是歷史學說的最高理想。其中孔子以禹、湯、文、武、成王與周公，皆謹於禮，而以禮本於天，殽於地，列於鬼神……而又說：「夫禮，先王以承天之道，以治人之情，故失之者死，得之者生。」故帝王特別重視祭祀，「祭帝於郊，所以定天位也。祀社於國，所以列地利也。祖廟，所以本仁也，山川，所以儐鬼神也。五祀，所以本事也……」。「禮行於郊，而有神受職焉。……」。「是故夫禮，必本於大一，分而爲天地，轉而爲陰陽，變而爲四時，列而爲鬼神，其降曰命，其官於天也。」這很顯然是說明尊天命爲政治之本。我們試以古今各國各民族而論，除非它是立有宗教而所祀又另有特定之神，否則都以敬天祀天而並稱之爲上帝天帝。我國上古只有巫祝，無宗教，（政教合一）故以祭天爲惟一大事。這也明白郊禮之重要及其目的。

× × × × ×

再次說到詩經。詩經三百五篇，在古經史中，尚有許多逸詩。詩，是人民的苦樂呼聲，詩是人天關係最密切的反映，所以，從詩中可以瞭解歷史的眞正形態。

說到天命與歷史的關係，在一般的詩中也許表現並不直接或並不明顯，但在生活與情感上，我們很可以察覺到這個時代與社會民生，是一種如何的情況。這也便是歷史問題，所以可以稱爲詩史。但其中也有一部分眞是史詩。惟有史詩，才可能包含着一種史觀。因此我先就幾首史詩來說：

玄鳥：

天命玄鳥，降而生商，宅殷土芒芒。古帝命武湯，正域彼四方。方命厥后，奄有九有。商之先后，受命不殆，在武丁孫子。武丁孫子，武王靡不勝。龍旂十乘，大糦是承。邦畿千里，維民所止，肇域彼四海。四海來假，來假祁祁。景員維河，殷受命咸宜，百祿是何。

這詩是祀高宗武丁的詩。明顯的說商祖是天命玄鳥所卵生的，武湯也是受天帝之命所生。到了武丁，更是代代受天命而發展，擁有九州，邦畿千里，光被四海，享受百祿。這首詩，開頭以商祖是玄鳥所生，這當然是神話。要知，這種神話，在歷史上是司空見慣的，幾乎成爲一種當然的事實。無論翻閱任何歷史，開創之君或極有聲名的皇帝與聖賢及宗教教主，他們的誕生，總有一段神跡。如黃帝之母曰附寶，見大電繞北斗樞星，光照郊野，感而有孕，二十五月而生帝於壽丘。（見於竹書紀年補證卷一）即此一例，可見其他。最少，也必謂其生時有赤光及白、青、紫、紅等等光，或某種特殊現象。故天命玄鳥之詩，不足爲怪，正說明一種天命的史觀。

生民：

厥初生民，時維姜嫄。生民如何，克禋克祀，以弗無子，履帝武敏歆。攸介攸止，載震載夙，載生載育，時維后稷。

誕彌厥月，先生如達，不拆不副，無菑無害。以赫厥靈，上帝不寧，不康禋祀，居然生子。

誕寘之隘巷，牛羊腓字之。誕寘之平林，會伐平林。誕寘之寒冰，鳥覆翼之。鳥乃去矣，后稷呱矣。

實覃實訏，厥聲載路，誕實匍匐，克岐克嶷。以就口食，蓺之荏菽。荏菽旆旆，禾役穟穟。麻麥幪幪，瓜瓞唪唪。

誕后稷之穡，有相之道。茀厥豐草，種之黃茂。實方實苞，實種實褎。實發實秀，實堅實好。實穎實栗，即有邰家室。

誕降嘉種，維秬維秠，維穈維芑。恒之秬秠，是穫是畝。恒之穈芑，是任是負，以歸肇祀。

誕我祀如何。或舂或揄，或簸或蹂。釋之叟叟，烝之浮浮。載謀載惟，取蕭祭脂。取羝以軷，載燔載烈，以興嗣歲。

卬盛于豆，于豆于登。其香始升，上帝居歆。胡臭亶時，后稷肇祀。庶無罪悔，以迄於今。

生民詩，是周祖后稷的史詩。他由神跡而生，亦受上帝保育，並成爲農業的偉人而肇興周族。這詩，我們可作歷史讀。其次，如公劉之紀公劉，緜之紀古公亶父，文王、思齊、皇矣、靈臺之美周並紀文王，大明、下武、文王有聲之紀武王，崧高之紀申伯，烝民之紀仲山甫，假樂之嘉成王，韓奕之紀韓侯，江漢之紀召虎，常武之紀南仲等，無不是一篇簡約的傳略。其他，如小雅之六月、采芑，也是敘事詩，述宣王北伐與南征。如文王詩序曰：「文王受命作周也。」鄭箋曰：「受命，受天命而王天下，制立周邦。」其第一章曰：「文王在上，於昭於天。周雖舊邦，其命維新。有周丕顯，帝命不時，文王陟降，在帝左右。」箋云：「文王初爲西伯，有功於民，其德著見於天，故天命之以爲王，使君天下也。」

以上所舉諸詩，詩中多有天命、上帝之詞，加以其他各詩，確是舉不勝舉，於此可證古人天命觀念之深入與普遍。

惟以上所舉，出自大小雅與頌詩，以作者來說，多數是文人與士大夫之流。他們對於政治比較敏感，有贊頌，也有怨憤，雖尊天，也有時對天懷疑而有怨詞。（此即產生哲學之重要原因。）至於國風百六十首，則採自民間，應爲在野平民之作。也可以說是一些知識份子的作品。情歌最多，其餘則爲哀傷、懷念、諷刺、農事、漁牧、田獵、祝賀之作，多言人事，少涉天帝與神話，故不引。

茲再錄兩詩，大雅板與召旻（節錄）這是亂世怨憤之詩。

板：

上帝板板，下民卒癉。出話不然，爲猶不遠……（按詩序以爲刺厲王，故以上帝與天爲稱厲王，實不然，但可言此爲厲王時詩，王之無道，天帝受怨。下召旻爲幽王時詩）

天之方難，無然憲憲，天之方蹶，無然泄泄……

天之方虐，無然謔謔，老夫灌灌，小子蹻蹻……

天之方懠，無爲夸毗，威儀卒迷，善人載尸……

天之牖民，如壎如篪，如璋如圭，如取如攜……

敬天之怒，無敢戲豫，敬天之渝，無敢馳驅。昊天曰明，及爾出王；昊天曰旦，及爾游衍。

召旻：

昊天疾威，天篤降喪。瘨我饑饉，民卒流亡。我居圉卒荒。

天降罪罟，蟊賊內訌，昏椓靡共，潰潰回遹。實靖夷我邦。

皐皐訿訿，曾不知其玷。兢兢業業，孔塡不寧，我位孔貶。……

昔先王受命，有如召公。日辟國百里，今也日蹙國百里；於乎哀哉！維今之人，不尚有舊。

讀此詩，可以知道當時人民，對天命觀念至濃，因而不免有怨懟之情。類乎板者，尚有蕩、抑、桑柔、瞻卬等篇，不錄。

三、孔孟諸子之天命觀

春秋戰國，是我國學術文化最燦爛的時代，諸子百家爭鳴，而儒、道、墨最爲顯學。當然，孔子的思想，更高出百家之上，影響於我國學術文化及政治社會者，數千年而不衰。以往研究孔子思想的，多注意他的道德倫理學說，政治教育學說，對於天命的觀念，不甚重視。也許，因爲「子罕言利與命與仁」。或如天命與仁，孔子談得很多，何以說他罕言。（有人釋罕言爲顯言，亦頗切。）性與天道，孔子確未曾多貢所說：「夫子之言性與天道，不可得而聞」（公治長）其實，利是孔子最厭惡的，所以少談。至與言，但也並未諱言。也許是，命與仁，性與天道，都是一種抽象的名詞，內容包括得很廣，很難令人理解而已。如論仁，有數十則，他說「我欲仁，斯仁至矣」。很容易。可是他又說「有殺身以成仁」，似乎並不容易。所以令人難懂。說到命，與天道，如天命、運命，當然更難令人懂得。這是附帶言之，無關題旨。

孔子說天與天命的記錄，在論語中實際很多，有十幾條，我大體的加以解釋。先學爲政篇的這一則：

「子曰：吾十五而志於學，三十而立，四十而不惑，五十而知天命，六十而耳順，七十而從心所欲不踰矩。」

關於這一則，我只說「五十而知天命」這一點。據：何晏集解及邢昺疏云：「五十而知天命者，命，天之所稟受者也，孔子四十七學易至五十窮理盡性，知天命之始終也。」這一說法，眞是不知所云。劉寶楠正義集諸家之說：「天命者，說文云：命，使也，言天使已如此也。書召誥云：今天命其哲，命吉凶，命歷年。哲與愚對，是生質之異，而皆可以爲善，則德命也。吉凶歷年，則祿命也。君子修其德命，自能安處祿命。韓詩外傳：子曰：不知命，無以爲君子。言天之所生，皆有仁義禮智順善之心，不知天之所以命生，則無仁義禮智順善之心，謂之小人。漢書董仲舒傳：對策曰：天令之謂命，人受命於天，固超然異於羣生，貴於物也。故曰：天地之性人爲貴，明於天性，知自貴於物，然後知仁義禮智，安處善樂循理，謂之君子。故孔子曰：不知命，無以爲君子，此之謂也。二文皆主德命，意以知德命，必能知祿命矣。是故君子知命之原於天，必亦則天而行，故盛德之至，期於同天。

中庸云：仲尼上律天時，下襲水土，辟如天地之無不持載，無不覆幬，辟如四時之錯行，如日月之代明，言聖人之德能合天也。能合天，斯爲不負天命。不負天命，斯可以云知天命。知天命者，知己爲天所命，非虛生也。蓋夫子當衰周之時，賢聖不作久矣。及年至五十，得易學之，知其有得，而自謹言無大過，則知天之所以生己，所以命己，與己之不負乎天，故以知天命自任。命者，立於己而受之於天，聖人所不敢辭也。他日桓魋之難，夫子言「天生德於予」。天之所生，是爲天命矣。惟知天命，故又言「知我者其天」，明天心與己心得相通也。

以上這些注釋，都是一些似是而非之說。其實，天命，就可解釋爲天的命令。至於什麼是天的命令？內容如何？目的如何？結果如何？這才可以說明那個「知」字。從以上所舉經籍詩史諸說，天命的範圍很廣。我前文已說過，國家的興亡、帝王的成敗、人民的禍福、政治之治亂、文化之盛衰，以至個人之一切，皆決之於主宰之天，亦即所謂天命。因此，個人固然有天命，國家、人民、帝王、政治等等，都有天命的。孔子知天命，是廣義的說法，是歷史性的說法，不是完全指個人，更不是所謂君子小人以及德命祿命等問題。

我以爲，孔子的五十而知天命，是指五十歲以後才體念和認識到天命的問題。（所謂五十、三十等等，都應認爲是指這一年開始，或這一年以後，並不是專指此一年，前人多誤）要知，孔子是抱有大志和崇高理想（道）的。既有大志和崇高理想，當然希望能獲得實現；要獲得實現，當然希望能從政。他曾說：「吾將仕矣。」又曾說「苟有用我者，朞月而已可也，三年有成。」（子路）可是，他在五十歲以前，只做過餬口養家的小事，沒有獲得從政的機會。最高的事業，是以詩書禮樂教弟子。到了五十歲那年，機會來了，公山不狃以費叛季氏，居然派人來召孔子，孔子實在想應召。他曾說：「夫召我者，豈徒哉？如用我，其爲東周乎？」（陽貨）其後，佛肸以中牟叛，也來召孔子。孔子也想去。他說：「……吾豈匏瓜也哉，焉能繫而不食？」（陽貨）但兩次都因子路反對而沒有前往。到了第二年（年譜以爲即當年），定公以孔子爲中都宰，才開始從政。當然，他懷着很大的希望。不到一年，就升任爲司空，後又轉爲大司寇。定公十年，定公與齊侯會於夾谷，孔子攝相事，使齊侯歸還了鄆讙龜陰之田，立了大功，這可以說是一帆風順，如願以償了。此時，他以爲可實現素志與理想。這時，他便以天命而自負。殊不知，當時環境很壞，內則三家當政，外則齊人讒譖，他的墮三都的主張，也受到很大的阻力。（見左傳定公十二年）到了季桓子接受齊女樂，三日不聽政；郊祭又不致膰俎於大夫（微子篇：齊人歸女樂，季桓子受之，三日不朝，孔子行。）還有很多不如意的事。如「孔子謂季氏，八佾舞於庭，是可忍，孰不可忍？」（八佾）又如「三家者，以雍徹。子曰：相維辟公，天子穆穆，奚取於三家之堂。」（八佾）。於是，他在五十五歲時，便不能不辭官而週遊衞陳曹宋等國了。他知道，就魯國言，決沒有前途，（三家不畏天命，天亦不佑魯。）從個人言，盡心盡力，而大志不展。當然，他還觀察到各國政治的種種不良現象，歸納的說，這是什麼原因？豈不是天命如此？（成敗繫於天命，非人力之所能爲）由此，可知孔子要到五十以後，受過這次經驗，才知所謂天命了。

如果孔子不是知天命，他爲什麼要有「道不行，乘桴浮於海……」（公冶長）和「子欲居九夷…

……」（子罕）的意念？他爲什麼因爲長沮，桀溺的事而說：「鳥獸不可與同羣，吾非斯人之徒與而誰與？天下有道，丘不與易也。」（微子）他爲什麼對子路說：「道之不行，已知之矣。」（微子）爲什麼說：「鳳鳥不至，河不出圖，吾已矣夫！」（子罕）爲什麼說：「丘之禱久矣！」（述而）爲什麼「獲麟……曰：吾道窮矣……孔子反袂拭面，涕沾袍。」（公羊哀十四）這些，都是孔子知天命之證。故他說：「君子有三畏：畏天命，畏大人，畏聖人之言。小人不知天命，而不畏也，狎大人，侮聖人之言。」（季氏）又：「公伯寮愬子路於季孫。子服景伯以告，曰：夫子固有惑志於公伯寮，吾力猶能肆諸市朝。子曰：道之行也與？命也。道之將廢也與？命也。公伯寮其如命何？」（憲問）又：「孔子曰：不知命，無以爲君子也。……」（堯曰）「伯牛有疾，子問之，自牖執其手，曰：亡之！命矣乎！斯人也而有斯疾也，斯人也而有斯疾也！」（雍也）

但是，孔子知天命，並不以道之不行而灰心，却還是以天命而自負。什麼天命？……乃道德和歷史文化的天命。（政治外的另一抱負）如：

子罕：「子畏於匡，曰：文王既沒，文不在茲乎？天之將喪斯文也，後死者不得與於斯文也；天之未喪斯文也，匡人其如予何？」

述而：「天生德於予，桓魋其如予何？」

憲問：「子曰：莫我知也夫？子貢曰：何爲其莫子知也？子曰：不怨天，不尤人，下學而上達，知我者，其天乎！」

由此，他尚以天命而自堅信，絕不怨天尤人。努力發揚學術。他平時，也常感慨的呼天。「子見南子，子路不說。夫子矢之曰：予所否者，天厭之！天厭之！」（雍也）（子路不瞭解他）。又「顏淵死，子曰：噫！天喪予！天喪予！」（先進）（他以顏淵可以作他的繼承人）

又如，八佾：「王孫賈問曰：與其媚於奧，寧媚於竈，何謂也？子曰：不然。獲罪於天，無所禱也。」是很明顯以天命爲告誡。同時，弟子們也以天命贊譽孔子。八佾：「儀封人請見，曰：君子之至於斯也，吾未嘗不得見也。從者見之。出曰：二三子！何患於喪乎？天下之無道也久矣，天將以夫子爲木鐸。」又子罕：「太宰問於子貢曰：夫子聖者與？何其多能也。子貢曰：固天縱之將聖，又多能也。……」

綜以上所論，可知天命觀實爲孔子的一種重要觀念。這一觀念，影響後世很大，所以不覺述之略詳。

×　×　×　×　×

孔子以後，儒分爲八，沒有繼承者。到了孟子，孔子的學說才發揚光大。他不但發揚光大孔子的學說，並距揚墨以衞聖道，倡性善與王道之論，這尤其有功於中國文化。他的學說博大，不能盡擧其要。只就天命史觀這一點，加以述錄，因爲他在歷史的天命論，明確的歸納了古史的觀點。

萬章上：「萬章曰：堯以天下與舜　有諸？孟子曰：否！天子不能以天下與人。（萬章曰）然則舜有天下也孰與之？曰：天與之。（萬章曰）天與之者，諄諄然命之乎？曰：否！天不言，以行與事示之而已矣(萬章)曰：以行與事示之者如之何？曰：天子能薦人於天，不能使天與之天下。諸侯能薦人於天子，不能使天子與之諸侯；大夫能薦人於諸侯，不能使諸侯與之大夫。昔者，堯薦舜於天而天受之，暴之於民而民受之。故曰：天不言，以行與事示之而已矣。(萬章)曰：敢問薦之於天而天受之，暴之於民而民受之，如何？曰：使之主祭而百神享之，是天受之。使之主事而事治，百姓安之，是民受之也。天與之、人與之，故曰天子不能以天下與人。舜相堯，二十有八載，非人之所能爲也，天也。堯崩，三年之喪畢，舜避堯之子於南河之南。天下諸侯朝覲者，不之堯之子而之舜；訟獄者，不之堯之子而之舜；謳歌者，不謳歌堯之子而謳歌舜；故曰：天也。夫然後之中國，踐天子位焉。而居堯之宮，逼堯之子，是篡也，非天與也。泰誓曰：天視自我民視，天聽自我民聽。此之謂也。」

又：「萬章問曰：人有言，至於禹而德衰，不傳於賢而傳於子，有諸？孟子曰：否！不然也。天與賢則與賢；天與子則與子。昔者，舜薦禹於天，十有七年。舜崩，三年之喪畢。禹避舜之子於陽城，天下之民從之。若堯崩之後，不從堯之子而從舜也。禹薦益於天，七年，禹崩，三年之喪畢，益避禹之子於箕山之陰。朝覲訟獄者，不之益而之啓，曰：吾君之子也。謳歌者不謳歌益而謳歌啓，曰：吾君之子也。丹朱之不肖，舜之子亦不肖。舜之相堯，禹之相舜也，歷年多，施澤於民久。啓賢，能敬承從禹之道。益之相禹也，歷年少，施澤於民未久。舜禹益相去久遠，其子之賢不肖，皆天也，非人之所能爲也。莫之爲而爲者，天也。莫之致而至者，命也。……」

孟子這段話，以天命解釋歷史，可以說是最明確的天命史觀。他以「莫之爲而爲者，天也；莫之致而至者，命也」解釋天命，也可說是至理名言，簡明透徹。孟子還有幾段據天釋史之文，節引如下：

梁惠王下：「齊宣王問曰：交鄰國有道乎？孟子對曰：有。惟仁者爲能以大事小，是故湯事葛，文王事昆夷。惟智者爲能以小事大，故太王事獯鬻，勾踐事吳。以大事小者，樂天者也。以小事大者，畏天者也。樂天者保天下，畏天者保其國。詩云：畏天之威，于時保之。王曰：大哉言矣。……文王一怒而安天下之民，書云：天降下民，作之君，作之師，惟曰，其助上帝，寵之四方……」

又：「滕文公問曰：齊人將築薛，吾甚恐，如之何則可？孟子對曰：昔者，大王居邠，狄人侵之，去之岐山之下居焉，非擇而取之，不得已也。苟爲善，後世子孫，必有王者矣。君子創業垂統，爲可繼也，若夫成功則天也。君如彼何哉？強爲善而已矣。」

又：「……樂正子見孟子曰：克告於君，君爲來見也。嬖人有臧倉者，沮君，君是以不果來也。曰：行或使之，止或尼之，行止非人所能也。吾之不遇魯侯，天也。臧氏之子，焉能使予不遇哉？」

離婁上：「孟子曰：天下有道，小德役大德，小賢役大賢。天下無道，小役大，弱役強。斯二者，天也。順天者存，逆天者亡。」

盡心上：「孟子曰：盡其心者，知其性也，知其性，則知天矣。存其心，養其性，所以事天也。殀壽不貳，修身以俟之，所以立命也。」

又：「孟子曰：莫非命也，順受其正。是故知命者，不立乎巖牆之下。盡其道而死者，正命也。梏桎死者，非正命也。」按以上二段，言天言命，乃人生論，與歷史天命之說似異。但與前所解釋之天命定論，亦頗切合，故並錄之，其他之文則從略。惟孟子亦頗類孔子，以天命自負，眞能養其浩然之氣者。儒家者流，其所以勝於其他各家，即在於此。

公孫丑下：「孟子去齊，充虞路問曰：夫子若不豫色然。前日虞聞諸夫子曰，君子不怨天，不尤人。曰：彼一時，此一時也。五百年必有王者興，其間必有名世者。由周而來，七百有餘歲矣，以其數則過矣；以其時考之，則可矣。夫天未欲平治天下也，如欲平治天下，當今之世，舍我其誰也？吾何爲不豫哉。」

孔孟之說，略如上述，後世論史者，多襲其說。但儒家尙有荀子，其天論與孔孟異，論性惡與孟子異。雖然，荀子的發揚孔學，反對異端，並不弱於孟子，特較重於實際，故少言天命。但非有意非孔孟。如不苟篇論誠曰：「誠心守仁則形，形則神，神則能化矣。誠行義則理，理則明，明則能變矣。變化代興，謂之天德。人不言而人推高焉……天地爲大矣，不誠則不能化萬物；聖人爲知矣，不誠則不能化萬民。」所稱之天，亦不免人格化。又曰：「自知者不怨人，知命者不怨天。」

與儒家並稱爲道家。老莊之說，純涉自然，無爲而治，其理尙玄。若以論史，則主效法太古之世，永無進化之可言。（按理說，無爲而治，也可稱爲一種史觀，不過他是政治論而不是歷史論）但在哲學上，却有高深之理，足以與孔孟相抗衡。老不言鬼神，其所稱天，屬自然天、與地並稱。惟「天網恢恢，疏而不失」之言，則又不免涉於天帝，置之不論。

墨子爲戰國顯學。他出自儒家而非儒，故有非儒非命論。實際，他一切議論，皆以天志、明鬼爲歸，所以儼然是一位宗教家。他主兼愛、非攻、節用等，均爲手段，功利才是目的。不過是公的功利，而不是私的功利，所以我也替他定一個「公利主義」的名稱。如兼愛說，「兼相愛則交相利」可證。

墨子主天志、明鬼，顯然他是尊天爲帝的；一切都是天志所支配的，這也就是天命。他以爲貧富治亂，固有天命，不可損益。但他爲了非儒，却又主非命（定命之命），似乎有點矛盾。不過在天志篇中，說得很明白。他以「天之爲政於天子者也」，即天子聽命於天也。他以爲「順天意必得賞，反天意必得罰。」（非定命）「子墨子曰：昔三代聖王禹湯文武，此順天意而得賞也；昔三代之暴王桀紂幽厲，此反天意而得罰者也。然則禹湯文武，其得賞何以也？子墨子言曰：其事上尊天，中事鬼神，下愛人。故天意曰：此我所愛，兼而愛之；我所利，兼而利之。愛人者此爲博焉，利人者此爲厚焉，故使貴爲天子，貴有天下，業萬世子孫，傳稱其善方施天下，至今稱之，謂之聖王。然則，桀紂幽厲得其罰何以也？子墨子言曰，其事上詬天，中誣鬼神，下賤人。故天意曰：此我所愛別而惡之，我所利交而賊之。惡人者此爲之博也；賊人者此爲之厚也。故使不得終其壽，不歿其世，至今毀之，謂之暴王。……順天意者義政也，反天意者力政也。」此義，墨子再三反復言之，此即證其歷史觀之歸於天意也。墨子的主張（包括明鬼）實在有神學及宗教的意識。

墨子尙有三表之法，非命：「言必有三表，何謂三表？子墨子言曰：有本之者，有原之者，有用之者。於何本之？上本之於古者聖王之事。於何原之？原察百姓耳目之實。於何用之？發以爲刑政，觀其中國家百姓人民之利。」以其有關歷史，故附及之。

戰國其餘諸子，有關史學者，只有陰陽家騶衍有五德終始之說，但其說不詳。最後呂覽，屬於雜家，有關於歷史記述者頗多，但論史及天命者甚少。如有始覽名類：「凡帝王者之將興也，天必先見祥乎下民。黃帝之時，天先見大螾大螻……」以下，述禹湯文王並論五德終始。又孝行覽長攻：「凡治亂存亡安危強弱，必先有其遇，然後可各一則不沒。故桀紂雖不肖，其亡遇湯武也。遇湯武，天也，非桀紂之不肖也。湯武雖賢，其王，遇桀紂也。遇桀紂，天也，非湯武之賢也。」此爲很堅強的天命論。其後淮南子亦有言：「湯武之累行積善可及也，其遭桀紂之世，天援也。」又召數：「命也者，不知所以然而然者也。」此說類孟子。

至於漢之諸子，論史之作甚多，而涉及於歷史哲學的，董仲舒最爲突出，他的言論影響於後世史學者至深。他承孔孟與春秋公羊之學，滲以陰陽五行之論，不僅成一家言，還使經學與史學，亦爲陰陽五行之論所篡。不過，在基本上，仍不脫儒家範疇。他的議論，很多與天命觀有關，只是論點略有不同。若以五行災異而言，正史多有五行志災異志，可以說將天命論擴展了，却又不免歪曲附會了。

董仲舒之得名爲其對策，對策一曰：「臣謹案春秋之中，觀前世已行之事，以觀天人相與之際，甚可畏也。國家將有失道之敗，而天迺先出災害，以譴告之。不知自省，又出怪異以警懼之。尚不知變而傷敗乃至。」又：「王者欲有所爲，宜求其端於天。……」

春秋繁露第二十五（堯舜不擅移，湯武不專殺）：「堯舜何緣而得擅移天下哉？孝經之語曰：事父孝，故事天明。事天與父同禮也。今父有以重予子，子不敢擅予他人。人心皆然。則王者亦天之子也。天以天下予堯舜，堯舜受命於天而王天下。子猶安敢擅以所重受天者予他人也。天有不以予堯舜漸奪之故，明爲子道，則堯舜之不私傳天下而擅移位也，無所疑也。……王者，天之所予也，其所伐，皆天之所奪也。……故夏無道，則殷伐之，殷無道而周伐之，周無道而秦伐之，秦無道而漢伐之。有道伐無道，此天理也。」按此言堯舜天命禪讓之道，並辯正湯武伐桀紂爲天理。

又玉杯第二：「春秋之法，以人隨君，以君隨天……故屈民而伸君，屈君而伸天，春秋之大義也。」又爲人者天，第四十一：「爲生不能爲人，爲人者天也。人之人，本於天；天亦人之曾祖父也。此人之所以乃上類天也。人之形體化天數而成人之血氣，化天志而仁……傳曰：惟天子受命于天，天下受命於天子，一國則受命於君，君命順則民有順命，君命逆則民有逆命，故曰：一人有慶，萬民賴之。此之謂也。」又如天之爲，第八十：「天意難見也，其道難理。是故明陰陽入出虛實之處，所以觀天之志；辨五行之本末順逆小大廣狹，所以觀天道也。……」此後乃五行志之所由作，加以劉向歆父子倡之，其影響歷史最甚。

董仲舒同時與以後各家之說，均不如董說之有系統，如淮南子、論衡、法言等等，都不離儒道兩家的議論，如王充是一位懷疑和考證大師，甚至問孔刺孟，冒犯聖賢。但他却深信命運，亦信天命，佑善懲惡。不過，只言人物而少論歷史，所以無須引證。漢以後，著述如林，大體都尊經尊孔，對於史論，只須於史籍中求之。

四、史籍史官之天命觀

我國正史，從司馬遷史記開始。他總結古史，創紀傳體通史，自黃帝至於漢武太初。他的史才史識爲百世所讚仰。他遵信經籍與孔孟諸子之言，取材盡量減少神話與虛妄不實之傳聞雜錄。他對天命觀，雖不如何強調。但古史有關天命之說，仍守舊文，其論史事，在無可解釋時，一切歸之天命。

如五帝本紀：「於是帝堯老，命舜攝行天子之政，以觀天命。遂類於上帝，禋於六宗，望於山川，辯于羣神……」至於薦舜于天的種種記載，以及夏本紀中薦禹之事，均取孟子之說。至殷本紀，玄鳥之說採詩經，伐桀之事依湯誓、湯誥。至敍武王伐紂之事：「紂之臣祖伊，聞之而咎周。恐，奔告紂曰：天既訖我殷命，假人元龜，無敢知吉。非先王不相我後人，維王淫虐用自絕。故天棄我，不有安食。不虞知天性，不迪率典，今我民往不欲喪。曰：天曷不降威，大命胡不至？今王其奈何？紂曰：我生不有命在天乎？祖伊反曰：紂不可諫矣。西伯旣卒，周武王之東伐至盟津，諸侯叛殷會周者八百。諸侯皆曰：紂可伐矣。武王曰：爾未知天命。乃復歸。紂愈淫亂不止。微子數諫不聽，乃與大師少師謀，遂去。比干曰，爲人臣者，不得不以死爭。迺強諫紂。紂怒曰：吾聞聖人心有七竅，剖比干觀其心。箕子懼，乃佯狂爲奴，紂又囚之。殷之大師少師乃持其祭樂器奔周。周武王於是遂率諸侯伐紂。」周本紀敍此事，復據牧誓，稱「共行天之罰。」錄此，以見一斑。

漢史，如項羽本紀：「項王自度不得脫，謂其騎曰：吾起兵至今八歲矣，身七十餘戰，所當者破，所擊者服，未嘗敗北，遂覇有天下。然今卒困於此，此天之亡我，非戰之罪也。……烏江亭長檥船待……項王笑曰：天之亡我，我何渡爲？」按項王一生，戰無不勝，但垓下之敗，無可自解，故曰天亡我，實亦對一生歷史之一大交代。而太史公曰：「……乃引天亡我，非用兵之罪也，豈不謬哉。」按太史公並非否定天命，而只是責項對種種失敗之因不自知反省，而徒以天亡我爲言，故斥爲荒謬。

高祖本紀，其前敍「左股有七十二黑子」，「醉臥，武負，王媼，見其上常有龍，怪之。」「前有大蛇當徑，願還。高祖醉曰：壯士行！何畏！乃前，拔劍擊斬蛇……一老嫗夜哭。人問何哭？嫗曰：人殺吾子，故哭之。人曰：嫗子何爲見殺？嫗曰：吾子白帝子也，化爲蛇當道。今爲赤帝子斬之，故哭。……嫗忽不見。」此種神話記載，古史最夥。以後正史中，凡開創帝王或特殊人物，皆有此類記載，不足爲奇。又：「高祖擊布時，爲流矢所中，行道病，病甚。呂后迎良醫，醫入見，高祖問醫，醫曰：病可治。於是高祖嫚罵之曰：吾以布衣，提三尺劍，取天下，此非天命乎？命乃在天，雖扁鵲何益？遂不使治病。」這可以說是天命論的堅強信徒。

又孝文本紀敍平諸呂，有曰：「中尉宋昌進曰……然而太尉以一節入北軍，一呼，士皆左袒爲劉氏，叛諸呂，卒以滅之，此乃天授，非人力也。」又：「上曰：朕聞之：天生烝民，爲之置君，以養治之。人主不德，布政不均，則天示之以菑，以誡不治。」凡此記載，足徵天命之說至爲流行。其餘有關言論，列引如下：

三代世表：「張夫子問褚先生曰：詩言契、后稷，皆無父而生，今案諸傳記，盛言有父，父皆黃帝子也，得無與詩謬乎？褚先生曰：不然。詩言契生於卵，后稷人跡生，欲見其有天命精誠之意耳。鬼神不能自成，須人而生。奈何無父而生子乎？一言有父，一言無父，信以傳信，疑以傳疑，故兩言之。……天命難言，非聖人莫能見。舜、禹、契、后稷，皆黃帝子孫也，黃帝策天命而治天下，德澤深後世。故其子孫皆復立爲天子，是天之報有德也。人不知，以爲汜從布衣匹夫起耳。夫布衣匹夫，安能無故而起王天下乎？其有天命然。」褚先生爲補史記，其天命觀一同於司馬遷。

吳太伯世家：「……吾敢誰怨乎？哀死事生，以待天命。」

魯周公世家：「告於太王文王。史策祝策祝曰：惟爾元孫王發，勤勞阻疾，若爾三王，是有負子之責於天，以旦代王發之身……罔不敬畏，無墜天之降葆命。……」

晉世家：「虢射曰：往年，天以晉賜秦，秦弗知取而貸我。今天以秦賜晉，晉其可以逆天乎？……」

淮陰侯列傳：「……信曰：陛下不能將兵而善將將，此乃信之所以爲陛下禽也。且陛下所謂天授，非人力也。……信方斬曰：吾悔不用蒯通之計，乃爲兒女子所詐，豈非天哉？」以上略舉數則，以見一斑。

茲特舉司馬遷之言：

魏世家：太史公曰：「……說者皆曰，魏以不用信陵君，故國削弱，至於亡。余以爲不然。天方令秦平海內，其業未成；魏雖得衡之佐，曷益乎？」

留侯世家：太史公曰：「學者多言無鬼神，然言有物。至如留侯所見老父予書，亦可怪矣。高祖離困者數矣，而留侯常有功力焉。豈可謂非天乎？」

禮書：太史公曰：「洋洋美德乎！宰制萬物，役使羣衆，豈人力也哉。」

六國年表：太史公曰：「論秦之德義，不如魯衞之暴戾者；量秦之兵，不如三晉之彊也。然卒并天下，非必險固便，形勢利也。蓋若天所助焉。」

秦楚之際月表：「太史公讀秦楚之際曰……豈非天哉！豈非天哉！非大聖，孰能當此受命而帝者乎？」

天官書：太史公曰：「……夫天運，三十歲一小變，百年中變，五百載大變。三大變一紀，三紀而大備，此其大數也。爲國者，必貴三五，上下各千歲，然後天人之際續備。太史公推古天變，未有可考於今者。」（以下論春秋）

只憑以上數則而言，足以知司馬遷之天命史觀，至爲堅定，其影響於我國史家者至鉅。

×　×　×　×　×

次以漢書等史爲例。漢書在孝武帝以前，多用史記，亦略有增益。高祖紀：「四年…張良陳平諫曰：今漢有天下大半，諸侯皆附楚，兵罷食盡，此天亡之時，不因其幾而遂取之，此養虎自遺患也。漢王從之。」此天亡之說。而班固贊曰：「……由是推之，漢承堯運，德祚已盛，斷蛇著符，旗幟上

赤，協于火德，自然之應，得天統矣。」按此已採五行終始之德說，謂之天統，天命說之更進一步。（此時已用夏正）

成帝紀：「……二年，二月癸未夜，星隕如雨。乙酉晦，日有蝕之，詔曰：乃者，龍見於東萊，日有蝕之，天著變異，以顯朕郵，朕甚懼焉。公卿申敕百寮，深思天誡……」按多年天變，故云思誡。此時盛五行災異之說，故班固少標天命之名而多稱天意，如五行志：「……辠在外者，天災外，辠在內者天災內。燔甚罪當重，燔簡罪當輕，承天意之道也。」故五行志羅列災異，巨細必錄。其實本天命以行天道，原亦相通。（漢言易春秋者，多不善終，固曾引以爲戒）

王莽傳：班固贊曰：「王莽始起外戚……而太后壽考，爲之宗主，故得肆其姦慝，以成簒盜之禍。推是言之，亦天時非人力之致矣。及其竊位……滔天虐民，窮凶極惡……昔秦燔詩書，以立私議。莽誦六藝，以文姦言，同歸殊途，俱用滅亡，皆亢龍絕氣，非命之運，紫色蠅聲，餘分閏位，聖王之驅除云爾。」

又敍傳曰：「皇矣漢祖，纂堯之緒，實天生德，聰明神武……應天順民，五星同晷……龔行天罰，赫赫明明。述高紀第一。」以上簡舉數則，以明漢書史義史觀。

范曄後漢書，光武帝紀：論曰：「……初，道士西門君惠李守等，亦云劉秀當爲天子。其王者受命，信有符乎！不然，何以能乘時龍而御天哉。」孝獻帝紀：論曰：「傳稱鼎之爲器，雖小而重，故神之所寶，不可奪移。至令負而趨者，此亦窮運之歸乎！天厭漢德久矣！山陽其何誅焉？」僅引此兩則，范氏之史觀，無待贅舉。

以下，就正史諸書，擇引數則，以證題旨，不加解說。

晉書，宣帝紀：「……魏武曰：人若無足，既得隴右，復欲得蜀。言竟，不從。既而從討孫權，破之，軍還，權遣使乞降，上表稱臣，陳說天命。魏武帝曰：此兒欲踞吾著爐炭上耶？答曰：漢運垂終，殿下十分天下而有其九，以服事之。權之稱臣，天人之意也。虞夏殷周，不以謙讓者，畏天知命也。」

北齊書，帝紀六：「論曰：神武平定四方……而降年不永，其故何哉？豈幽顯之間，實有報復，將齊之基宇，止存於斯，欲帝大之，天不許也。」又帝紀八，「論曰：……由此言之，齊氏之敗亡，蓋亦由人，匪唯天道也。」

周書，文帝紀二：「史臣曰：水曆將終，羣凶放命……天命有底，庸可滔乎。……」

隋書，高祖紀：「史臣曰：高祖……既而王謙固三蜀之阻，不踰朞月，尉迥舉全齊之衆，一戰而亡，斯乃非止人謀，抑亦天之所贊也。」

南史，梁紀，武帝：「論曰：梁武帝時逢昏虐，家遭寃禍，既地居勢勝，乘機而作，以斯文德，有此武功，始用湯武之師，終濟唐虞之業，豈曰人謀，亦惟天命。……」

南齊書，高帝紀上：「史臣曰：案太一九宮，占推：漢高五年，太一在四宮，主人與客俱得吉，計先舉事者勝。是歲，高祖破楚。……」按，皆以太一九宮推斷成敗，在史書中爲另一格。如高帝紀下：「史臣曰：孫卿有言，聖人之有天下，受之也，非取之也。……」又「贊曰：於皇太祖，有命自天……」此蓋溺於術數，不僅信天命而已。

梁書，武帝紀：「史臣曰：齊季告終，君臨昏虐，天棄神怒，衆叛親離。高祖英武睿哲，義起樊鄧……是以朝經混亂，賞罰無章，小人道長，抑此之謂也。賈誼云：可爲慟哭者矣。遂使滔天羯寇，承閒掩襲，鷩羽流王屋，金契辱乘輿，塗炭黎元，黍離宮室。嗚呼：天道何其酷焉！曆數斯窮，蓋亦人事然也。」

新唐書，高祖本紀：「贊曰：自古受命之君，非有德不王。自夏后氏以來，始傳以世，而有賢有不肖。故其爲世數，亦或短或長。論者乃謂周自后稷至於文武，積功累仁，其來也遠，故其世尤長。然考於世本，夏商周皆出於黃帝，夏自鯀以前，商自契至於成湯，其間寂寥無聞，與周之興異矣。而漢亦起於亭長叛亡之徒。及其興也，有天下皆數百年而後已。由是言之，天命豈易知哉。然考其終始治亂，顧其功德，有厚薄，與其制度紀綱，所以維持者如何。而其後世，或寖以隆昌，或遽以壞亂，或漸以陵遲，或能振而復起，或遂至於不可支持，雖各因其勢，然有德則興，無德則絕，豈非所謂天命者，常不顯其符，而俾有國者兢兢以自勉耶！唐在周隋之際，世雖貴矣，然烏有所謂積功累仁之漸？而高祖之興，亦何異因時而特起者歟！雖其有治有亂，或絕或微，然其有天下，年幾三百，可謂盛矣。豈非人厭隋亂，而蒙德澤，雖以太宗之治，制度綱紀之法，後世有以憑藉扶持，而能永其天命歟？」

又：房杜列傳：「贊曰……宰相所以代天者也。」

又：忠義列傳：「贊曰：張巡許遠可謂烈丈夫矣……巡死三日而救至，十日而賊亡，天以完節付二人，畀名無窮，不待留生而後顯也。……」

又：逆臣傳：「贊曰：唐之諸盜，皆生於大中之朝。太宗之遺德餘澤，去民也久矣……方是時也，天將去唐。」按新唐書爲歐陽修等所撰，其贊，不爲歐作，即爲宋祁等之筆。其史觀如何，特錄數則以見之。惟新五代史中，其伶官傳曰：「嗚呼！盛衰之理，雖曰天命，豈非人事哉？」又曰「嗚呼！天人之際，爲難言也。」此蓋感於五代之亂，天命難言，究非否定天命之說。

宋史：太祖紀：「贊曰：宋太祖起介冑之中，踐九五之位，原其得國，視晋漢周亦豈甚相絕哉？及其發號施令，四方列國，次第削平，此非人力易致也……」

又：眞宗紀：「贊曰：眞宗英悟之主。其初踐位，相臣李沆，慮其聰明，必多作爲，數奏災異，以杜其侈心，蓋有所見也。及澶淵旣盟，封禪事作，祥瑞沓臻，天書屢降，導迎奠安，一國君臣，如病狂然。吁可怪也！他日修遼史，見契丹故俗，而後推求宋史之微言焉。宋自太祖幽州之敗，惡言兵矣。契丹其主稱天，其后稱地，一歲祭天，不知其幾。獵而手接飛雁，鴇自投地，皆稱爲天賜，祭告而誇耀之。意者，宋之諸臣，因知契丹之習，又見其君有厭兵之意，遂進神道設教之言，欲假是以動敵人之聽聞，庶幾足以潛消其窺覦之志歟。然不思修本以制敵，又效尤焉，計亦末矣。仁宗以天書殉葬山陵，嗚呼賢哉！」此元代史臣之論，因宋初天書屢降，過於欺天欺民，故爲此言，亦深合理。惟與天命之說無關，而論史之識可取。

又：英宗紀：「贊曰：昔人有言，天之所命，人不能違，信哉。英宗以明哲之資，膺繼統之命，執心固讓，若將終身，而卒踐帝位，豈非天命乎？……」

又：孝宗紀：「贊曰：天厭南北之兵，欲休民生，故帝用兵之意弗遂而終焉。」

又：瀛國公紀：「贊曰：宋之亡徵，已非一日。曆數有歸，眞主御世；而宋之遺臣，區區奉二王爲海上之謀，可謂不知天命也已。然人臣忠於所事，而至於斯，其亦可悲也夫！」此亦元代史臣之言，於天命之說，衷心從之。

明史，莊烈帝紀：「贊曰：……祚訖運移，身罹禍變，豈非氣數使然哉？」按歷代帝王死後多有謚，初僅一二字，其後逐漸增加，至唐宣宗之「元聖弘明成武獻文睿智章仁神聰懿道大孝皇帝，已十八字，後此尤多。又至宋，體天法道……法天備道……等等之謚；至明，則太祖爲開天……皇帝，仁宗爲敬天……皇帝，其次則法天、繼天、承天、契天、範天、憲天、達天、欽天、崇天……等等。可知對天命上帝之觀念日甚。清代因之。

附：傅維麟明書，太祖紀：「史官贊曰：帝以聰明神武之姿，憫昏濁之餘，以至鼎沸，提三尺，蹶起淮甸，心切安民，用以仰承天意……雖曰天命良爾，要亦鋒矛所及，戒殺掠以輯寧萬姓之所致也……」

又：英宗紀：「史官贊曰：……古云，殷憂啓聖，多難興邦，帝之謂矣。雖然，皇皇帝主，至於身陷毳廬，而卒獲榮坦，豈非天哉！豈非天哉！」

清史，德宗紀：「論曰：……庚子以後，怫鬱摧傷，奄致殂落，而國運亦因此而傾矣。嗚呼！豈非天哉！」

又：后妃列傳，孝欽皇后：「論曰……不幸與德宗意恉不協，一激而起戊戌之爭，再激而起庚子之亂，晚乃一意變法，怵天命之難諶，察人心之將渙，而欲救之以立憲，百端並舉，政急民煩。陵土未乾，國步遂改，綜一代之興亡，繫於宮闈，亦一異也。」

又：南明紀，紹宗帝：「論曰：……惜受制於鄭氏，不獲展尺寸，終以身殉。天之將廢，雖賢者不能興。吁！可惘也！」

又革命黨人列傳序：「……夫孫文，一平民耳，無世閥之藉，無尺寸之柄，其能轉移世運，而成非常之大業者，何也？亦以其天縱之聖耳。」

「易曰：湯武革命，順乎天而應乎人。自秦失其鹿，天下逐之，不曰：彼可取而代之；則曰大丈夫當如是矣。其能順天應人者鮮矣。至孫文出，乃首揭國民革命，以順天應人，始一改數千年之故轍焉。自古非常之事，必待非常之人。」

又：「其後，孫文履行誓言，卒辭職推薦袁世凱爲第二任臨時大總統。孫氏與革命先烈，十數年來艱難締造之新生中華民國，竟付帝制餘孽之手，豈天欲禍中國，猶未已耶。」

×　×　×　×

正史之外，編年史佐之。漢紀諸書不論，司馬光之資治通鑑，實歷史之鉅著。司馬光之道德文章，史才史識，皆爲後人所共仰。其通鑑諸篇，對歷史之檢討評論，極爲精切。於天命之說雖少，（所謂通鑑不語怪）但其史觀，仍承儒家傳統之旨。

如其紀事：「晉孝帝太元七年，秦王堅銳意欲取江東。陽平公融諫曰：知足不辱，知止不殆，自古窮兵極武，未有不亡者。且國家本戎狄也，也朔會（要）不歸人，江東雖微弱僅存，然中華正統，天意必不絕之。」

至於評論，如前漢，成帝厚葬方進：「綏和二年——時熒惑守心，丞相府議曹平陵李尋，奏記方進，言：災受迫切，大責有加，安得保斥逐之戮。闔府三百餘人，唯君侯擇其中，與盡節轉凶。方進憂之，不知所出……方進即日自殺，上秘之……天子親臨弔者數至，禮賜異於他相故事。」臣光曰：「晏嬰有言，天命不慆，不貳其命，禍福之至，安可移乎。昔楚昭王、宋景公不忍移災於卿佐，曰：『移腹心之疾，寘諸股肱，何益也。』藉其災可移，仁君猶不忍爲，況不可乎？使方進罪不至死而誅之，以當大變，是誣天也。方進有罪當刑，隱其誅而厚其葬，是誣天也。孝成欲誣天，人而卒無所益，可謂不知命矣。」

後漢，曹操爲周文王：「魏王操爲驃騎將軍，假節，領荊州牧，封南昌侯。權遣校尉梁寓入貢，又遣宋光等歸，上書稱臣於操，稱說天命。操以權書示外曰：是兒欲踞吾著爐火上邪？侍中陳羣等皆曰：漢祚已終，非適今日，殿下功德巍巍，羣生注望，故孫權在遠稱臣，此天人之應，異氣齊聲，殿下宜正大位，復何疑哉。操曰：若天命在吾，吾爲周文王矣。」臣光曰：「教化，國家之急務也，而俗吏慢之，風俗，天下之大事也，而庸君忽之。……以魏武之暴虐強伉，加有大功於天下，其蓄無君之心久矣，乃至沒身不敢廢漢而自立；豈其志之不欲哉，猶畏名義而自抑也。由是觀之，教化安可慢，風俗安可忽哉。」此義正而辭嚴，亦所以示其畏名義而自知天命無託也。

唐紀，薛謙光獻豫州鼎銘：「太子賓客薛謙光獻武后所製豫州鼎銘。其末云：上玄降鑒，方建隆基。以爲上受命之符，姚崇表賀，且請宣示史官。」臣光曰：「日食不驗，太史之過也。而君臣相賀，是誣天也。采偶然之文以爲符命，小臣之諂也。而宰相因而實之，是侮其君也。上誣於天，下侮其君，以明皇之明、姚崇之賢，猶不免於是，豈不惜哉。」

又司馬光之稽古錄論，亦史論之精華。其中少言天命而重政事，蓋不欲以天命驕帝王而肆行無忌。其責西魏宣帝「自絕於天，結怨於民」。責梁元帝以「豈特人心之不與哉？亦天地之所誅也。」論後周世宗：「大功未成，中道而夭，蓋太平之業，天將啓聖人而授之，固非人謀之所及也」。足以知其史義之所在。

又胡三省注通鑑，爲史註之翹楚，茲錄其有關天命之說於後：

通鑑：「晉元帝太興四年，王敦久懷異志，聞逖卒，益無所憚。」胡注：「王敦之所忌：周訪、祖逖。訪卒而逖繼之，宜其益無所憚也。然溫嶠、郗鑒諸人已在，晉朝卒藉之以清大憝。以此知上天生材以應世，世變無窮，而人才亦與之無窮，固非姦雄所能逆睹也。」

通鑑：「晉穆宗永和四年，石虎立幼子世爲太子。」胡注：「虎父子相殘，廢長立少，天將假手於冉閔以夷其種類也。」

通鑑：「晉穆宗永和八年，魏主閔焚襄國宮室，遷其民於鄴，趙汝陰王琨以其妻妾來奔，斬於建康市，石氏遂絕。」胡注：「自古無不亡之國，宗族誅夷，固亦有之，未有至於絕姓者。石氏窮凶極暴，而子孫無遺種，足以見天道之不爽矣。」

通鑑：「齊東昏侯永元元年三月，陳顯達爲魏武衞將軍元嵩所敗，威名至是大損。」胡注：「陳顯達之敗，固是弱不可以敵強，亦天爲之也。齊師潰於戊戌，魏主殂於丙午。儻顯達更能支持數日，安知不能轉敗爲功耶。」

通鑑：「梁太清二年，邵陵王綸行至鍾離，聞侯景已渡采石。綸晝夜兼道，旋軍入援。濟江中流風起，人馬溺者什一二。」胡注：「盧循之亂，劉裕冒風濟江而風止；侯景之亂，綸濟江而風起，豈天之欲亡梁邪？是以善觀人之國者，必觀之天人祐助之際也。」

通鑑：「後晉齊王開運三年，契丹以兵環晉營，杜威與李守貞等謀降，威潛遣腹心詣契丹牙帳，邀求重賞。契丹主紿之曰：趙延壽威望素淺，恐不能帝中國。汝果降者，當以汝爲之。威喜，遂定降計。」胡注曰：「趙延壽父子以是陷契丹。杜威之才智，未足以企延壽；其墮契丹之計，無足怪者。覆轍相尋，豈天意耶？」

通鑑：「梁武帝中大通五年，魏賀拔岳司馬宇文泰，自請使晉陽，以觀歡之爲人。歡奇其狀貌曰：此兒視瞻非常，將留之，泰固求復命。歡既遣而悔之。發驛急追，至關不及而返。」胡注：「項羽不殺沛公，曹操之遣劉備，桓玄之容劉備，類如此耳。有天命者，固非人之所能圖也。」

五、史論諸家之天命觀

經籍諸子及史書所論，已簡如上述。茲再就歷代名史學論著，簡要節錄以舉之。

班叔皮王命論：「昔在帝堯之禪，曰：咨爾舜，天之曆數在爾躬。暨於稷契，咸佐唐虞，光濟四海，奕世載德，至於湯武而有天下，雖遭遇異時，禪代不同，至於應天順人，其揆一也。……遊說之士，至比天下於逐鹿，幸捷而得，不知神器有命，不可以智力求。……何則，貧窮亦有命也，況乎天子之貴，……是故窮達有命，吉凶由人……故淮陰留侯，謂之天授，非人力也。……」

班孟堅幽通賦：「……神先心以定命兮，命隨行以消息……」

李蕭遠運命論：「夫治亂，運也；窮達，命也；貴賤，時也。……授之者，天也；告之者，神也；成之者，運也。……」

劉孝標辯命論：「……蕩乎大乎，萬寶以之化；確乎純乎，一化而不易。化而不易，則謂之命。命也者，自天之命也。……然所謂命者，死生焉、貴賤焉、貧富焉、治亂焉、禍福焉，此十者，天之所賦也；愚智善惡，此四者，人之所行也……然則君子居正體道，樂天知命，明其無可奈何，識其不由智力，逝而不召，來而不距，生而不喜，死而不慼……」

干令升論晉武帝革命：「史臣曰：帝王之興，必俟天命，苟有代謝，非人事也……古者敬其事則命以始；今帝王受命而用其終；豈人事乎？其天意乎？」

又，晉紀總論：「史臣曰：……順乎天而享其運，應乎人而知其義……昔周之興也，后稷生於姜嫄，而天命昭顯；文武之功，起於后稷……」按干寶晉紀今不存，故自文選錄其說。

唐劉知幾著史通，爲史學最早之名著，其論史之精要，超越各家，而疑古、惑經諸篇，尤爲傑出。對於史書，推崇左傳，而於馬班皆有貶詞。謂馬遷之魏世家論成敗，不重人事而委之於天，論班固以五行志之作爲不當。此固自成一家之言，有其卓識。但其書志曰：「夫災祥之作，以表吉凶，此理昭昭，不易誣也……則知吉凶遞代，如盈縮循環，此乃關諸天道，不復繫乎人事……然而古之國史，聞異則書，未必審其休咎，詳其美惡也。」而鑒識篇亦嘗云：「廢興時也，窮達命也。」則亦近乎天命之言。只是，劉氏之意，對於史事成敗之論，應重人事，不能完全委諸天命而已。

唐以後，治史諸家，對劉氏之說，毀譽不一，尤以其最具高見之疑古、惑經爲非聖之言，多避而不論；但其標體製，辨利病，正是非，論筆法諸篇，實爲史學之津梁。此後，論文之作，多見於散文。專著不多。近代以來，史學著述較多，如十七史商榷、廿二史箚記、以及日知錄、讀書雜志、文史通義……等等，學不勝舉，但多重視考據，章實齋治史學，見解甚高，雖有天人之說，只是以理性言天，（氣合於理，天也；情本於性，天也；自然之公，天也。）而非天命之論。惟王夫之讀通鑑論與宋論等著，專重史論。因次第簡述一二，以證天命史觀之說，引王船山說較詳，因其論天命爲諸儒之冠。

王應麟困學紀聞卷二：「我生不有命在天；得之不得曰有命。一爲獨夫之言，一爲聖人之言。眞文忠公（德秀）曰：命，一也，恃焉而弗脩，賊乎天者也；安焉而弗求，樂夫天者也。此聖狂之所以異。」

又曰：「聖王畏天畏心，人有畏心，然後敬心生。謂天不足畏者，爲桀紂秦隋。」

又曰：「既克有定，靡人弗勝，（小雅正月）言天之勝人也。藐藐昊天，無不克鞏，言天之終定也。申包胥曰：人衆者勝天，人曷能勝天哉？天定有遲速耳，詩所以明天理也，故不云人勝天。」

又：「豈不欲往，畏我友朋，畏人也；胡不相畏，不畏於天，畏天也。不畏人則亦云可使，怨及朋友；畏天則神之德之，介爾景福。」

趙翼廿二史箚記——漢初布衣將相之局：「……蓋秦漢間爲天地一大變局……其君既起自布衣，其臣亦自多亡命無賴之徒，立而以取將相，此氣運爲之也。天之變局，至是始定……漢所封異姓王八人，其七人亦皆敗滅，則知人情猶狃於故見，而天意已另換新局，故除之易易耳……於是三代世侯世卿之遺法，始蕩然淨盡，而成後世徵辟、選擧、科目、雜流之天下矣，豈非天哉！」

又：漢儒言災異：「上古之時，人之視天甚近。殆人事繁興，情僞日起，遂與天日遠一日，此亦勢之無可如何也。即以六經而論，易最先出，所言皆天道。尚書次之，洪範一篇，備言五福六極之徵。其他詔誥，亦無不以惠迪從逆爲吉凶。至詩禮樂盛於商周，則已多詳於人事，而天人相應之理略焉……漢興，董仲舒治公羊春秋，遂推陰陽爲儒者宗……而後天之與人，又漸覺親切。……漢儒之言天者，實有驗於人。……董仲舒謂國家將有失道之敗，天乃先出災害以譴告之，以此見天心之仁愛人君，欲止其亂也。谷永亦言災異者，天所以儆人君過失，猶嚴父之明誡，改則禍消，不改則咎罰，是皆援天道以證人事，若有秒忽不爽者。……」

又，卷三十、元初用兵多有天助條，引蒙哥等數事。又元世祖嗜利黷武條，歷叙元世祖嗜利黷武之事跡。其後云：「內用聚歛之臣，視民財如土苴；外興無名之師，戕民命如草芥；以常理而論，有一於此，即足以喪國亡身。乃是時，雖民不聊生，反者數十百起，而終能以次平定。蓋興王之運，所謂氣盛而物之大小畢浮。故恣其所爲，而不至傾覆。始知三代以下，國之興亡，全繫天命。非必有道者得天下，無道者失天下也。」——此一說，可謂天命觀之最廣義。歷史上實亦有此局勢，非天命觀無法給以解釋。

王船山論史之精切深刻，近代一人而已。其論天命，一部分是神學性的，一部分是哲學性的。前者是總承前儒的傳統思想；後者是他自己創立的理論；但兩者可以互相結合而融通而一貫的。所以，王船山的天命觀，是我國史學中的天命史觀的完成者。

他以歷史發展的趨勢曰勢，而以勢的觀念聯繫理，又以理的觀念聯繫天命。故曰：「順必然之勢者理也；理之自然者天也，君子順乎理而善因乎天，人固不可與天爭，久矣。」「……豈有蒼蒼不可問之天哉？天者，理而已矣；理者，勢之順而已矣。」（見宋論）又云：「生有生之理，死有死之理，治有治之理，亂有亂之理，存有存之理，亡有亡之理。天者，理也；其命，理之流行者也。」（見唐德宗三二）此種說法，實合乎宋儒以下天理之說，以之釋史，則始於王氏。（如橫渠主氣，却歸於理。所謂「天地之氣雖聚散攻取百塗，然其爲理也，順而不妄」。如二程言：「天理云者，百理俱備。」「萬物只是一個天理。」「在天爲命，在義爲理，在人爲性，主於身爲心，一也。」「所謂天者，理而已。」至朱子以爲：「天地未判，先有此理。」「儒者以理爲不生不滅，釋氏以神識爲不生不滅。」一爲理學，一爲神學。象山亦云：「萬物森然於方寸之間，滿心而發，充塞宇宙，無非是理。」故主「心即理」。到船山，本亦主理氣二元說，故云：「天即陰陽五行之總名，天之理，即氣之理也。」此皆哲學之說。但其論史，則獨言理，與橫渠朱子爲近。然王氏言天，並不限於此，如言天、天德、天罰、天誅、天殛、天義、天意、天鑒、天爵、天秩、天牖、天授、天佑，順天休命，天以啓之，罪通於天等等，其性質也就不完全是理，自有上帝天帝之義。所謂神識，詳閱王氏之書可以知之。以下，我順次而引其說，不加說明，免繁。

讀通鑑論，秦始皇一：（不書卷數，但書其目）「兩端爭勝，而徒爲無益之論者，辨封建者是也。郡縣之制，乘二千年而弗能改矣。合古今上下皆安之，勢之所趨，豈非理而能然哉？天之使人必有君也，莫之爲而爲之。（孟子之說）……勢相激而理隨以易，意者其天乎？……嗚呼：秦以私天下之心而罷侯置守，而天假其私而行其大公，存乎神者之不測，有如是夫！」

二：「商始興而太甲放，周始興而成王危，秦并天下而扶蘇自殺，漢有天下而惠帝弗嗣，唐則建成死於刃，宋則德昭不令其終。迄乎建文之變而憯尤烈。天下初定，人心未靖，則天命以之不康。湯武且不能弭，後代勿論已。」

二世六：「孰謂秦之法密，能勝天下也？……法愈密，吏權愈重，死刑愈繁，賄賂愈章，……藉是以箝天下，而爲天下之所箝，固其宜也。受天命，正萬邦，德足以威而無疚媿者，勿效爾爲也。」

漢高帝二：「韓信數項羽之失曰：有功當封爵者，印刓敝，忍不能予。由斯言也，信之所以徒任爲將而不與聞天下之略，且以不保其終者，胥在是矣。封爵者，因乎天之所予而隆之，非人主所以市天下也。……抑信之爲此言也，欲以脅高帝而市之也。故齊地甫定，即請王齊……雲夢之俘、未央之斬，伏於請王齊之日……宋祖之愼，曹彬之明，保泰居盈之道得之矣；奚必踐姑許之言而褻天之景命哉？」「不疚於天，則天無不祐；不愧於人，則人皆可馭。」

高帝三：「高帝無哀義帝之心，天可欺乎？人可愚乎？」

文帝一四：「……刑賞者，天之所以命人主也。貴賤生死，君即逆而吾固順乎天。……抑臣之異於子，天秩也。」

文帝二十三：「吉凶之消長在天，動靜之得失在人。天者，人之所可待；而人者，天之所必應也。物長而窮則必消，人靜而審則可動。故天常有遞消遞長之機，以平天下之險阻，而恆苦人之不相待。智者知天之消長以爲動靜，而恆苦於躁者之不測其中之所持，若文帝者，可與知時矣。可與知時，殆乎知天矣。知天者，知天之幾也。夫天有貞一之理焉，有相乘之幾焉。知天之理者，善動以化物，知天之幾者，居靜以不傷物。而物亦不能傷之，以理可化者，君子之德也；以幾遠害者，黃老之道也；

降此無道矣。」

武帝一五：「漢武撫已平之天下，民思休息，而北討匈奴，南誅甌越，復有事西夷，馳情宛夏、身毒、月氏之絕域。天下靜而武帝動，則一時之害及於民而怨讟起。雖然，抑豈非天牖之乎？……武帝之始，聞善馬而遠求耳，騫以此而逢其欲，亦未念及牂牁之可闢在內地也。然因是貴筑、昆明垂及於今，而爲冠帶之國，此豈武帝、張騫之意計所及哉。故曰：天牖之也。」

元帝七：「天位者，天所位也；人君者，人所歸也。」

成帝二：「亡西漢者，元后之罪通於天矣。」

成帝六：「故禍福者，天也；失得者，人也。老而憂子孫，引天之吉凶以私之沒世，其愚不可療矣。」

王莽一：「王莽未滅，而劉歆先殺；歆未死而族先滅，哀哉！劉向之澤不保其子孫，而從學之門人與俱燼也。甄豐也、王舜也，皆推戴莽以分膏潤者也。鬼奪其魄，而豐以亂誅，舜以悸死，於是而知鬼神之道焉。推戴已成而心不自寧，此心之動，鬼神動之也。……聖人之學，天子之位，天之所臨，皆不可竊者也。」

光武一：「得失者，人也；存亡者，天也。」

光武二：「王者代天而行賞罰，參之以權謀，則逆天而天下不服。非但論功行賞，按罪制刑於臣民也。武王封武庚於東國，不得不封也，天也。周公相成王誅武庚，不得不誅也，天也。……」

光武六：「馮衍曰：天命難知，人道易守。守道之臣，何患死亡？苟知此矣，在貧如富，在賤如貴，悠游卒歲，俟命而無求，豈不成大丈夫哉。而怏怏失志……光武終廢而不用，不亦宜乎？」

光武八：「……時之所興，勢之所湊，人爲之効其羽翼，天爲之長其聰明，燎原之火，一熸未滅，而猝已焚林，詎可量也。」……「孟子曰：行法以俟命。光武其庶幾乎！」

光武一三：「仲尼沒，七十子之徒，流風日遠，舍理言天，而窺天以數，賢者不能自拔，而疑信參焉。劉楊造瘿楊之讖以惑衆，張豐寶肘石之璽以自迷，皆緣之以釀亂而亡其身。光武之明，恐非此而無以動天下，刻畫五行，割裂六藝者，二百餘年，迄魏晋而始衰，害固如是之烈也。」

和帝九：「善言天者驗於人，未聞善言人者之驗於天也。宜於事之謂理，順於物之謂化。理化，天也；事物，人也。無以知天，於事物知之爾。知事物者，心也；心者，性之靈、天之則也。漢儒言治理之得失，一取驗於七政五行之災祥順逆，合者，偶合也；不合者，挾私意以相附會，而邪妄違天，無所不至矣。」

順帝一：「夫豈天於季漢之世吝於生才哉？才焉而不適於用，用焉而不盡其才者多矣……」

桓帝七：「亂政不一，至賣官而未有亡者也。古之天子雖極尊也，而與公侯卿大夫士受秩於天者均……重天之秩，而國紀以昭。……然則天子者，亦何不可以意計營求於天而倖獲之也？而立國之紀，掃地而無餘。」

三國六：「……上天之大命集於有德，雖無其德，而抑無樂殺之心，則亦予之以安全。天地之心，以仁爲愎，豈不信哉？——丕之逆也、權之狡也、先主之復也，皆保固爾後而不降天罰，以其知止而能息民也。……」

三國八：「漢高意移於趙王，唐高情貳於建成，宋祖受母命而亂與子之法，開國之初所恆有也。而曹氏獨以貽覆宗之禍。天不佑僭人，而使並峙於時以生猜制，天之道也。藉其不然，釁雖開於骨肉，必不假秉政握兵之異姓，持權以箝束懿親。漢、唐、宋爭於室而姦邪不興於外，豈有患哉？魏之自取滅亡，天邪？人邪？人之不臧者，天也。」

三國三一：「漢之延祀四百，紹三代之久長，而天下戴之不衰者，高帝之寬、光武之柔，得民而合天也。……逆若司馬，解法網以媚天下，天且假之以息民。則乘苛急傷民之後，大有爲之君起而蘇之，其爲天祐人助，有不永享福祚者乎？……」

東晉明帝一：「明帝不夭，中原其復矣乎？天假五胡以亂中夏，氣數之窮也。帝乃早世！……天假明帝以年，以之收北方離合不定之人心，而乘冉閔之亂，吹枯折槁，以復衣冠禮樂之中夏，知其無難也。帝早沒而不可爲矣，悲夫！」

安帝六：「天子者，天所命也，非一有功而可祗承者也。雖然，人相沈溺而無與爲功，則天地生物之心，亦困於氣數而不遂，則立大功於天下者，爲天之所不棄，必矣。」

齊武帝七：「治亂合離者，天也；合而治之者，人也。舍人而窺天，舍君天下之道而論一姓之興亡，於是而有正閏之辨……」

齊明帝二：「拓拔宏之僞也，儒者之恥也。天宏之僞，欺人而遂以自欺久矣……將誰欺？欺天乎？」

梁武帝七：「嗚呼，民之殄瘁也，生於竊據之世，爲之主者，惠民之心，其發也鮮矣。幸而一發焉，天牖之也。」

梁武帝二六：「蘇綽之制治法，非道也，近乎道矣。……天下將嚮於治，近道者開之先，此殆天乎！非其能近，故曰近道。天開之，使以漸而造之，故曰：乍與相即也。……唐因之，而治術文章咸近於道，生民之禍爲之一息，此天欲啓晦，而泰（宇文）與綽開先之功亦不可誣也。非其能爲功也，天也。」

隋文帝二：「可以行之千年而不易，人也，即天也，天視自我民視者也。民有流俗之淊與偷而相沿者矣，人也，非天也。其相沿也，不可卒革，然而未有能行之千年而不易者也。天不可知，知之以理；流俗相沿，必至於亂，拂於理則違於天，必革之而後安……則民視即天視矣。……」又：「開皇元年。隋主服黃……迄於今莫之能易，人也，即天也。於是而知漢儒之比擬形似徒爲云云者，以理律天，而不知在天者之即爲理；以天制人，而不知人之所同然者即爲天。凡此類，易、書、詩、春秋、周官、儀禮之所不著，孔、孟之所不言，詘之斯允矣。」

隋文帝九：「盛世之世，必不諧於衰世之耳。其諧不諧者，天也，非人也。」

隋文帝一：「以德化民至矣哉！化者，天事也，天自有理氣，行乎其不容已，物自順乎其則而不知，聖人之德，非以取則於天也，自修其不容已，而人見爲德……」

唐高祖一：「易曰：湯武革命，應乎天而順乎人。聖人知天而盡人之理，詩書所載，有不可得而詳者，千世而下，亦無從而知其深矣。乃自後世觀之，承天之祐，受人之歸，一六宇而定數百年之基者，必有適當其可之幾，蓋亦可以知天，可以知人焉。……。」

太宗六：「讀太宗論治之言，我不敢曰堯舜之止此也，以視成湯、武王，其相去無幾矣……若夫受天命作君師，……故曰湯武身之也。」

中宗三：「……裴炎贊武氏廢中宗立豫王……自炎姦不酬而授首於都市，而後權姦之詐窮，後世佐命之姦，無有敢藉口伊霍以狂逞者……炎之誅死，天其假手武氏以正綱常於萬世與？」

玄宗一九：「天下之生，一治一亂，帝王之興，以治相繼，奚必手相受哉！道相承也。……豈天之所懷哉？」

肅宗七：「肅宗自立於靈武，其不道固矣。天下不可欺，而尤不可自欺其心，以上欺其父。……肅宗之爲此也，探玄宗失位怏悒之情而制之也。若曰吾非不欲避位，而天命已去，人心已解……嗚呼，天理滅，人心絕矣。」

德宗三〇：「君相可以造命，鄴侯之言大矣。進君相而與天爭權，異乎古之言俟命者矣。乃唯能造命者，而後可以俟命；能受命者，而後可以造命，推致其極，又豈徒君相爲然哉？」「天之命，有理而無心者也。……人不自知而束手以待之。曰天之命也，是誠天命之也，理不可違，與天之殺相當，與天之生相背，自然其不可移矣。天何心哉？——夫國家之治亂存亡，亦如此而已矣。……」

敬宗一：「況夫天子者，天之所命也，天下臣民所欲得以爲父母者也。……」

敘論一：「正不正，人也；一治一亂，天也。猶日之有晝夜，月之有朔弦望晦也。非其臣子以德之順逆，定天命之去留；而詹詹然爲已亡無道之國延消謝之運，何爲者邪？宋亡而天下無統，又奚說焉？」讀通鑑論，摘錄止於此。不及所論之半，亦未詳引史事，因恐過繁。下再簡錄宋論。

太祖一：「宋興，統一天下，民用寧，政用乂，文教用興，蓋於是而益以知天命矣。天曰難諶，匪徒人之不可狃也，天無可狃之故常也；命曰不易，匪徒人之不易承也，天之因化推移，斟酌而曲成以制命，人無可代其工，而相佑者特勤也。」

「帝王之受命，其上以德，商周是已；其次以功，漢唐是已。詩曰：鑒觀四方，求民之莫。德足以綏萬邦，功足以戡大亂，皆莫民者也。得莫民之主而授之，授之而民以莫，天之事畢矣。」

「嗚呼！天之所以曲佑下民於無可付託之中，而其權於受命之後，天自諶也，非人之所得而豫諶也；而天之命之也亦勞矣。……宋無積累之仁……是則宋之君天下也，皆天所旦夕陟降於宋祖之心而啓迪之者也，故曰：命不易也。……佑之者，天也；承其佑者，人也。於天之佑，可以見天心；於人之承，可以知天德矣。」

「夫宗祖受非常之命，而終以一統天下，底於大定，垂及百年，世稱盛治者，何也？唯其懼也。懼者，惻悱不容自寧之心，勃然而猝興，怵然而不昧，乃上天不測之神，震動於幽隱，莫之喻而不可解也。……」

「盛矣哉！天之以可懼懼宋，而日夕迫動其不康之情者，『震驚百里，不喪匕鬯。』帝王所出而天之所以首物者，此而已矣。然則宋既受命之餘，天且若發童蒙，若啓甲坼，縈回於宋祖之心不自諶，而天豈易易哉？」

宋論爲一巨著，其言天命之處極多，只節引最前若干警語以爲證。於此，可知王氏論史，處處堅持天命史觀之旨。故以爲本文之殿。

六、結　論

本文寫至此，已自覺其繁冗。其實，這個問題，非引用古書之說不可。尤其是浩如煙海的史籍，如何摘錄？加以經子皆史，更難引證，所以篇幅雖長，而內容未免鬆弛。至於各家史論，更是引證太少。如王船山的史論，也只引讀通鑑論與宋論，其餘如黃書正蒙注等等均未引，故也未加歸納研究。至於如皇極經世一類的書，我却沒有提及。不過，關於天命史觀在歷史研究中的地位，可以確立而無疑。尤其是，我未滲入任何宗教的言論與神話傳說的事蹟，乃純學術性的探討。故無論在史學上哲學上，都多少具有一點啓發的作用。

因爲，凡是研究史學的人，一定要知道如何去觀察歷史，如何去解釋歷史，如何去評論歷史。解釋根據觀察，評論根據解釋。故觀察要能確立觀點，高瞻遠矚；解釋要能洞識因果，持之有故；評論要能明辨是非，言之成理。能夠如此，才可以在研究上有新的創建。不管有無必要，總是值得嘗試的。所以我說，關於天命史觀的述作，有一點啓發的作用，其故在此。

現在我們所處的時代，由中國擴大到世界，都是曠古未有之變局。以現代的中國言之：由中山先生領導革命，推翻帝制，建立民國，一變也。由袁世凱僭位而建軍閥政府，二變也。由國民革命軍北伐，肅清軍閥，建立國民政府，三變也。由內部及共產黨叛亂而至抗日戰爭發生，四變也。由抗日戰爭勝利而至共產黨奪得政權，五變也。由國府遷台而與大陸對峙達三十餘年，六變也。在此六變中，不知犧牲多少生命，破壞了多少家庭，毀滅了多少文物，製造了多少悲劇。可以說，幾千萬倍於歷史任何一次如永嘉天寶之亂的損害。我們研究歷史的學者，即使是親身經歷過的人，究竟能得到一個如何的因果判斷？去者已矣！將來的變化，竟又如何？我們對此一切一切，能不仰首蒼穹，痛心哀呼！這是一種自然的心理，船山以爲天即理，也是由此推斷而擴展以悟知的。孟子說：「莫之爲而爲者，天也；莫之致而至者，命也。」則天命之觀，豈不是解釋歷史的最確切純正的觀念。！

我曾讀過牟宗三教授的歷史哲學一書，其中有一段，使我無限感慨。他在酬答唐君毅先生所作關於歷史哲學的一篇理論精深的長文中，曾提及黑格爾所謂世界史的問題，他說：「縱然世界史成立，大同亦實現，而在主客觀實踐中，各民族自已以及世界史之主體，其行動與命運，在現實宇宙中，亦仍有一個『命運法庭』來裁判它。此是命運法庭之推進一步，不過不是世界史而已。此或即是『宇宙法庭』，或曰『上帝法庭』。人類業識茫茫，不可思議。一個人可墮落而自毀，一民族可墮落而自毀，整個人類也可墮落而自毀。即不自毀，亦可被大自然所毀滅。夫又孰能料哉？吾人於此對人類之命運實覺有無限之嚴肅，與無限之哀憐。欲不訴諸『上帝法庭』，得乎？」這確是願力無窮中所流的熱淚，哲學家與史學家的衷心感慨。我因此也用這段話來結束本文。

淺談格義（梵音雜誌序言）

珠海大學佛教同學會成立以後，全體會員們，推進會務，非常努力。他們曾朝氣蓬勃的舉行過許多次的文化活動，也曾邀我作過一次講演，題目是：「什麼叫做格義？」現在，他們即將出版會刊，定名爲「梵音」，又要我將那次講演詞寫出來，發表在「梵音」中。可是我的演講大綱，早經撕去，無法按照原定的內容一一寫出；只好答應他們寫一篇序言，仍以格義爲主題，簡略的說明佛學在我國學術史中是一個重要發展的階段，藉以提供他們作爲研究佛學的參考。（本文主要在談佛學，很少談到佛教。佛學佛教本來是一體的，但許多問題，都應分別言之，故特加聲明。）

那次講演，我爲什麼不直接談談佛學而要先說格義呢？因爲：佛學原是外來的學術，在學術文化昌明的我國，居然能和儒道諸子，並駕齊驅，消除華夷的隔閡，挺然成爲我國主要的學術思想之一，這種地位，決不是偶然獲得的。試以先秦諸子而論，很多學說，到了秦漢以後，或淹沒不傳，或不受重視。即以戰國的顯學墨家而言，墨子的身世和學說，在史記中只有二十四字附錄在孟荀列傳之後；而惠施公孫龍子的學說，在漢時竟無人爲之傳授發揚；雖然他們的學術價値很高，他們的著作也殘存到了現在，但在二千年以來，始終沒有建立起一種學派。沒有在學術思潮中發生過重大的波瀾。可見，學術的本身與學術的流傳是不一定有絕對的連帶關係的。

我以爲：大凡一種學術的建立與發展，決不可能是孤立的；必須深切探討其他的有關學術思想，才能有所成就。同時，研究與闡發一種學術，也決不應該是保守的；必須環顧時代社會的學術思潮而參照適應，方能獲得效果的。根據這二項原則，以佛學而言，它在印度是從九十六種外道中所產生出來的一種中道不二法門；來到中國以後，始終適應著中國的學術思潮而發展成爲中國的一種學術；所以，它始終不孤立，始終不保守，故能獲得學術史中的崇高地位，故能流傳到現在而仍然爲人所信奉。

我們試以儒道兩家思想而論，當漢武帝尊崇儒學以後，儒家思想，高踞上流，五經之學，成爲士子登仕的階梯。此時百家之說，都寂寂無聞。直到東漢初期，王充著論衡，反對儒學之弊，挹引道家之說，問孔，刺孟，非議聖哲。可以說異軍突起，言人之所不敢言。但是在儒學的潮流中，仍爲潮流所淹沒，並不發生重大的影響。可是一到了三國的正始便不同了。王弼何晏之流，居然大談老莊。不過，王何與王充的態度不同。王充是力斥儒學，而王何則一面談老莊，一面仍然揄揚儒家。而且，王弼注易經，何晏注論語，以道家的學說，注儒家的經典，儒學雖然受到滲透，表面上却毫無損傷。於是，玄學從此抬頭了。經兩晉到南北朝，三百多年，造成了一個玄學時代。即此一事實而言，儒學與道家學說，本來是不相容的。但王何的倡導玄學，不但不孤立保守，而且憑藉儒學以張老莊之說，故一時的儒生，也都紛紛傾向老莊。（註一）

再說到佛學的所以發揚。按佛教入中國，羣書所載，多稱在東漢明帝永平年中。（註二）此後，西方高僧與佛經，陸續東來。其初，多致力在譯述佛經。進一步則重在講經與傳教，產生了不少的名僧大師。更進一步又重在修持與著述，先後興建了小乘大乘諸宗。到了隋唐，在中國的高僧主持下，並建立了中國的佛學，而佛教也普及到全國。但漢代是經學的時代，魏晉南北朝是玄學的時代，何以外來的一種與經學玄學旨趣迥異的佛學與宗教，居然能並存而日趨發展，這似乎是一種奇蹟。可是，我們追究其最大的原因，也和王何倡導玄學一樣，採取不孤立不保守的態度，才能衝過經學玄學的這兩大關，也即前文所說的，主要在能適應時代學術思潮而獲得發展。

先從漢代說起，漢代的佛徒，主要在譯經。如桓靈之世的安清（字世高，安息人），曾譯經三十餘部，數百萬言。支婁迦讖（簡稱支讖，月支人）亦譯經數十部。同時，朔佛（天竺人）安玄（安息人）支曜（日支人）唐巨（唐居人）嚴浮調（最早出家之漢人）等，皆致力譯經。譯經之事，不受任何干擾，故能順利進行。又，由永平至桓靈之世，黃老浮屠，始終並稱（亦並祠並祀），視黃老爲神仙術，以浮屠爲附庸，且有老子化胡之說，所以與道教也並行不悖。至於佛學之宣揚，此時有一名著，名理惑論，三十七篇，爲牟融所作，見弘明集。（註三）牟子並不是佛教徒，他「既修經傳諸子，書無大小，靡不好之」。「……方世擾攘，非顯己之秋也。乃歎曰：老子絕聖棄智，修身保眞，萬物不干其志，天下不易其樂，天子不得臣，諸侯不得友，故可貴也。於是銳志於佛道，兼研老子五千文。會玄妙爲酒漿，翫五經爲琴簧。世俗之徒，多非之者。以爲背五經而向異道，欲爭則非道，欲默則不能，遂以筆墨之間，略引聖賢之言證解之，名曰牟子理惑云。」從這段序文中，可知他是一個儒生，深信佛學，兼研老子之書。由於時人非議他，以他違反儒學走向異端，因此他便引證孔子之言以證解佛道。（註四）正因爲他是引證孔子之言以證解佛道，在當時便發生很大的影響。同時，在他書中也引證老子之言以證解佛道，所以在魏晉以後，同樣發生很大的影響。我以爲，佛學之所以衝過儒學時代與玄學時代這兩大關，牟子理惑論實爲其先鋒。因爲，引孔老之言以證解佛學，也就是我下文所要談的格義的前奏。

到了正始以後，玄學大盛。雖然儒家仍受到尊重，但上自帝王大臣，下至文人學士，無不高談老莊，相習成風。同時，一般所謂名流學者，連爲人處世的生活也改變了。如嵇康阮籍之流，破除禮法，不務世事，以放誕爲清高，以空談代實學。時人竟尊之爲竹林七賢，無不以仿效七賢爲時髦，這種情形，不但與儒家的旨趣大相逕庭，就是與佛學佛教也背道而馳。可是在這個階段中的名僧大師，不僅不加距離，而且反置身於其中，一樣高談老莊，一樣佯狂放蕩。而且，這些名僧大師所談的老莊，比當時的名流學者達宦貴人所談的老莊，還要高明，還要新鮮。因此，這些名僧大師，無不受到尊重；因此，佛學佛教的地位，也就無形中大大的抬高了。這個階段，可以說是佛學發展的最重要的階段，沒有這個階段，也就沒有隋唐鼎盛的佛學了。

這個階段的名僧大師，不勝枚舉。最受尊崇的如兩晉竺法護、竺法乘、竺法蘭、支孝龍、康僧淵、康法暢、支愍度、竺法雅、竺道潛、帛法祖、支遁、道安、鳩摩羅什、僧肇、慧遠等等，不但精於佛學，大多對於儒家的經學和道家的老莊，都曾博覽深究。所以他們談佛學，多能引證周孔老莊以爲說。

孫綽道賢論，居然以佛家名僧七人比竹林七賢。（註五）如康僧淵等，時人呼爲「高座」。如孫綽讚法琛：「談能雕飾，照足開矇，懷抱之內，豁爾每融。」如郗超稱支遁：「林法師神理所通，玄拔獨悟。數百年來，紹明大法，令眞理不絕，一人而已。」這些誇讚，在當時是名士口中，不一而足。我姑引一二例，以見一斑：

世說新語，第四、文學篇：「莊子逍遙遊，舊是難處，諸名賢所可鑽味，而不能拔理於向郭之外。支道林在白馬寺中，將馮太常（馮懷）共語，因及逍遙。支卓然標新理於二家之表，立異義於衆賢之外，皆是諸名賢尋味之所不得，後遂用支理。」

又：「王逸少作會稽，初至，支道林在焉。孫興公謂王曰：支道林拔新領異，胸懷所及，乃自佳，卿欣見不？王自有一往雋氣，殊自輕之。後，孫與支共載往王許，王都領域（即故自矜持，不與交往），不與交言。須臾，支退。後正值王當行，車已在門，支語王曰：君未可去，貧道與君小語。因論莊子逍遙遊。支作數千言，才藻新奇，花爛映發，王遂披襟解帶，流連不能已。」

根據以上兩例，可知支公談莊子，竟能超出向秀郭象之表，使當世談逍遙遊者皆用支理。證明名僧在玄學中的地位，反比玄學諸公爲高。等於說，佛學壓倒了玄學。由此推論，支公談佛學時，當天是以說服玄學諸公了。在這種情形之下，佛教名僧，爲了適應當時的學術思潮，爲了講解經理，便產生格義之法。

格義，乃是以外書比擬內學之法，即以儒家道家學說中的要義來證解佛經之義之法。可以說，也就是在我前文所說的不孤立不保守的原則下產生出來的這種方法，創自於法雅與康法朗等。

高僧傳法雅傳：「法雅……少長外學，長通佛義……時依門徒，並世典有功，未善佛理。雅乃與康法朗等，以經中可數（按指五陰，四諦，十二因緣等說）配擬外書，爲生解之例，謂之格義。乃毗浮相曇等，亦辯格義，以訓門徒。雅風采灑落，善於樞機，外典佛經，遞互講說。」

慧遠傳：「慧遠……博綜六經，尤善老莊……年二十四，便就講說。嘗有客聽講，講實相義，往後移時，彌增疑昧，遠乃引莊子義爲連類，於是惑者曉然。」

據此兩例，可以知格義之重要。當時道安，支遁等講經時，常引三玄以釋經，三玄即易經與老子、莊子。三玄爲當時最流行之外典，亦即儒道兩家的經典。

其實，不僅講經用格義，道安等著述文章中亦常用格義。如道安安般經注序云：「安般者，出入也。道之所寄，無往不因；德之所寓，無往不託。是故安般寄息以成守，四禪寓骸以成定也。寄息故有亦階之差，寓骸故有四級之別。階差者，損之又損之，以至於無爲；級別者，忘之又忘之，以至於無欲也。無爲故無形而不因，無欲故無事而不適。無形而不因，故能開物；無事而不適，故能成務者，即萬有而自彼；開物者，使天下兼忘我也。彼我雙廢者，寄於惟守也。……」文中損之又損，無爲之說，出於老子。忘之又忘，忘我之說出於莊子，開物成務之說出於易經。

又：支道林詠懷詩之二：「端坐鄰孤影，眇罔忘思劬。偃蹇收神轡，領略綜名書。涉老咍雙玄，披莊玩太初。詠發清風集，觸思皆恬愉。俯薪質文蔚，仰悲二匠徂。蕭蕭柱下迥，寂寂蒙邑虛。廓矣千載事，消液歸空無。無矣復何傷，萬殊歸一途。道會貴冥想，罔象掇玄珠。悵怏濁水際，機忘映清渠。及鑒歸澄漠，容與含道符。心與理之密，形與物之疏。蕭索人事去，獨與神明居。」這首詩，完全爲懷老莊之詩，亦多用老莊詞語典故。謂之爲佛理詩可，謂之爲玄理詩亦未嘗不可。

以下，我再就證解佛理中而用格義的實例數則簡要加以說明。

㈣佛學中言空有問題，與老莊言有無，意義極近。故言老莊者可引佛義爲解，言佛理者亦可用老莊爲釋。諸僧講義中，直接間接，或明或藏，多用老莊義。

如佛言「四大皆落空生」，這與老子的「天地萬物生於有，有生於無」說爲近。故諸僧說空，往往以「無」說之。如道安言：「無在萬化之前，空爲衆形之始。」法琛言：「本無者，未有色法。先無於有，故從無生有。即無在有先，有在無後。故稱本無。」又言：「諸法本無，壑然無形，爲第一義諦。所生萬物，名爲世諦。」

又如僧肇寶藏論：「夫本際者，即一切衆生無礙涅槃之性也。何謂忽有如是妄心及以種種顚倒者？但爲一念迷也。又此念者，從一而起；又此一者從不思議起；不思議者即無所起。故經云：『道始生一，一爲無爲；一生二，二爲妄心。』以知一故，即分爲二。二生陰陽，陰陽爲動靜也。以陽爲清，以陰爲濁。故清氣內虛爲心，濁氣外凝爲色。即有心色二法。心應於陽，陽應於動；色應於陰，陰應於靜。靜乃與玄牝相通。天地交合，故所謂一切衆生，皆稟陰陽虛氣而生。是以由一生二，二生三，三即生萬法也。既緣無爲而有心，後緣有心而有色；故經云：『種種心色。』是以心生萬慮，色起萬端。和合業因，遂成三界種子。（指無色界（心），色界（身），欲界（塵））……故經云：『三界虛妄不實，唯一妄心變化。』夫內有一生，即外有無爲；內有二生，即外有有爲；內有三生，即外有三界。既內外相應，遂生種種諸法及恒沙煩惱也。」

從以上各種說法，當可尋繹出格義之所在。

(乙)佛學中若干名詞，若干重要論旨，往往與習用之義不盡相同，或賦有另一奧義，甚至有許多是可悟解而不易言傳者。故諸僧解經，不能不遷就外書之義以爲之說。爲當時有神滅神不滅之說，慧遠在沙門不敬王者論中說曰：「夫神者何耶？極精而爲靈者也。極精則非卦象之所圖，故聖人以妙物即爲言，雖有上智，猶不能定其體狀，窮其幽致，而談者以常識生疑，多同自亂，爲其誣也，亦已深矣。……莊子發玄音於大宗，曰：『大塊勞我以生，息我以死。』又以『生爲人羈，死爲反眞』，此所謂知生爲大患，以無生爲反本也。老子稱黃帝之言曰：『形有靡而神不化，以不化乘化，其變無窮。』莊子亦云：『特犯人之形而猶喜之。若人之形，萬化而未始有極，此所謂知生不盡於一化，方逐物而不返者也。』二子之論，雖未究其實，亦嘗傍宗而有關。……」此文中，慧遠所引論生勞死息與反眞反本以及神不化諸說，都是以解經義之惑，而較易使人瞭然。

(丙)由於格義的運用，甚至喧賓奪主而有教義的變質。如北魏時有曇靖傳提謂波利經之事，後有人天五戒教之創設。後人或疑曇請於魏太武焚毀佛經之後，僞造提謂經，因附會於中國之禮教，複雜以陰陽五行之說，故當時非常流行。人天教以五戒與五帝五行五臟五方五經等之相配合，這不僅是格義，簡直是以漢代所流行之儒家之說，而附會佛經且成爲佛教的教義了。劉虬在法華玄義中論南北教判之不同云：「北地師亦作王時教，而取提謂波利爲人天教。」後密宗述五教，也提到人天教。隋智顗、唐法琳，對提謂經皆用之而不疑，可知其影響亦頗久。

㈠格義的運用，在道安時，因其「有新悟，知弘贊理教，附會外書，則不能允愜。」頗有不能濫用之感，故到南北朝時已無格義之說。但用之既久，潛移日深，甚至在東晉到隋唐以後，佛學之所以成爲中國佛學，建立若干嶄新之佛義，未嘗不是受格義之重大影響。最早有六家七宗，即本無、本無異、即色、識會、幻化、心無、緣會，均與老莊思想有因緣連類之關係。其後，有不少的新義，皆從孔孟老莊思想而引發。簡述如下：

㈠僧肇之不眞定論：「然則萬物果有其所以不有，有其所以不無。有其所以不有，故雖有而非有；有其所以不無，故雖無而非無。雖無而非無，無者不絕虛；雖有而非有，有者非眞有。若有不即眞，無不事跡，然則有無稱異，其致一也。……所以然者，夫有若其眞有，有自常有，豈待緣而後有者？譬彼眞無，無自常無，豈待緣而後無也。若有不自有，待緣而後有者，故知有非眞有。有非眞有，雖有不可謂之有矣。不無者：夫無則湛然不動，可謂之無。萬物若無，則不應起，起則非無。以明緣起，故不無也。……然則萬法果有其所以不有，不可得而有；有其所以不無，不可得而無。何則？欲言其有，有非眞生；欲言其無，事象既形。象形不即無，非眞非實有。然則不其空義，於茲顯矣。故放光云：『諸法假號不眞，譬如幻化人，非無幻化人，幻化人非眞人也。』」

僧肇尚有物不遷論，亦就一切事物曾有存在之一點言之，則是常而非無常。因能生果，因因而有果，是知因不等滅。果內無因，是知因不來會。不滅不來，則不遷之證明。凡此，皆佛學之新義。

㈡道生之頓悟成佛論，據道生傳云：「……生玩潛思日久，徹悟言外，乃喟然歎曰：『夫象以盡意，得意則象忘；言以詮理，入理則言息。自經典東流，譯人重阻，多守滯久，鮮解圓義。若忘筌取魚，始可與言道矣。』於是校閱眞俗，研思因果，迺立『善不受報』『頓悟成佛』又六卷泥洹（涅槃經），先至京師。生剖析經理，洞入幽微，及說『一闡提人皆得成佛』。於是大涅槃經，未至此土，孤明先發，獨見忤衆。……俄而大涅槃經至於京師，果稱『闡提皆有佛性』……」

按道生此說，乃自莊子「得魚忘筌」與孟子「人人可以爲堯舜」之說而悟出。此爲演成禪宗與天台華嚴宗思想之源，亦最新義。矣破漸修與一部人有無漏種子說。故謝靈運辯宗論，認此乃折中孔釋二家而來。神會之「一念相應，便成正覺」之說，即本於此。

㈢天台論眞明爲來藏，據大乘止觀法門言：「佛之淨心六繫與大用，雖不爲世染，而亦不爲寂滯。故形成寂而恒照，照而恒寂。」此亦佛學新義，原於僧肇。又：「一切諸法，依此心有，以心爲體。座於諸法，法悉虛妄，有即非有。對此靈僞法故，目之爲眞。又復諸法雖實非有，但以虛妄因緣而有生滅之相，然彼靈法生時，此心不生，諸法滅時，此心不滅。不生故不增；不滅，故不減。以不生不滅，不增不減，故名之爲眞。三世諸佛，及以衆生，同以此一淨心爲體。凡聖諸法，自有差別異相。而此其心，無異無相，故名之爲來。」又：「如來藏體，具足一切衆生之性。」又大藏經：「體（指心體）具染淨二性之用，能生世間出世間法。」以上論心性的說法，皆具新義，亦至精闢。此僅簡引數語，以見一斑。

㈣又天台九祖主「無情有性」之說，以無情之物，亦有佛性。這在破「非人人可成佛」之說之外，又一新義。金剛經云：「故知一塵一心，即一切生佛之心性。」「萬法是眞爲，由不變故。眞爲是萬法，由隨緣故。」「故萬法之稱，寧隔于纖塵？眞爲之體，何專提彼我？是則無有無波之水，未有不濕之波。在濕，詎問於混澄；爲波，自分於清濁。雖有清有濁，而一性無殊；縱造正造依，依理終無異轍。若許隨緣不變，後云無情有無，豈非自語相違耶？」凡此新義，與萬物與我一體，民胞物與之說，正自吻合。

就以上簡略所學的經理新義，後返觀前文所舉的格義而言，大體可以明瞭佛學發展的若干重要關鍵。若詳言之，當然還有其他的因果所在。我寫此文的主要意思，乃是告訴佛教同學會諸君，對於一切學問，都須要融會貫通，不孤立，不保守，才能有新的悟解，才能有大的成就。願與諸同學共勉之。

【附　註】

註　一　儒道兩家之顯晦，當不如本人所說之簡單。儒道後學諸書，均曾互及孔老，或揚或抑，或爲寓言，或爲依託，記載不一。而道教託始於老子，漢桓好神仙，亦曾祠老子，其後隋志錄漢時諸子道書之流有三十七家之多，惟此時之老子。似爲道家方士所推奉，與學術無關，故不贅敍。至於玄風之所以愈衍愈烈，其原因當亦不限於本文所述。但王何的以道釋儒並憑儒揚道，實爲其主因。

註　二　佛教在永平中入中國之說，見牟子理惑論、四十二重經序、後漢紀、後漢書、不逹時五度奏疏、宋宗炳明佛論、王琰冥祥記、僧佑出三歲記集、慧皎高僧傳、陶弘景眞誥、酈道元水經注、楊衒之洛陽伽藍記、魏書釋老志……等文書。然亦有致疑者。

又有若干文書記載：伯益時已知有佛說，周代佛法已來說，孔子已知有佛說，燕昭王時申毒國來朝說，臨淄早有古阿育王寺說，秦始皇時外國沙門來華說，東方朔已知有佛說，漢武時佛法始通中國說，漢武得金人神說，刊仙中有七十四人出佛經說等等，皆附會或僞造之說，不可信。

但在哀帝時，伊權已有授佛經之事，見三國志裴注引魚豢魏略西戎傳。又明帝永平初，楚王英已爲桑門伊蒲塞設盛饌事，見後漢書楚王傳。而理惑論所述，傅毅已知天竺有佛陀之教。則永平求法前，已有奉佛者，不無可信之處。

以上皆考據問題，故不贅敍。

註　三　關于牟子之考證有兩說：一、有指爲僞者，見梁任公飲冰室文集，又法人maspero一九一〇年河內法國遠東學校雜誌，日人常盤大定一九二〇年四月東洋學報。二、有謂爲眞者，見孫詒讓籀膏述林，法人伯希和譯牟子載一九二〇年通報中。周叔迦編牟子叢殘，余嘉錫作牟子理惑論檢討，及湯用彤漢魏兩晉南北朝佛教史。以第二說較確。

註　四　言佛道，乃包括佛學佛教的通稱。

註　五　竺法乘比王戎，竺法護比山濤，于法蘭比阮籍，于道邃比阮咸，支遁比向秀，法琛比劉伶，泉遠比嵇康。